Einaudi. Stile libero Big

Dello stesso autore nel catalogo Einaudi

Teneri assassini
Romanzo criminale
Nero come il cuore

Giancarlo De Cataldo

Nelle mani giuste

Einaudi

Questo libro è stato stampato su carta ecosostenibile CyclusOffset, prodotta
dalla cartiera danese Dalum Papir A/S con fibre riciclate e sbiancate senza uso di cloro.
Per maggiori informazioni: www.greenpeace.it/scrittori

ISBN 978-88-06-18539-8

Nelle mani giuste

Avvertenza per il lettore.

Questo romanzo non tradisce la Storia, la interpreta rappresentando eventi reali sotto il segno della Metafora.

Il lavoro di ricostruzione si basa prevalentemente sulla lettura di atti giudiziari, sulle conversazioni con protagonisti della stagione delle stragi e su alcune profonde intuizioni di acuti osservatori dei rapporti tra mafia e politica, primo fra tutti Francesco La Licata. A Maurizio Torrealta sono tributario per il prezioso volume *La trattativa*. Quanto al «frasario» e al *modus operandi* dei mafiosi, essi sono tratti in massima parte da trascrizioni di intercettazioni.

Tuttavia, a eccezione delle personalità espressamente citate, i personaggi di questo romanzo sono frutto di fantasia e i nomi di aziende, strutture istituzionali, media e personaggi politici vengono utilizzati soltanto al fine di denotare figure, immagini e sostanze dei sogni collettivi che sono stati formulati intorno a essi.

È la Metafora a trasformare in archetipi letterari le persone che possono aver fornito spunti di ispirazione all'autore.

Ai non pochi amici che mi hanno dato una mano con preziosi suggerimenti e sincere critiche, un «grazie» che viene dal profondo del cuore.

Circa l'autobomba allo stadio Olimpico, l'interpretazione fornita dal libro si discosta da quanto asserito nel processo di Firenze, le cui risultanze portano a ritenere che l'attentato sia fallito per cause indipendenti dalla volontà degli ideatori, e non in ossequio al diverso disegno che il romanzo ipotizza.

D'altronde, ho sempre pensato, con Tolstoj, che la Storia sarebbe una cosa bella, se solo fosse vera.

E questo, in definitiva, è solo un romanzo.

G. D. C.

Prologo
Campagna casertana, estate 1982

L'uomo che dovevano eliminare si faceva chiamare Settecorone. Sicuro di sé fino alla spavalderia, si nascondeva in un casolare in pieno territorio dei Casalesi, dalla parte degli infedeli, protetto da una rete d'informatori che avrebbero dovuto garantirgli l'inviolabilità del nascondiglio. Per sua disgrazia, uno di costoro, un mariuolo di Acerra, era da tempo sul libro paga della Catena. Il Vecchio aveva girato la pratica a Stalin Rossetti.

– Ma perché? È una storia loro!

– Infatti. Il suo intervento si limiterà a una semplice copertura. Se nota qualcosa di strano, si esfiltri immediatamente.

Cosí, ora Stalin se ne stava a fumare appoggiato alla Land Rover nascosta nel folto di una macchia di pini stitici, a cento metri dalla via Domitiana e a vista del casolare. In un pomeriggio da spaghetti-western, in questa campagna da spaghetti-western di guappi, zoccole e povericristi che nessuna azione umana, nessun miracolo divino avrebbero mai potuto riscattare dalla loro irredimibile banalità da spaghetti-western. Il camorrista incaricato dell'esecuzione, Ciro 'o Russo, si era avviato da un paio di minuti. Era un tipo grasso e ansimante che mascherava un antico puzzo di cipolle sotto litri di acqua di colonia modello «chella che costa 'e cchiú». Stalin fumava e rifletteva. Affare di camorra, ma anche af-

fare di Stato. E come sempre, alla fine il gioco sporco toccava a loro. Alla Catena.

Questo Settecorone era uno dei sicari piú affidabili di
don Raffaele Cutolo. Doveva il nome alle corone che portava tatuate sulla spalla destra in ricordo dei nemici ammaz-
zati: sette corone, sette scalpi. Ma non scalpi qualunque,
ché di quelli non si curava piú di tenere il conto. Scalpi, per
cosí dire, qualificati. Da capozona in su, e una volta persino un sindaco che teneva la fissazione della «legalità». Un
duro, uno che non molla, fedelissimo al capo che gli aveva
dato istruzione, ruolo, prestigio. In altre parole, una speranza. Poco piú di un anno prima, quando le Brigate rosse
avevano rapito l'assessore Ciro Cirillo, e le alte sfere avevano deciso che avrebbero fatto per Cirillo quanto in prece-
denza avevano orgogliosamente rifiutato di fare per Aldo
Moro, e cioè trattare con i sequestratori, Cutolo si era rivelato un prezioso alleato. Grazie alla sua mediazione, Stato
e terroristi avevano raggiunto un soddisfacente accordo, e
l'ostaggio era stato liberato dopo tre mesi di prigionia. I
compagni combattenti avevano ottenuto un po' di quattrini da reinvestire nella lotta per la liberazione del popolo dal-
l'oppressione capitalistica. A Cutolo erano state fornite am-
pie garanzie: mano libera contro i clan rivali e un occhio di
riguardo sugli appalti per la ricostruzione delle terre deva-
state dal terremoto del novembre 1980. Anche qualcos'altro era stato garantito a Cutolo. Un intervento deciso sulla
sua tragica situazione giudiziaria. Ora, non era ben chiaro
quale attacco di follia avesse posseduto il capo della Nuova
camorra organizzata nel momento in cui aveva dato il via
libera all'operazione. Perché solo un folle poteva illudersi
che lo Stato avrebbe veramente tirato fuori dalla galera un
carcerato seppellito da secoli di condanne. Esistono limiti
che nessuno, nemmeno il Vecchio, avrebbe mai osato varca-

re. Primo fra tutti, il limite della convenienza. Si era già fatto troppo per Cutolo, e questo Cutolo, che passava per capo saggio e prudente, avrebbe dovuto capirlo. Invece, smaltita l'euforia per la favorevole conclusione della trattativa, Cutolo non solo non si era dimostrato all'altezza della sua fama di uomo di mondo, ma aveva alzato il tiro. Il riconoscimento della seminfermità mentale non gli bastava. Evitare le carceri di massima sicurezza non gli bastava. Cutolo voleva la libertà. Cutolo pretendeva la libertà. Dalla sua cella partivano messaggi tanto espliciti quanto inquietanti. Cutolo minacciava rivelazioni e minacciava stragi. Il tutto era inaccettabile. Un po' alla volta, pertanto, con discrezione ma anche con decisione, si era consentito ai vecchi clan di rialzare la testa. Il predominio militare dei cutoliani era stato rimesso in discussione da una serrata e intelligente controffensiva. I suoi uomini venivano inesorabilmente decimati. E adesso toccava a Settecorone.

Stalin accese un'altra sigaretta con la cicca. Ma quanto ci metteva, 'sto Ciro 'o Russo? Era già entrato? Secondo l'informatore, l'infame era solo, e per quanto abile potesse essere nel tiro, con il fattore sorpresa dalla loro, non avrebbe dovuto avere scampo.

Filtrò l'eco di uno sparo. Bene, storia conclusa, si disse Stalin, preparandosi a risalire sulla Land Rover. Poi arrivò il secondo sparo. E il terzo. E il grido. Stalin armò la calibro 22 e si mise a correre zigzagando verso l'edificio. Un altro grido. La porta era socchiusa. Stalin entrò. Quello che vide non gli piacque affatto. L'interno era insospettabilmente lussuoso: due divani, un piccolo televisore, tappeti, un volgare acquerello con una marina e il Vesuvio sullo sfondo. Lo stato delle cose fu subito chiaro agli occhi di Stalin. L'infame era andato. Un buco al centro della fronte. Ma l'informatore era stato impreciso. C'erano una donna e un

ragazzo. La donna stava morendo. Ancora giovane, un po'
sfatta, si lamentava piano, scossa da un tremito rassegnato.
Il ragazzo, semisvenuto, si massaggiava la testa. Poteva avere tredici-quattordici anni. Alto, magro, scuro. Ciro 'o Russo bestemmiava, tentando di sfilarsi dalla coscia sinistra la
lama di un piccolo coltello. Sui calzoni color cachi si andava
allargando una vasta macchia di sangue.

– 'Stu bastardo! Accirile, Rosse', accirile e jamme!

Stalin valutò con freddezza la situazione. 'O Russo era
entrato e aveva fulminato Settecorone. La presenza della
donna e del ragazzo l'aveva colto di sorpresa. Aveva sparato d'istinto alla donna. Il ragazzo gli era saltato addosso fe-
rendolo alla coscia. 'O Russo se n'era liberato scaraventan-
dolo contro il muro. Il ragazzo aveva avuto coraggio.

– Accirile, cazzo, ho perso la pistola, accirile, chillu fe-
tiente!

Il ragazzo era riuscito finalmente a mettersi in piedi. Bar-
collava, faticando a inquadrare la scena. Ciro 'o Russo urlava e bestemmiava. Stalin raccattò il revolver del camorrista. La donna aveva smesso di lamentarsi. I suoi occhi spa-
lancati fissavano il soffitto. Occhi verdi.

Stalin si avvicinò al ragazzo e indicò la donna.

– È tua madre?

Il ragazzo fece segno di no con la testa.

– Ma che cazzo stai aspettando? Spara, strunze, e jam-
muncenne!

Stalin mise l'indice sotto la gola del ragazzo e lo costrinse a guardarlo. Aveva gli occhi azzurri. Occhi disperati. Stalin Rossetti detestava i martiri e gli eroi. Ma sapeva riconoscere a prima vista un combattente. Quel ragazzo era un combattente nato. Quel ragazzo meritava di vivere.

Stalin gli porse il revolver di Ciro 'o Russo.

Il camorrista urlò e fece per avventarsi.

Il ragazzo sparò. Ciro 'o Russo si avvitò su se stesso, ma non cadde. Il ragazzo sparò ancora, e ancora. Quando il caricatore fu esaurito, Stalin gli sfilò delicatamente dalle mani l'arma arroventata.

– Come ti chiami?

– Pino. Pino Marino.

– Vieni con me, Pino Marino.

Il ragazzo chinò il capo. E scoppiò a piangere.

Dieci anni dopo

Autunno 1992

Cose di Cosa nostra

Qualche giorno dopo l'uccisione dell'esattore Salvo, 'u zu' Cosimo aveva preso possesso di un bungalow a due passi dal mare. Aveva scelto il posto perché era sicuro, e perché, sosteneva, lo iodio è una mano santa, a una certa età. Ufficialmente era autunno, anche se la Sicilia non se n'era accorta, e il sole come sempre bruciava e accecava campi città cristiani e animali. 'U zu' Cosimo non scendeva mai in spiaggia. Un collaudato sistema di staffette gli consentiva rapidità di spostamenti e riparo da incontri sgradevoli. Di tanto in tanto, qualche famiglio di assoluta fiducia gli faceva omaggio dei cannoli dei quali il vecchio era golosissimo.

– Mangia, mangia, figghiu. Sono fatti col fiore della ricotta, quella *di cavagna*... roba cosí non ne trovi nel continente!

Già. Il continente. Proprio da là veniva, quel pomeriggio, Angelino Lo Mastro. Era stato 'u zu' Cosimo in persona a convincere i membri riluttanti della commissione provinciale a richiamarlo per l'ammazzatina del capomandamento di Resuttana. A stretto rigor di logica, non ci sarebbe stato nessun bisogno di scomodare, per una simile bagattella, il brillante giovanotto, l'incensurato che portava la parola della Cosa nostra in certi ambienti che amavano definirsi «rispettabili» (aggettivo che a zu' Cosimo cagionava furiosi scatarramenti). Ma quando un paio di membri della commissione avevano posto l'accento su quell'evidente spreco di energia e di talento, 'u zu' Cosimo li aveva liquidati con un'alzata di spalle.

– 'U zu' Totò dice che un poco di movimento ci fa bene!

Vale a dire: a volere il ragazzo sul campo è Riina in persona. E gli ordini di Riina non si discutono. L'inserimento di Angelino nel commando era stato approvato all'unanimità.

Che si trattasse di una specie di prova era stato immediatamente chiaro allo stesso Angelino. E immediato era stato il disagio che aveva provato nell'inventare su due piedi scuse farraginose per mandare a monte una serie di appuntamenti già programmati da tempo. Un disagio che l'aveva accompagnato con il suo persistente tanfo di cose vecchie e marcite per tutta la durata del viaggio, nel corso dei preparativi, nel bel mezzo del *fatto* e dopo. Un disagio che ora la presenza del vecchio rendeva insostenibile.

'U zu' Cosimo, come primo comando, lo aveva spedito a comperare una bottiglia di acqua minerale non gassata al vicino centro commerciale *La Vampa*.

Solo dopo aver avuto la sua bottiglia il vecchio aveva trovato pace.

E ora attendeva, paziente, la fine del rito della degustazione del cannolo. Attendeva la spiegazione. Non aveva mai fretta, 'u zu' Cosimo.

Angelino Lo Mastro mandò giú l'ultimo boccone e si schiarí la voce. 'U zu' Cosimo non aveva fretta ma detestava le divagazioni oziose. E ci sentiva poco da un orecchio.

Dopo le note esecuzioni dei giudici, c'era stato un po' di allarme dovuto ai soliti tragediatori. Come prima misura d'urgenza, si era provveduto a strappare certi cadaveri dalla madre terra e a fornire loro degna e definitiva sepoltura nell'acido. Per la bisogna erano stati impiegati picciotti di Belmonte Mezzagno. Avevano fatto un buon lavoro. I migne fecero il sopralluogo nel podere indicato dai tragediatori e non ci trovarono una beneamata minchia. Ai picciotti era stata elargita una gratifica.

'U zu' Cosimo annuí.

L'ammazzatina del capofamiglia di Resuttana si era rivelata piú problematica del previsto. L'esecutore incaricato, Nino Fedele, non si era dimostrato all'altezza del compito. E cosí Angelino aveva dovuto rimediare di persona.

– Vai avanti!

Quando con Nino Fedele erano andati a prelevarlo, il capofamiglia non aveva avuto motivo di sospettare alcunché. Angelino aveva un messaggio della commissione, dovevano parlarne in luogo sicuro. Appena montati in macchina, Nino Fedele aveva tirato fuori il laccio e gliel'aveva stretto attorno al collo. Era stato in quell'istante che Nino Fedele si era trasfigurato. Le vene del collo gonfie, gli occhi iniettati di sangue, il sudore che colava copioso. Un attimo prima sembrava normale, e si era trasformato in una specie di diavolo. Aveva cominciato a latrare insulti contro la vittima. Sputava e offendeva la madre e il padre di quel disgraziato, i suoi fratelli, la sua gente tutta. Chiacchiere tante, fatti zero. Il capofamiglia scalciava e cercava di afferrare il laccio. Con una gomitata aveva mandato in frantumi il deflettore destro. Piú Nino Fedele si gonfiava, piú la stretta s'allentava.

– E allora?

– E allora gli ho sparato proprio qui, alla nuca.

'U zu' Cosimo, palpebra pesante, labbra agitate da moto continuo, fece cenno di proseguire nel racconto.

Di colpo, nel vedere il suo ex capofamiglia afflosciarsi

privo di vita, Nino Fedele s'era sgonfiato. Avevano trasbordato il cadavere nel bagagliaio di un'altra macchina, piú sicura, e bruciato con la benzina quella usata per la mattanza. Poi avevano raggiunto il bar dell'Albergheria e consegnato il tutto a Vittorio Carugno, che, preavvertito, aveva già provveduto all'acido.

'U zu' Cosimo sospirò.

– E Nino Fedele?

– Si è preso l'orologio d'oro, il portafogli, la cintura, la catenina con l'immagine della Vergine e il braccialetto, e poi se n'è andato per la sua strada…

'U zu' Cosimo sorrise.

– Ci dovevi sparare pure a lui. A quel cane rognoso l'abbiamo punciuto apposta per questo incarico. Ma è uomo senza fegato e senza cervello. Ci dovevi sparare!

Angelino impallidí. 'U zu' Cosimo sembrava essersi appisolato di colpo. Ma Angelino lo conosceva fin troppo bene. Era stato lui a introdurlo nella famiglia. Lui a disegnare il suo destino cosí diverso dall'ordinaria carriera dell'uomo d'onore. Il suo mentore e la sua dannazione. 'U zu' Cosimo stava riflettendo. Doveva decidere se la prova era stata superata. Se gli anni al Nord l'avevano infiacchito o se era ancora degno di un ruolo nella Cosa nostra. Se ci si poteva fidare di lui sino in fondo. Per questo era stato coinvolto in quello stupido omicidio di second'ordine. E lui non era stato all'altezza del compito!

Ma 'u zu' Cosimo pensava che, in fondo, il peccato era veniale, perché comunque c'era stata convenienza. L'obiettivo era stato raggiunto. Il ragazzo era stato pronto e di sangue freddo. La critica l'aveva ferito e impaurito. Non si era montato la testa. Il ragazzo rispettava le regole. Anche se viveva a mille chilometri, si vestiva come un iarrusu, profumava di iarrusu e magari s'era pure scordato il dialetto delle campagne... il ragazzo restava sempre cosa loro.

Questo doveva dimostrare, e questo aveva dimostrato. 'U zu' Cosimo aprí gli occhi. Aveva deliberato.

– Va bene. È cosa fatta. A Nino Fedele lo teniamo un poco calmo. Ma tu... mi devi dire altro?

Prima di soffiare il suo «no», Angelino Lo Mastro esitò. 'U zu' Cosimo sembrava penetrarlo con quei suoi occhi acquosi e vuoti che potevano farsi improvvisamente di ghiaccio e di vulcano. Angelino Lo Mastro abbassò lo sguardo.

– Fammi un caffè, – ordinò, secco, il vecchio.

Eh, pure Angelino non lo aveva guardato dritto negli occhi. La piaga del dubbio stava dilagando. Se persino uno come Angelino non lo guardava dritto negli occhi. 'U zu' Cosimo si preparò il messaggio per tutti quelli che non lo guardavano piú negli occhi. Si è dovuto agire contro il capofamiglia infedele perché l'infame aveva sparso la diceria che Provenzano, 'u zu' Binnu, era entrato in contrasto con la Cosa nostra. In principio avevano soprasseduto. Lo si era lasciato dire, come se la sua voce non fosse altro che un grido lontano portato dal vento di scirocco. E poi, si è mai sentito, metti, che il Padreterno entra in contrasto con tutti i santi? Ma l'infame non si era mostrato degno di tanta benevolenza. L'infame aveva sollevato dubbi sulle decisioni che si stavano prendendo. L'infame aveva osato dichiarare pubblicamente che: si stava imboccando una strada senza uscita; la stessa sopravvivenza dell'organizzazione era a rischio; 'u zu' Totò e 'u zu' Cosimo erano impazziti. La situazione sfuggiva loro di mano. E allora il gioco dell'infame si era svelato: si dichiarava per tirare dalla sua 'u zu' Binnu. Non esisteva, non poteva esistere nessun contrasto: era l'infame che cercava di crearlo. E se qualcuno

lo avesse seguito? Se la voce nel vento si fosse fatta coro?
Perciò, si è dovuto intervenire. Il momento non ammetteva esitazioni. Questa la versione ufficiale. La verità era
un'altra. Dubbi e perplessità li avevano in molti. 'U zu' Cosimo, se arrivava a compilare un elenco, ci doveva mettere
dentro almeno un quarto delle teste migliori della Cosa nostra. Un giorno l'avrebbe pure fatto, l'elenco. Ci doveva
mettere in cima proprio Angelino Lo Mastro? Che per lui
era come un figlio? Si sentivano brutti rumori. Giravano
storie tinte. Il dubbio, il dubbio... Dove c'è dubbio c'è inerzia. E dove c'è inerzia c'è morte. Un corpo senza movimento è morte. Per questo bisognava accelerare. Colpire ora,
quando le ferite sono ancora aperte e fa piú male.

Colpire, finché qualcuno non si farà sotto e dirà: fermatevi. Cosí non si arriva da nessuna parte.

Fermatevi, e mettiamoci d'accordo. Come ai vecchi
tempi.

Angelino Lo Mastro tornò dal cucinotto con due tazze
di caffè nero a regola d'arte.

'U zu' Cosimo lo fissò dritto negli occhi.

– Stai tranquillo. State tutti tranquilli. C'è convenienza!

Questa volta Angelino sostenne il suo sguardo. Il picciotto non si era guastato. Serviva clemenza, con lui e anche con gli altri, quelli già corrosi dal tarlo. L'esempio del
capofamiglia doveva bastare. Si trattava solo di dare tempo al tempo. Il tempo avrebbe portato la convenienza.

– Torna a Milano. Parla con Giulio Gioioso e dicci che
l'amico suo deve mettersi in regola coi pagamenti. E visto
che ci ha fatto perdere tempo e piccioli... e il tempo sono
piccioli... dicci che l'amico ci deve aggiungere un piccolo
presente...

– Quanto piccolo?

– L'1,5 per cento. Una cosa giusta e conveniente... e a proposito di convenienza: quanto la pagasti l'acqua minerale?

– Duecento lire.

– Allora c'è convenienza!

'U zu' Cosimo s'ingrugnò, scosse la testa, sbuffò. 'U zu' Cosimo spiegò che ogni giorno saliva dal supermercato del centro commerciale un tale. Gli portava sei bottiglie di acqua minerale e si faceva pagare lire millecinquecento. In buona sostanza, quel disgraziato faceva una cresta quotidiana di lire trecento.

– È per il servizio, – osservò Angelino, che cominciava a capire.

– Ma non si fecero patti. No, c'è convenienza. E se c'è convenienza, è cresta!

E, concluse 'u zu' Cosimo, visto che la consegna era imminente, Angelino gli avrebbe usato la cortesia di trattenersi qualche minuto in sua compagnia. In modo da essere presente all'arrivo del garzone del supermercato. Allora 'u zu' Cosimo gli avrebbe sparato una palla in bocca, giusto per fargli capire che cosa sono l'educazione e l'etica negli affari, e poi Angelino sarebbe stato cosí gentile da occuparsi dello spostamento della carogna.

Angelino realizzò, in quel preciso istante, che 'u zu' Cosimo era completamente pazzo. Pazzo e vecchio. Gli venne in mente la vittima designata: Saro Basile, sessant'anni, sette figli, tre denti, sciancato da una gamba. Garzone per pietà nel supermercato del centro commerciale *La Vampa*. 'U zu' Cosimo era un uomo fuori dalla realtà... Cosa nostra era governata da una congrega di pazzi. Vecchi pazzi. Tiravano dritti per la loro strada mentre il mondo andava da tutt'altra parte. Angelino Lo Mastro non nutriva nessuna riserva di carattere morale in ordine alla violenza. L'uso

sapiente della violenza era uno dei capisaldi dell'organizzazione. La violenza serviva a rimettere le cose in ordine, e restava il modo piú semplice e immediato per farsi intendere
dai tanti profeti del disordine. Ma con il destino dell'infeli-
ce sciancato non c'entrava la violenza. Era solo questione di
stupidità. Eh, no, no! Cosa nostra doveva cambiare! Cosa
nostra doveva mettersi al passo coi tempi! E i tempi invo-
cavano un ricambio profondo. Novità. Progresso. Se un giorno lui, Angelino, e qualche altro giovane come lui, avessero
potuto...

– Sta facendo tardi! – mormorò 'u zu' Cosimo. – Va' a
vedere se arriva, per piacere, Angelino!

Angelino Lo Mastro avrebbe voluto schiacciare quel
vecchio come un pidocchio. Ma non poteva farlo. Angelino Lo Mastro aveva paura di lui.

Ma intanto c'era quel miserabile, quel padre di famiglia,
quel pecorone che stava andando incontro alla piú stupida
delle morti mentre 'u zu' Cosimo sorrideva, pregustando
l'azione...

Angelino Lo Mastro ebbe un'idea.

– Ma siete sicuro che c'è convenienza? Voglio dire, questo è un rifugio sicuro, dovrete lasciarlo...

Il sorriso si spense sulle labbra d'u zu' Cosimo. I suoi
occhi vagarono per la stanza, evitando accuratamente di
posarsi su Angelino.

Bussarono alla porta. Angelino restò immobile. 'U zu'
Cosimo sospirò.

– Grapi. Dacci lire milleduecento e dicci che da domani ne mandano 'n autru.

Gli orfani del Vecchio

1.

Sul lungotevere sottofondo di traffico. Un tramonto di platani carezzati dall'ultimo residuo di ponentino. Dalla scrivania che era stata del Vecchio, Scialoja impartiva istruzioni a Camporesi, il giovane tenente dei Carabinieri che si era scelto come assistente.

Marzo. Omicidio di Salvo Lima. Il vecchio equilibrio fra politica e mafia saltato una volta per tutte. Falcone a maggio. Due mesi dopo Borsellino. In mezzo, Scalfaro eletto presidente della Repubblica. E infine, settembre, omicidio dell'esattore Salvo. Ultimo della lista. Almeno per il momento. La classe dirigente della Prima Repubblica agonizzante sotto il vento impetuoso di Mani pulite. Craxi si difende come un leone, ma il suo destino è segnato. I postcomunisti provano il vestito buono, impazienti di fare irruzione nella stanza dei bottoni. L'antico obbligo di stare al centro saltato con il crollo del Muro di Berlino. I patti di una vita sciolti dal Semtex-4. Tutti contro tutti. Assoluta libertà d'azione per chiunque. Gran confusione sotto il cielo, tempi eccellenti per uomini abili e spregiudicati. Nessun sistema tollera a lungo un eccesso di dinamismo. E prima o poi finisce per ritrovare il suo equilibrio. Ma quale? Allo stato: preoccupazione diffusa nei circoli economico-finanziari. Nessuna garanzia degli assetti futuri. Possibilità che si affermino le cordate sbagliate, le intelligenze pericolose. Incappucciati in fermento. Cattolici oscillanti fra Destra e Sinistra. Il papa stesso perplesso dall'enorme vuoto aperto dal crollo del comunismo. La mafia una forza in gioco. Dopo Borsellino, il Ros aveva aperto un canale con Cosa nostra. Tramite: Vito Ciancimino, ex sindaco di Palermo, uomo legato ai corleonesi di Riina. Attualmente agli arresti domiciliari con pesanti condanne. Ciancimino si era mostrato insospettabilmente possibilista. La deriva stragista non era condivisa dall'intera Cosa nostra. Il Ros puntava alla resa incondizionata dei latitanti. Riina voleva qualcosa, ma nessuno ancora sapeva cosa. Fatti noti a una cerchia di ben informati. Esclusi i magistrati: per loro vigeva, da sempre, la consegna del silenzio. La posta in palio? Per alcuni il potere, per altri, semplicemente, sopravvivere. La mafia, una forza in gioco. Le stragi, la sua mercanzia.

Gli sembrava di essere stato chiaro e convincente. Camporesi aveva inalberato un'espressione inebetita.

– Mi sono spiegato, tenente?

– Per la verità...

– Vuole che sia piú esplicito? Bene. Dobbiamo trattare con la mafia. Ha capito, adesso?

– Trattare con la mafia? Ma siamo impazziti? È immorale!

Scialoja non sapeva se mettersi a urlare o ridere di questo tono da vergine oltraggiata. Eh, mamma mia, ragazzo! Ma vuoi davvero farmi credere di non aver mai sentito parlare del ruolo di camorra e onorata società nell'impresa dei Mille? Dei prefetti crispini? Dello sbarco degli angloamericani nel '43? Del sacco di Palermo? Ma perché non le lasci agli storici revisionisti, 'ste menate?

– La morale non c'entra. Le ho dato un ordine. Lo esegua!

D'altronde, una reazione sdegnata era il minimo che ci si potesse attendere da uno che si teneva sulla scrivania la storica foto dei giudici Falcone e Borsellino. L'aspetto sorprendente della vicenda era, semmai, un altro: possibile che esistessero ancora italiani cosí devoti a un senso dello Stato che lo Stato, per primo, avrebbe giudicato quanto meno controproducente? Camporesi: era un ingenuo idealista o un abile mentitore?

L'unica era attendere gli sviluppi dell'affare. In certi casi, solo la morte fa davvero giustizia. Non si era detto di Falcone che si era organizzato da sé un finto attentato per lucrare fama e prestigio? Non erano stati sprezzantemente definiti, lui e Borsellino, i professionisti dell'Antimafia?

Falcone, Falcone... Borsellino, Borsellino... gli eroi... i modelli... le icone dell'Italiano Come Dovrebbe Essere. Come non sarà mai...

Scialoja aveva incontrato Falcone a gennaio. Una cena organizzata per metterli in contatto. Un ristorante napoletano. Folklore, casatiello, pesce cappone all'acqua pazza. La presenza discreta della scorta. Un noto chansonnier che, a saracinesca calata, metteva mano alla chitarra. I colleghi che si mettevano in mostra. L'eterna italica commistione di esibizionismo e di tragedia. Quindici anni prima, quando era ancora un giovane poliziotto idealista, si era rivolto a Falcone per un'informazione delicata. La risposta era arrivata dopo due settimane. Avevano riso insieme, rievocando l'episodio: in sostanza, aveva passato un esame an-

timafia. Ma quando, al momento del commiato, aveva
chiesto a Falcone se oggi l'avrebbe superato nuovamente
quell'esame, l'altro lo aveva trapassato con quel suo sorriso lieve, errabondo. E non aveva risposto. Si erano det-
ti tutto, in quel prezioso istante. Gli era bastata una conoscenza superficiale per capire che quell'uomo faceva
paura. Che la mafia avrebbe fatto di tutto per eliminar-
lo. Perciò, per lui le cose erano state a lungo abbastanza
chiare. Almeno nelle linee generali. Qualunque cosa bol-
lisse in pentola, gente come Falcone e Borsellino era troppo pericolosa per quelli.

– Cerchi di non perderci il sonno, Camporesi. Domani le darò qualche nome su cui lavorare.

2.

Piú tardi, Scialoja raggiunse un anonimo capannone in-
dustriale in agro di Pavona. Parcheggiò la Thema blu al
centro di un piazzale immerso nell'oscurità, scese dalla vettura allargando le braccia e dette una voce per farsi riconoscere.

– Sono io, Rocco.

Da qualche parte, pericolosamente vicino, gli rispose-
ro un ringhio sordo e un soffocato latrare di cane.

– Rocco, sono il dottore! – ripeté, un po' infastidito.

– Buono, Rolf! Scusassi, dottore, cu' 'stu buio non vi
aveva accanusciutu!

– Fa niente, fa niente...

Luci disposte ai quattro lati dell'area di parcheggio
squarciarono l'oscurità. Il custode, fucile a tracolla, gli ven-

ne incontro reggendo il cane, un enorme rottweiler dal collare chiodato.

– Ma 'na telefonata 'a puteva fari, no?

– Non ci ho pensato, Rocco. Va' a farti un giro!

– E 'u cani?

– Portalo con te.

– Quanto tempo vi serve?

– Affacciati fra un'oretta.

– Comu vuliti. E... dottore Scialoja...

– Che c'è, Rocco?

– È 'a prima vòta ca ci viniti senza 'u Vecchiu...

– E allora?

– Nenti, nenti...

– Ti manca, vero?

– Ora servo vostro sono.

Lo vide allontanarsi nella notte. Sarebbe andato ad appostarsi da qualche parte. Dove era possibile tenere d'occhio la Thema, il capanno, l'area circostante. Armato e pronto a sparare a chiunque avesse osato avvicinarsi. A meno che non fosse stato proprio lui, Scialoja, a ordinargli di lasciar passare lo sconosciuto.

Rocco Lepore era un'altra invenzione del Vecchio. Un bandito calabrese che si era macchiato le mani di sangue nell'infame inverno del '44 combattendo al seguito di un battaglione di SS ucraine. Il Vecchio lo aveva sottratto alla furia dei suoi compagni partigiani. Da allora la vita di Rocco era appartenuta al Vecchio. E da quando il Vecchio non c'era piú, quella vita apparteneva a Scialoja.

Rocco Lepore. Il custode degli archivi.

Scialoja entrò nel capannone e accese tutte le luci.

Gli autocarri stazionavano su due file. Automezzi destinati a una ditta di trasporti che non aveva niente da trasportare. Solerti autisti li spostavano da una parte all'altra d'Italia secondo un rituale meticolosamente organizzato, redigendo bolle di accompagnamento per merci inesistenti. Impiegati assonnati le catalogavano in raccoglitori e registri che uomini di fatica avviavano a scadenza periodica al macero.

Il Vecchio, ancora una volta il Vecchio.

Scialoja aggirò i veicoli e si diresse in fondo al capannone.

Due antichi Ac-70, autocarri di manovra dell'Esercito in disuso ormai da anni, languivano rugginosi contro una parete sporca d'unto.

«Le presento Ciccio uno e Ciccio due», e quello che voleva essere un sogghigno, nella bocca smagrita e contratta dall'ictus del Vecchio si era rivelato un rantolo quasi penoso.

Scialoja si portò sul retro di Ciccio uno, sollevò il telone, si issò con un movimento agile e, quando fu all'interno, pigiò un interruttore.

Era nell'archivio del Vecchio.

I documenti dormivano il loro sonno indifferente nelle casse di zinco contrassegnate da una numerazione progressiva.

La chiave della numerazione era nella rubrica del Vecchio.

La rubrica che ora gli apparteneva.

Per anni l'Italia che conta si era chiesta dove diavolo il Vecchio nascondesse il suo archivio.

Per anni i Signori Nessuno che si credevano i padroni del mondo, e che il Vecchio faceva saltare al suo comando come castagne nella padella forata, avevano investito ingenti capitali nella ricerca della Sede.

Nel '75, in un sottoscala lungo la via Appia, erano stati *casualmente* rinvenuti bauli di documenti che promettevano sensazionali rivelazioni.

Quando chi di dovere ci aveva messo le mani, quei documenti si erano rivelati carta straccia. Il Vecchio aveva un notevole senso dell'umorismo.

Le carte vere, quelle giravano. Vagavano in continuazione da un sito all'altro sul retro degli automezzi dell'impresa di un prestanome di fiducia.

Archivio mobile. A tutto il resto provvedeva il Vecchio, con la sua memoria prodigiosa.

Il Vecchio ci aveva messo quarant'anni a raccogliere quel materiale. Il nucleo originario, gli aveva spiegato, proveniva da dossier e informative dell'Ovra, la polizia politica di Mussolini.

«Un corpo *estremamente* efficiente», aveva aggiunto, con una smorfia sinistra.

Nel suo linguaggio, significava che, in qualche modo, ne aveva fatto parte.

Ma d'altronde: che cosa non era stato, il Vecchio?

Partigiano con il nome di battaglia di «Arcangelo» e membro del Comitato di liberazione nazionale dell'alta Italia.

Giovane funzionario del ministero degli Interni.

Allievo prediletto di James Jesus Angleton nella sezione che a Langley – quando la Cia si chiamava ancora Oss – si era occupata delle infiltrazioni rosse nelle democrazie occidentali.

Maturo funzionario del ministero degli Interni.

Collezionista di automi.

I destini del Vecchio e di Scialoja si erano incrociati al-
l'epoca in cui Scialoja dava la caccia a una banda di crimi-
nali romani. Il Vecchio li proteggeva, o, per meglio dire,
accordava alcuni favori in cambio di altri.

Nel primo faccia a faccia, il Vecchio si era presentato
come «leale servitore dello Stato». E aveva aggiunto: ciò
non toglie che io sia, in definitiva, «un uomo che non esiste che dirige un ufficio che non esiste».

Scialoja aveva cercato di arrestarlo.

Il Vecchio aveva fatto in modo di fargliela pagare.

Scialoja era diventato un rottame umano.

Il Vecchio l'aveva ripescato. E lo aveva designato suo
erede.

Ora Scialoja cercava, in quelle carte, un nome.

Il Vecchio ci aveva messo quarant'anni per raccogliere
quell'immensa massa di informazioni.

E due mesi per selezionarla.

Ora l'archivio erano Ciccio uno e Ciccio due.

«Tutto? Tutto qui? Quante saranno queste casse? Quaranta? Cinquanta?»

«Cinquantasei. Guardi se riesce a cogliere la valenza
simbolica del numero...»

«Il '56? La fine dell'illusione comunista? Non mi dica
che lei faceva il doppio gioco...»

«Doppio, triplo, quadruplo e anche di piú. Ma giammai
niente di piú e niente di meno dello stretto necessario».

«E tutto il resto? Dov'è finito? Su altri camion? In altri depositi?»

«Tutto il resto non c'è piú!»

Scialoja compulsò la rubrica. La cassa che cercava era
la numero tredici. Le cartelline, rigorosamente nominati-

ve, erano in perfetto ordine. Accanto alle intestazioni, a volte, comparivano annotazioni di pugno del Vecchio.

Il nome era nella terza cartellina. Angelino Lo Mastro. Scialoja mandò a mente i dettagli essenziali. Il contatto doveva essere avviato al più presto. Ripose la cartellina. La ricerca si era rivelata più rapida del previsto.

– Vi servi nenti, dottore?

La voce di Rocco. Un colpo di tosse da fumatore accanito. Un giorno, presto, avrebbe dovuto rimpiazzarlo. Aveva già provveduto a trasferire copia del materiale su supporto informatico. Nemmeno durante quei lunghi pomeriggi solitari era riuscito a mandare a memoria le schede. A farle definitivamente proprie.

Ma non sapeva decidersi.

Quel deposito di nefandezze gli ispirava un terrore quasi mistico.

– Ho finito, Rocco.

Sulla via del ritorno, si ritrovò sotto casa di Patrizia. Le luci erano accese. Salire? Rivederla? Due giorni prima avevano riso insieme dei vecchi tempi. Antichi amanti senza passione. Esperti navigatori dell'esistenza non più disposti a lasciarsi ingannare dalla marea del sentimento. Ma non era stata che un'amara mascherata. La voleva ancora. Nel silenzio benestante della notte pariolina gli parve di percepire l'eco flebile di una risata soffocata. C'era qualcuno con lei? Patrizia gli aveva lasciato intendere di avere una relazione con il Secco, il principe dei riciclatori. Continuava dunque a buttarsi via con uomini da niente. E forse lo credeva uguale a tutti gli altri. Patrizia era la sua grande sconfitta. Le sue notti di gaie sgualdrinelle erano piene del ricordo di lei, della sua dolorosa assenza. Eppure, l'aveva trattata con freddezza. Aveva deciso di confinare una volta per tutte la passione in un angolo della memoria. Temeva che, se vi si fosse abbandonato, avrebbe finito per sgretolare il muro che aveva eretto fra sé e gli altri. Il muro che gli garantiva rispetto, ammirazione, successo.

Ripartí scontento di se stesso. Ma non era pronto. Non ancora.

Successo & solitudine, binomio inscindibile. Cosí come desiderio & rovina.

3.

Patrizia serrò le tende rosa e si voltò.

In giacca e cravatta, sorriso amabile, indecifrabile, Stalin Rossetti versava con cura il Pouilly Fumé. L'aragosta li attendeva fra i due coperti sul lungo tavolo della cucina Merloni.

– Rimettila, ti prego, – gli sussurrò.

Lui depose i calici, annuí, armeggiò con la plancia del diffusore Bang & Olufsen. Le note di *Wonderful Tonight* echeggiarono nell'ambiente. La loro canzone! Eric Clapton che strappava alla sua chitarra lamenti che facevano bene al cuore. Patrizia non aveva voluto mostrarsi cosí turbata a Stalin Rossetti. In strada c'era uno fermo su un'auto blu. Sembrava che guardasse verso il suo appartamento. Vattene via, era stata sul punto di urlare, esci dal mio momento magico. Non ti appartiene. È mio, questo momento, solo mio. E non durerà.

Mentre le porgeva il vino, Stalin Rossetti le chiese se Scialoja l'avesse cercata.

– No.

– Devo preoccuparmi? Sono già passati due giorni!

– Non funzionerà.

– In che senso?

– Sono stata troppo...

– Dura? Scostante?

– Frivola. Era lui quello scostante.

– Recupererai.

– Lui è... lui è cambiato. È un altro.

– Spiegati meglio.

– Freddo. È piú freddo. Non riconosco piú il suo odore. Una volta mi bastava guardarlo per capire che si stava eccitando, una volta...

– Non era che il primo incontro. Insisteremo. Le risorse non ti mancano...

– Forse non sono piú quella di una volta, Stalin.

– Tu sei sempre Patrizia, non dimenticarlo.

– Non funzionerà!

Stalin le sfilò il bicchiere e la baciò sul collo.

– Ho fiducia in te. Non deludermi.

Lei chinò il capo, con un sorriso tirato. A Stalin non sfuggí il piccolo brivido che l'aveva attraversata. Un brivido di piacere, ma anche di paura.

– Tu sai quanto tutto questo sia importante per noi...

Avrebbe dovuto rispondergli: no, non lo so. Ma so che quando mi dici «è importante per noi» stai mentendo. In quel tuo modo gentile, mi stai oscuramente ingannando.

– Farò un altro tentativo, – sussurrò.

– Vieni qui.

In fondo non le importava. Non le importava di tradire né di essere tradita. Di usare né di essere usata. Solo il presente aveva un senso. Quel presente nel suo grande attico ai Parioli, con la musica, il vino francese e tutto il resto. Il sogno al quale si era aggrappata per vie misteriose e torbide. La sua vita non era stata altro che un percorso di acque sporche e insidiose. Nessuno aveva mai veramente desiderato, dietro lo schermo di una che tutti potevano comperare, la piccola Cinzia. Non Scialoja, con le sue ambiguità e la sua tempestosa voglia di possesso. E nemmeno il Dandi, quel bandito di strada che le aveva promesso il Paradiso. Quanto l'aveva amata! A modo suo, s'intende. Ma non era il modo giusto. Nessuno l'aveva mai avuta, nessuno.

Solo quest'uomo che sfrondava con perizia l'aragosta e intanto la obbligava a ripetergli per l'ennesima volta il racconto (i dettagli, tutti i dettagli, gli ho detto che stavo col Secco, e se dovesse fare un controllo? Non lo farà! Lo conosco! E se dovesse farlo? Gli dirò che volevo ingelosirlo. Ma come t'è venuto in mente! Così, non c'è un vero motivo... Ah, piccola, piccola, e lui ha detto che il nero mi dona, era un suo consiglio, dopo tutto, davvero? Allora vuol dire che almeno lui e io una cosa in comune l'abbiamo...)

Solo quest'uomo.

Dopo l'amore, lui la tenne stretta a lungo. Patrizia sorrideva. Una volta, una delle prime volte, gli aveva detto che *adorava* l'abbraccio del dopo. Lui l'aveva presa sul serio. Se ne faceva un punto d'onore. Anche di questo gli era grata: di essere pure lui, a volte, un uomo come gli altri.

Stalin prese a russare piano. Lei si sciolse dalla sua stretta e scivolò fuori dal letto. Rapida, raggiunse la cameretta. Il suo rifugio. Accese la luce. Gli animali di peluche che amava collezionare erano lí a fissarla con i loro occhi chiari e vitrei. Cosí simili, pensò, a quelli di lui. Patrizia ebbe l'impressione che i peluche avessero distolto lo sguardo. Disapprovavano? E che importanza poteva avere?

C'erano momenti in cui si sentiva una bambola finita nelle mani di un ragazzo capriccioso. Accadeva quando lui era lontano. Giorni, o settimane, di solitudine. Era la libertà! Ma non c'era ebbrezza in quella libertà. Non c'era passione. Non sapeva che farsene, della libertà. Si chiudeva in casa. In attesa. Poi lui tornava, e un sorriso era l'unica spiegazione. E tutto ricominciava. La sua prigionia, il suo appagamento. Stalin parlava spesso del futuro. Di quando le cose sarebbero tornate al posto giusto. E gli sarebbe stato reso ciò che il tradimento e l'inganno gli avevano sottratto. Lei lo ascoltava, complice. Sapeva che quando Stalin avrebbe ottenuto ciò che desiderava, in quel preciso momento tutto sarebbe finito. Patrizia non credeva nel futuro. Il futuro non poteva che essere piú orribile del presente.

– Guardatemi, – sussurrò, come sfidando i peluche, – sono qui. Sono il presente!

Si avvicinò a mamma leopardo, che con l'aria corrucciata sorvegliava i suoi cuccioli, e la scostò delicatamente. Custodiva anche qualcos'altro, mamma leopardo. Custodiva la foto di lei e Stalin a Taveuni. Sullo sfondo s'intravedeva l'insegna del *Pacific Resort*. Quella foto le era costata cento dollari neozelandesi. Stalin detestava essere fotografato. Se avesse immaginato che il grasso indigeno sorridente lo stava in realtà riprendendo di nascosto, ne sarebbe scaturita una scenata. O forse si sarebbe limitato a fissarlo con i suoi occhi di ghiaccio, e gli avrebbe gentilmente chiesto… gli avrebbe gentilmente *ordinato* di distruggere il negativo. Poi lei sarebbe stata punita. Come meritava.

Sul retro, lei aveva scritto: «Al commissario Scialoja-Bula, da un'altra vita. Patrizia».

Piú volte era stata tentata di spedirla. Non l'aveva mai fatto. Era il suo legame con l'uomo che le aveva dato un nome. Il suo sposo. Che era tornato.

E che importava se tutto questo aveva un prezzo?

La vita non era forse uno scambio continuo?

E lei non aveva già avuto in cambio piú felicità di quanta avesse mai osato desiderare?

Glielo doveva. E l'avrebbe fatto. L'avrebbe fatto per lui. Avrebbe vinto la freddezza di Scialoja. Ci sarebbe riuscita.

Ripose la foto, prese uno dei cuccioli mormorando parole rassicuranti all'indirizzo della madre e se ne tornò a letto.

Stalin la sentí scivolargli accanto, ma continuò a fingere di dormire. C'erano momenti in cui la tenerezza succube di Patrizia lo irritava profondamente.

4.

Scialoja comparve intorno alle dieci di sera. Con una bottiglia avvolta in un cartoncino rosso e un mazzo di rose dello stesso colore.

La telefonata di Patrizia l'aveva raggiunto al culmine di un aspro confronto con Camporesi. Motivo della contesa: le modalità dell'imminente incontro con Angelino Lo Mastro. Camporesi aveva predisposto un piano tanto dettagliato da apparire ridicolo.

– Guardi che non dobbiamo arrestarlo, ma solo parlarci, Camporesi.

– Mi sono solo occupato dei profili di sicurezza… è il mio compito, dottore.

– Annulli tutto. Curerò personalmente la cosa. E le farò sapere al momento opportuno.

– Mi permetto di dissentire...

– Permesso negato.

Riconosciuto il numero di lei sul display, era stato tentato di negarsi. Ma non aveva saputo resistere a quella sua voce calda, appena un po' triste, la voce di Patrizia che sussurrava, vieni, mi manchi, ho voglia di te...

Stalin Rossetti, dall'interno del suo fuoristrada, lo vide aggiustarsi il nodo della cravatta, esitare, infine imboccare con passo incerto il portone. Fra la chiamata e l'arrivo non era trascorsa nemmeno un'ora. Era cotto come un collegiale, il dottorino che gli aveva rubato la vita. Con un sospiro, avviò il motore. Patrizia, la mia vita, il mio futuro sono nelle tue mani. E tu non mi deluderai, lo so, lo sento. Non posso sbagliarmi. Non devo sbagliarmi.

Che peccato non poterne parlare al Vecchio! Avrebbe potuto finalmente spiegargli il concetto di *investimento affettivo*. Il Vecchio avrebbe borbottato qualcosa di sgradevole. Il Vecchio detestava gli uomini e le donne in egual misura. Il Vecchio detestava tutto ciò che puzzava di *fattore umano*.

«È dimostrato in-con-fu-ta-bil-men-te, – s'infervorava, – che il fattore umano, prima o poi, assicura la rovina di tutti coloro che commettono il fatale errore di cedervi!»

Il Vecchio non poteva capire.

Il Vecchio non conosceva le donne.

Il Vecchio si rifiutava di conoscere le donne.

Le donne credono a un limitato numero di sogni. Stalin Rossetti ne aveva individuati alcuni. Spesso se ne era servito. Con Patrizia aveva funzionato.

Conoscete una ragazza che non abbia mai sognato un matrimonio polinesiano?

Possono essere regine. Possono essere puttane. Non fa differenza.

Il sogno è sempre lo stesso.

Lui aveva coronato il suo sogno.

Lei era appagata.

Lei gli avrebbe consegnato Scialoja.

Lui avrebbe ottenuto ciò che gli era stato ignobilmente sottratto: il giusto posto nel mondo.

Avrebbe dimostrato a Scialoja che le guerre non le vincono gli ufficialetti di complemento. Le guerre le vince la soldataglia. Le guerre le vince la sporca canaglia!

Contatti & contratti

1.

Artigiani, assassini, architetti, antifascisti, anticomunisti, artisti. Bari, barattieri, bravi, boiare e boiari. Cantanti, censori, cronisti, comunisti, confidenti e concussori. Dame demistificate, demivergini diamantate, direttori diretti, dive dolenti, democristiani dispersi. Efebi, eunuchi, escort, ex comunisti, editori, estremisti ed esportatori. Fascisti, faccendieri, fregne, fregnoni, filistei e fagottari. Garzoni, giovanotte, gerarchi, geriatri, geografi, girolimoni. Hand-made handcraft, hostess and homeless. Ignoranti, intriganti, intellettuali, indisponenti. Libertini, licenziati, licenziose e lamentosi. Malavitosi, miracolati, minotauri, medioevalisti, manutengoli e mammasantissima. Narcisi, napoletani, nonne, nutella e novellieri. Oracoli, omuncoli ossequiosi ostacolati, orridi orifizi ornati. Prelati, primati, premiati, procuratori, postcomunisti, produttori, postfascisti, padani e padrini. Quasimodi questuanti querimoniose quotazioni. Ribelli, radicali, romantici e radicati. Socialisti snervati, sbirri sognatori, stilisti, stiliti, sottopanza e sopracciò. Tenutarie, terroni, torinesi, trogloditi e tragediatori. Ubertose universitarie, ultranazionalisti, utopici uticensi, ugonotti e umiliati. Vincenti, vessati, viticoltori, vanagloriosi, vendicatori. Zoccole zinnute, zazzeruti zanni, zoppicanti zoroastriani.

E naturalmente, massoni.

La dimora settecentesca in uso al regista Trebbi.

Roma. Il Gotha del grande nulla.

Con il sorriso freddo e cortese che era diventata la sua divisa d'ordinanza, Scialoja accoglieva l'omaggio di servi che si credevano potenti e di potenti dall'animo di servi.

Patrizia, elegantissima nell'abito nero minimalista che ne esaltava il lungo candido collo e l'ovale slavo, lo osservava volteggiare sulla folla dei questuanti con l'abilità di un navigato commediante. Patrizia lo vedeva librarsi, beffardo e irraggiungibile, su tremori e battute pronunciate a voce troppo alta, sull'ammiccare speranzoso delle immancabili troie d'alto bordo, concedendosi a questo per un fugace sfioramento, a quella negando il conforto del minimo cenno d'attenzione... Aveva lasciato uno sbirro timido e appassionato e ritrovava un sofisticato dominatore. Scialoja era cambiato. Il mondo intorno gli si era arreso. E lui lo governava senza passione, a voce bassa, lasciandosi andare distrattamente a un giudizio sprezzante, una condanna senza appello. Eppure... eppure, a volte, si fermava, come colto da un dubbio. Allora si guardava intorno e cercava lo sguardo di approvazione di Patrizia. Dipendeva da lei. L'antico legame non si era mai sciolto. Re del suo mondo, a sua volta devoto alla sua regina. Stalin direbbe che l'ho in pugno, pensò. Curiosamente, la cosa non le procurava nessuna eccitazione.

– Venite. Vi presento il padrone di casa... si fa per dire...

Camporesi, con goffa galanteria, si offriva di guidare Patrizia sulle orme del suo capo, che si stava avviando verso un uomo alto, distinto, sorridente. Una muraglia umana si frappose, all'ultimo istante, fra Scialoja e il suo obiettivo. Patrizia notò un turbinare di singolari movimenti: volti che si atteggiavano a smorfie incomprensibili... furiosi toccamenti di baveri di gessati e di fermacravatte... dita che s'intrecciavano.

– Credo che siano saluti massonici, – sussurrò Camporesi.

– Ah, davvero? Non sapevo che lui fosse massone.

– Quando lo sono non lo dicono mai.

– E lei?

– No. Non... Credo di non essere abbastanza alto in grado, signora.

E nel dirlo, era arrossito. Patrizia represse una risatina. Con lei si era sempre dimostrato di un'educazione che sconfinava nella pedanteria. Il retaggio della schiatta, sosteneva Scialoja: Camporesi discendeva da un'antica famiglia toscana.

Scialoja, intanto, cercava di difendersi dall'affettuoso assalto dei confratelli.

Era stato il Vecchio a iscriverlo d'ufficio alla potente loggia Sirena. Una loggia *riservata*, ovviamente.

«Mi ringrazi. Le ho risparmiato i cappucci e gli spadini e le ho consegnato la sostanza del Potere», l'aveva ammonito, dopo, a cose fatte.

«Che cosa sarebbe questa loggia Sirena? Una specie di revival della P2?»

Scialoja aveva visto i piccoli occhi infossati del Vecchio illuminarsi di un lampo ilare. Era la prima volta che lo vedeva di buon umore da quando sapeva di avere i giorni contati. Sarebbe stata anche l'ultima.

«Si è mai chiesto perché l'hanno chiamata Propaganda 2, quella sciagurata loggia? No? Be', glielo spiego io, giovanotto. Perché evidentemente, da qualche parte, deve esserci una loggia Propaganda 1...»

«E magari da qualche altra parte una Propaganda 3 o 4 0 5...»

«Non mi sentirei di escluderlo...»

Non erano piú tornati sull'argomento. Per mancanza di tempo – il Vecchio se n'era andato dopo pochi giorni – o forse perché il suo tono indifferente l'aveva indispettito.

La notizia della nuova affiliazione si era sparsa con estrema rapidità. Scialoja si era trovato di colpo circondato dai confratelli, stretto in un giubilante assedio che a volte rischiava di soffocarlo. Nella sua vita precedente, quand'era un semplice sbirro infarcito di ideali, non avrebbe mai potuto immaginare che le alte sfere ne fossero cosí ricche. Una sera, in un salotto particolarmente affollato di incappucciati, si era divertito a fingere sorpresa davanti alla stretta di mano rituale con cui un confratello si era presentato. Costui, un ufficiale dei Carabinieri in alta uniforme, aveva battuto in ritirata, scosso da un tremore vergognoso, farfugliando scuse incomprensibili. Quando si erano rivisti, era stato Scialoja per primo a salutarlo massonicamente. L'ufficiale aveva tirato un sospiro di sollievo, inalberando poi un'immediata espressione da gran furbo: aah, capisco, tu non volevi che un terzo, che magari in quel momento ci stava osservando, capisse che entrambi, tu e io...

Scialoja lanciò a Patrizia un'occhiata implorante. Lei si sciolse dal contatto di Camporesi e si fece strada fino al padrone di casa.

– Credo che abbia bisogno di aiuto, – sussurrò, indicando Scialoja.

Trebbi annuí. Piantò in asso la coppia *agée* per la quale aveva simulato, sino a quel momento, il massimo interesse, si avventò sul gruppetto e, ignorando le proteste dei confratelli, prese Scialoja sottobraccio e lo traghettò verso lidi piú sicuri.

2.

Anche il regista Trebbi, come noi tutti, pensava Scia-loja mentre dalla scaletta interna veniva scortato alla mansarda, anche lui è una creatura del Vecchio.

Trebbi. Un uomo alto e cerimonioso, dal sorriso gentile, di tratto *charmant*. Il regista Trebbi aveva diretto un unico film, diciassette anni prima. Titolo pomposo, scene ardite. Destinato nelle intenzioni a rivoluzionare il cinema italiano. Elogi da qualche critico amico, rapidi passaggi a festival periferici. Presto dimenticato. Il regista Trebbi si era trovato retrocesso da speranzoso *enfant gaté* a rompicoglioni. Il regista Trebbi aveva riempito dieci scaffali di copioni che non sarebbero mai stati realizzati.

Il regista Trebbi non si era perso d'animo. Si era portato a letto un'attempata nobildonna. Alle sue magre grazie cascanti aveva strappato il contratto d'affitto di un elegante attico con vista su piazza Navona. Il regista Trebbi lo metteva regolarmente a disposizione di produzioni pornografiche semiclandestine. Il regista Trebbi organizzava discreti incontri fra le star delle suddette produzioni e personalità in vista del Gotha del grande nulla. Quando aveva saputo del traffico, il Vecchio aveva deciso di curarsi di lui. L'uomo era simpatico e affabile, un gran conversatore. L'uomo conosceva vita, morte e miracoli del Gotha del grande nulla. L'uomo poteva tornare utile.

Sia lode al Vecchio. Sia lode alla sua infinita, lungimirante saggezza.

Il Vecchio aveva rilevato l'attico. Trebbi ci rimediava affitto e regolare stipendio. Voce in uscita nel registro dei fondi riservati: raccolta dati. L'incarico di Trebbi: fare salotto. Suscitare discussioni. Stimolare incontri. E naturalmente osservare e riferire, riferire e osservare. Dopo un paio d'anni di prove generali, il Vecchio aveva fatto girare la voce. La fama del regista Trebbi s'era consolidata. Il salotto si era mutato in una felice «camera di compensazione». Lo frequentava chi aveva qualcosa da far sapere a qualcuno, qualcosa da vendere a qualcuno. Lo frequentava chi voleva sapere qualcosa da qualcuno, chi voleva comperare qualcosa da qualcuno. Da Trebbi si respirava l'aria libera e ribalda di un vecchio suk. Nel regno di Trebbi, dove tutti cercavano di fregare tutti, e tutti ne erano perfettamente consapevoli, dominava la piú assoluta, indefettibile lealtà. In cambio del favore che gli aveva accordato, il Vecchio aveva posto una sola condizione: che il regista Trebbi rinunciasse per sempre all'idea di un secondo film.

«Non sei portato. Tutto qui!»

Il regista Trebbi era stato ai patti. Il regista Trebbi aveva versato lacrime di autentico dolore sul catafalco del Vecchio e dal camposanto s'era direttamente precipitato a rendere omaggio a Scialoja.

Il regista Trebbi aprí la porta della mansarda e si ritirò con un mezzo inchino.

Angelino Lo Mastro andò incontro a Scialoja.

3.

Nel passarle accanto con Trebbi, Scialoja le aveva sorriso, riconoscente. Ma nel suo sguardo Patrizia aveva colto i segni evidenti di un'eccitazione venata di inquietudine. Dove se ne andava il suo partner cosí di fretta sottobraccio al padrone di casa? La piacevole serata non era che apparenza. Scialoja stava *lavorando*. Non doveva perderlo di vista. Ma Camporesi non si staccava da lei. Scialoja gliel'aveva affidata, e il tenentino faceva del suo meglio per portare a compimento la missione.

L'aria, intorno, era impregnata dei piú raffinati profumi. Camerieri in livrea facevano lo slalom fra gnocchetti rughetta gamberetti spumantini bocconcini. Un vate del libero pensiero rimpiangeva il risotto spolverato d'oro che ai bei tempi si serviva *chez* Marchesi, confidenzialmente solo «Gualtiero». Un conduttore televisivo rievocava ridendo ridicole reprimende subite da un direttore generale sul viale del tramonto.

Patrizia frugò nella microscopica borsetta. Portò alle labbra una sigaretta. Lo scatto di una fiamma. Camporesi reggeva l'accendino, arrossendo a vista d'occhio, e quasi non osava levare lo sguardo su di lei. Provava antipatia per lei? O erano i preliminari di un corteggiamento? Si chiese se il giovanotto fosse al corrente del suo passato. Ci sono uomini che non sopportano di trovarsi faccia a faccia con un'ex prostituta. Altri che si sentono in dovere di provarci. Nessuno mai resta indifferente.

– Mi prenderebbe da bere, tenente?

Lo vide scattare come se avesse ricevuto l'ordine decisivo in battaglia.

Tutto questo, in fondo, le piaceva. Le piaceva la curiosità degli sguardi. Le piaceva l'avidità famelica di certi signori che sembravano volerle dire: sappiamo chi sei. C'era qualche vecchio cliente, fra loro? Meglio. Lei non l'avrebbe riconosciuto. E loro non potevano piú averla. Non era piú una Patrizia qualunque. Le piaceva, le piaceva. La credessero pure un'appendice del potente poliziotto, un oggetto da esibire. Anche lei aveva un *lavoro* da eseguire.

– Dom Pérignon!

Ringraziò Camporesi con un sorriso dei suoi. Nuovo ros-

sore. Corteggiatore, decise, d'istinto. E anche questo le piaceva. Bevve d'un fiato. Lo champagne era eccellente. Aveva avuto clienti di un certo rilievo che le facevano omaggio
di bottiglie pregiate. Il Dandi ne comperava a casse. Una
volta avevano mandato a champagne la Jacuzzi. Lui si era
divertito un mondo, poverino. Scialoja e Trebbi avevano
imbucato una porticina in fondo al salone. Patrizia porse il
suo bicchiere a Camporesi e gli ordinò di aspettarla.

4.

Dopo essersi scambiati il saluto massonico, Scialoja e Angelino Lo Mastro presero posto su due comode poltrone e
versarono due dita del bourbon che, insieme a un vassoio
della famosa pasticceria *Mondi*, occupava il tavolino strategicamente predisposto dal padrone di casa.

Sedevano, rigidi, scrutandosi. Attendevano, entrambi,
che fosse l'altro a compiere il primo passo.

Dal piano inferiore penetrava, a tratti, l'eco di una risata squillante, un rumore di porta sbattuta.

Infine, con un sospiro, Angelino disse che la scomparsa del Vecchio era una perdita irreparabile.

– Già, – sussurrò Scialoja. Poi, fissandolo negli occhi,
aggiunse: – Però, dal momento che al suo posto, adesso,
ci sono io...

Angelino si rilassò. La faccia era salva. Lo sbirro era *sper-
to*. Si poteva cominciare a fare sul serio. E poiché era stato
lo sbirro a farsi sotto, toccava a lui la parola.

– Mi ha cercato. Sono venuto, dottore Scialoja. L'a-
scolto.

– Sono stato incaricato di trovare, insieme a lei, una soluzione per fermare questa... guerra...

– Noi stiamo solo difendendo la nostra esistenza, dottore.

– Ma a che prezzo? La distruzione totale? Le sembra... ragionevole?

– La ragionevolezza non c'entra niente, quando è questione di vita o di morte.

– Diciamo allora: le sembra... vi sembra conveniente?

Angelino apprezzò il tono e annuí. Ma, osservò, il sangue chiama sangue, il sangue scava solchi che non è facile colmare. In fondo, Stato e mafia erano istituzioni che convivevano dalla notte dei tempi. C'era sempre stato un patto. Un patto che non escludeva azioni di guerra, ma pur sempre in vista del raggiungimento di un equilibrio che contenesse la guerra entro limiti accettabili. Limiti concordati, per cosí dire. Ora, l'istituzione che egli rappresentava si trovava nella condizione di un'impresa che denuncia un contratto eccessivamente oneroso. Perché l'altro contraente non ha rispettato le regole, perché terzi si sono intromessi nel gioco, perché la Storia ha voluto cosí... non ha grande importanza. Per tutte queste ragioni, non poteva non dirsi, quanto meno in astratto, d'accordo con Scialoja.

Ciò che conta è che si ridefiniscano i termini dell'accordo.

Un nuovo patto. E le stragi sarebbero cessate. Lo imponeva la comune convenienza.

Scialoja sorrideva. Come avrebbe reagito Camporesi nel sentir definire la mafia un'istituzione, e per giunta di rango pari allo Stato? Avrebbe sparato al mafioso lí, su due piedi? Lo avrebbe sfidato a duello? Lo avrebbe pomposamente dichiarato in arresto?

Angelino Lo Mastro corrispondeva fedelmente al ritratto che ne aveva fatto il Vecchio. Un uomo dei nostri tempi,

aveva annotato il Vecchio sulla sua scheda, sottolineando
due volte un esplicito *finalmente*.

Era ragionevole, il giovane mafioso. Ragionevole e lucido. Capita sempre di scoprire, a un certo punto, che quelli che chiamiamo «assassini» o «terroristi» non apparten-
gono al regno della follia, ma alla democrazia del raziooci-
nio. E la convenienza è la strada maestra per tutti, per i
«nostri» cosí come per i «loro».

Angelino Lo Mastro lo fissava, una sigaretta all'angolo della bocca. Prima di rispondere, Scialoja prese un po'
di tempo. Poi cercò di spiegargli la situazione dal punto di
vista della sua «istituzione».

Nei giorni che avevano preceduto l'incontro, Scialoja
aveva fatto, per cosí dire, il giro delle sette chiese. Aveva
posto a tutti una sola domanda. Che cosa posso offrire? In
altri termini, quali sono i limiti del mio potere? Ufficialmente, tutti gli ripetevano che con la mafia non si tratta.
Che lo Stato non può promettere niente. Ufficialmente erano tutti «camporesiani». In realtà, a parte un'esigua mino-
ranza di sanculotti capeggiati dal senatore Argenti, tanta
durezza era solo una facciata.

Il problema stava tutto nel potere. In questo momento, confidò al mafioso con tono accorato, in Italia un vero potere non c'è. Fra pochi mesi un referendum potrebbe farci passare dal sistema proporzionale a quello maggioritario. I vecchi partiti, già messi alle corde dai giudici di
Milano, potrebbero scomparire. Nasceranno nuove aggre-
gazioni. In tal caso, sarà inevitabile il ricorso a elezioni an-
ticipate. Solo chi vincerà queste elezioni potrà garantire
un comando stabile e sicuro.

Mentre ascoltava lo sbirro, Angelino Lo Mastro pensava che, in fondo, le istituzioni che entrambi rappresentava-

no avevano piú di un punto in comune. Tutte e due, per esempio, si presentavano come monolitiche e ben salde. E invece erano spaccate dentro. Tutte e due vantavano un'unicità di direzione, un potere d'indirizzo che, invece, piú non possedevano.

– Belle parole, dottore. Ma io, a quelli di giú, che ci racconto?

Scialoja stava per rispondere, quando la porta della mansarda si aprí. I due uomini scattarono in piedi. Scialoja vide Angelino portare una mano verso il taschino della giacca Armani, e si precipitò all'uscio. Maledizione, nessuno avrebbe dovuto interromperli. Era stato chiarissimo, sul punto. Dove si era cacciato Trebbi? Ci mancava solo che il mafioso pensasse a una trappola!

Ma l'intrusa era Patrizia. Con l'aria svagata sbirciava nella penombra della stanza, senza osare di addentrarvisi.

– Ma che ci fai qui?

– Ti cercavo. Sei scomparso!

– Aspettami di sotto. Ti raggiungo fra qualche minuto.

Si richiuse la porta alle spalle, una vena di sudore freddo lungo la schiena. Angelino era tornato a sedere. Lo osservava sorridendo. Scialoja si avviò verso di lui sforzandosi di sorridere.

– Mi deve scusare. Un'amica.

– Molto amica?

– Sí, molto amica.

– Mi permette di farle i complimenti per la scelta?

– Ci sono abituato.

Angelino registrò l'informazione. Intrusione involontaria. La reazione a caldo dello sbirro era stata troppo sincera per poterne dubitare. La fimmina di classe che aveva intravista sulla soglia ci faceva sangue, al dottore Scialoja!

Umanamente parlando, non poteva non condividere. Altro era il profilo della sicurezza. Quanto meno sbadato, lo sbirro, a mescolare talamo e convenienza.

– Non ha risposto alla mia domanda, dottore.

– Avete fatto troppo casino. Qualunque azione sulla pena o sulle carceri speciali... e non parliamo poi dei processi... oggi non passerebbe. La gente è troppo incazzata con voi. Ci vuole silenzio.

– E aspettare che ci consumino uno per uno? Il silenzio di cui parla lei equivale, per noi, alla fine!

– Sto parlando di una tregua, Lo Mastro! Prendiamo fiato, tutti e due. Calate la testa per un po'... un anno... forse anche meno... aspettate le elezioni... poi, piano piano, si potrà ricominciare a tessere la tela...

– E voi in cambio che cosa ci offrite?

– Si potrebbe cominciare da qualche discreta informazione che vi tuteli da certi investigatori troppo zelanti... come dire: il tal posto non è piú sicuro... si sta organizzando qualcosa nella zona X o Y... per garantire la tregua, potremmo...

– Una tregua! – lo interruppe Angelino. – Ma a noi chi ci garantisce che quelli che vincono non sono peggio di quelli di oggi... o di ieri? Chi ce lo garantisce, eh?

La questione, in fondo, dovette convenire Scialoja, stava proprio qui. Tutti gli indicatori di opinione e i sondaggi davano per certa la vittoria delle sinistre. E le sinistre facevano dell'antimafia una bandiera. Ma le sinistre non erano tutte uguali. Non tutti gli uomini di sinistra la pensavano allo stesso modo. Le sinistre sono garantiste, tanto per dirne una. Le sinistre devono dimostrare di poter governare in pace un grande Paese... perciò, c'era una sola risposta possibile.

– Nessuno. Nessuno ve lo può garantire. Dovete solo fidarvi. Fidarvi e sperare!

– Ma fidarci di chi?

– Di me.

Era l'azzardo finale, e l'unico punto veramente importante del colloquio. Angelino si alzò, scuotendo la testa.

– Devo riferire.

– Anch'io. E questo, – mormorò Scialoja, come se si
trattasse, per lui, di una rivelazione, – ci rende simili!

– Noi non saremo mai simili! – rise il siciliano, mani-
festando un fondo ferino, sguaiato, sfuggito al suo ferreo
autocontrollo.

Il che corrispondeva alla seconda parte della nota del
Vecchio. Uomo nuovo, Lo Mastro, ma... *pur sempre mafioso*. E orgoglioso di esserlo.

Prima di congedarsi, Scialoja donò a Lo Mastro un telefono portatile *sicuro*.

– È una linea dedicata. A prova di intercettazione. E non
lascia nessuna traccia sui tabulati. Quando ha qualche novità mi chiami.

Angelino intascò l'apparecchio con un cenno asciutto e
scivolò via. Rifiutare sarebbe stato ineducato, tenuto conto
che si trattava pur sempre dell'offerta di un uomo che aveva formulato una proposta ragionevole e con il quale, in futuro, potevano esserci ulteriori contatti. Fra l'altro, la consegna era avvenuta con le dovute maniere, con forma rispet-
tosa che non meritava sgarbo. D'altronde, era pur sempre
dono di migna, e dunque potenziale cavallo di Troia. Disfar-
sene sarebbe stato saggio. Ciò che lo convinse, infine, a tenersi l'attrezzo, fu la convenienza dell'affare. Primo: lo sbirro sembrava sincero. Non perché migliore o diverso da qualunque altro sbirro. Ma perché disperato. Se la Cosa nostra
piangeva, lo Stato si stava addirittura strappando i capelli.
E altrimenti, perché si sarebbero fatti sotto? Secondo: da
questo momento era lui, Angelino, l'unico depositario del

contatto. L'interlocutore privilegiato. E, dunque, anche sotto il profilo delle relazioni interne all'organizzazione, la convenienza era garantita.

Sciolto l'angoscioso dubbio, Angelino se ne andò al cinema. Era la quarta o quinta volta che rivedeva *Goodfellas* e come sempre la visione gli scatenò violente emozioni. Scorsese aveva saputo catturare, come nessun altro, quella forza selvaggia che li aveva resi non solo celebri e celebrati, ma soprattutto unici e, Angelino sperava, eterni. Persino l'orribile finale, con la sua insostenibile apologia del tragediatore che si vendeva gli amici, pur nel suo moralismo disgustoso, conteneva un granello di saggezza. Diceva, quel finale, che tutta quell'energia, senza una linea, una direzione, un binario, un obiettivo... tutto quel ben di Dio di forza era destinato a dissolversi in uno sterile vivere alla giornata. Ci voleva piú cervello perché le cose cambiassero. I vecchi metodi andavano rinnovati. Era il bastone del comando il vero problema. Ecco. Davanti a quel film Angelino Lo Mastro osava confessare a se stesso la sua cieca fede nel vero scopo della propria esistenza: diventare il nuovo comandante della Cosa nostra. L'uomo che avrebbe traghettato un'organizzazione spenta, stanca, stretta alle corde, verso un luminoso futuro di dominio e di convenienza.

5.

Patrizia, in *négligé* nero di satin, si struccava. Scialoja la baciò alla base del collo. Il vago sentore della sua pelle unito alla tenue delicatezza di una qualche cipria, lo eccitava.

– È stata cosí noiosa la serata?

– Tutt'altro. Il tuo tenentino è un intrattenitore formidabile.

– Camporesi?

– Proprio lui. Non ho ancora capito se ha paura di me o mi fa la corte!

– Devo preoccuparmi?

– Perché no?

– Prenderò provvedimenti.

– Tieni le tue manacce lontane da quel caro ragazzo, Scialoja. E anche dalla sottoscritta. Ho voglia di una doccia.

Da quando avevano ripreso a frequentarsi, era la prima volta che Patrizia accettava di fermarsi per la notte. Era davvero tornata.

Scialoja era *un uomo felice*. La sua presenza luminosa gli dava la sicurezza per affrontare l'eredità del Vecchio. Tutto si sarebbe risolto, in un modo o nell'altro. Finché c'era lei.

Patrizia usciva dalla doccia. Nuda. I capelli ancora bagnati. I piccoli seni dalle punte erette. Patrizia gli lanciò uno sguardo torvo. Scialoja cominciò un lento moto di avvicinamento, quasi una danza. Patrizia rise e volò fra le sue braccia.

Passione, certo, pensò, dopo, Scialoja, mentre si accarezzavano, appagati, sul grande letto circolare circondato di specchi. Ma passione matura. Passione di amanti che si prendono il giusto tempo. E non perdono, no, il gusto dell'amore acerbo, di quando i baci che si scambiavano erano baci rubati, e il sentimento, per entrambi, una maschera. Ora non c'erano più maschere. Cambiavano insieme.

– Scusami per prima. Se avessi saputo che eri impegnato in un colloquio così riservato non sarei venuta a romperti le scatole.

– Non è successo niente.

– Chi era quello?

– Un... uno.

– Un massone?

– Camporesi dovrebbe tenere la bocca chiusa!

– Ci sarei arrivata da sola, mio caro. Anche il Dandi era un «confratello». A quanto pare, se non lo sei non ci arrivi in cima!

– Comunque, quel tipo è un siciliano.

– Mafioso?

– Sei una di quelle che credono che tutti i siciliani debbano necessariamente essere mafiosi?

– Quanti siciliani elegantemente vestiti... e bellocci, detto fra noi... si appartano ogni giorno con il potentissimo dottor Scialoja in un salottino riservato, pronti a scattare in piedi all'arrivo del tutto casuale di una signora...

– Patrizia... potremmo parlare d'altro? Mi è venuta una fame...

Lei si puntellò sui gomiti. Un'ombra di sfida nella sua voce.

– Sei stato tu a insistere perché conoscessi «il tuo mondo». Mi hai sfidata a osservare. E io l'ho fatto!

– Stammi a sentire, Patrizia: ci sono cose di cui non posso parlare nemmeno con te!

– Perché l'adorabile testolina della tua puttanella preferita non sarebbe in grado di capirle?

– Soltanto per proteggerti, amore mio.

La vide ritrarsi. Ferita, sconcertata. Patrizia prese a rivestirsi con gelida furia.

– Avevi promesso di restare, – mormorò lui.

– Ho già fatto troppi guai per stanotte.

– Ti accompagno.

– Preferirei di no.

– Lascia almeno che ti chiami un taxi!

Il suo tono deluso. L'aria da cane bastonato. Il gesto servizievole con cui si protendeva verso il telefono... rispettava la sua volontà. Si lasciava abbandonare in quella che doveva essere una notte speciale. La prima che avrebbero trascorso insieme. Era davvero cambiato, Scialoja! L'altra faccia della sicurezza sociale era questa aggressività spuntata, fatta di materia cedevole, persino rinunciataria. Ma in questa sottomissione c'era qualcosa che indispettiva. Perché non si era messo a urlare? Perché non le aveva imposto dei limiti, questo è il mio spazio, questo il tuo, avrebbe avuto tutto il diritto di farlo, perché... Era sincero quando affermava di volerla proteggere. Era il suo modo di dirle: sei una presenza *essenziale* nella mia vita. Voglio tenerti lontana dal pericolo. Non voglio perderti.

– Sí, vorrei un taxi in via...

Patrizia schiacciò la forcella, interrompendo la conversazione. Lui la fissò sconcertato.

– Lasciamo stare. Ho cambiato idea. C'è qualcosa in frigo?

Il largo sorriso rinfrancato, quasi incredulo, sul volto di lui. Il gesto agile con cui si rimetteva in piedi, stringendo i pugni in un infantile segno di vittoria.

– Sushi. Prima della festa ho svaligiato *Hamasei*...

– Sushi! Hai proprio pensato a tutto!

Un giorno Scialoja aveva ironizzato sulla sua recentissima infatuazione per la cucina giapponese. Lei lo aveva mandato al diavolo. Che problema c'è nel mangiar sano? Ora era lei che ironizzava sulla premura di lui. Ma Scialoja si stava dando da fare, agitato e contento, per la cena. Non era nemmeno in grado di percepirle, certe sfumature. Com'era diventata brava a fingere! Pensò che Stalin sarebbe stato orgoglioso di lei. Il pensiero le provocò un disagio inatteso. Si impose di scacciarlo. Le cose procedevano bene. Piú tardi, mentre zigzagavano fra le stazioni televisive, si chiese se la melassa scialojana non fosse una qualche specie di malattia contagiosa. Come giustificare, altrimenti, quella sottile vena di tenerezza che le ispirava l'uomo che le sussurrava frasi dolci intrecciandosi alle sue gambe, mentre con la mano libera dal telecomando le accarezzava un fianco… Una vecchia coppia che si tiene compagnia tirando tardi davanti alla televisione? Una coppia come tante? Era questo che l'aveva intenerita?

– Guarda guarda! Un po' di sana politica-spettacolo!

Improvvisamente attratto dallo schermo, Scialoja aveva smesso di toccarla.

– Chi sono quei tizi?

– Quello al centro si chiama Maurizio Costanzo…

– Grazie tante, dottore!

– Quello sulla sinistra è un comunista. Si chiama Mario Argenti, e se dipendesse da lui io sarei licenziato in tronco domani mattina.

– Carino!

– Già. L'altro, quello che sprizza ghiaccio da tutti i finti sorrisi, è il dottor Emanuele Carú. Una volta lavorava per noi.

– Poliziotto?

– Non proprio. Il Vecchio lo pagava in cambio di certe informazioni.

– Il Vecchio… a sentire te, doveva essere una specie di Dio in terra!

– Oh, lui era anche molto piú di Dio, all'occorrenza…

– Parlami di lui…

– Lo farei se ne fossi capace. La verità è che, anche se ci siamo frequentati piuttosto… assiduamente… non l'ho mai veramente conosciuto…

– Sembrano piuttosto tesi, quei due in Tv…

– Direi che il prossimo passo è un incontro di sumo…

Maya e gli altri

Maya. Maya, cosí dolce, fresca, spigliata. Maya, cosí eccitante!

Nel vedersela venire incontro sulla soglia dell'alto palazzo Donatoni, Giulio Gioioso simulò un educato stupore.

– E tu che ci fai qua?

– Un'improvvisata a Ilio. E tu?

– Mi sa che abbiamo avuto la stessa idea. Pessima idea, a quanto pare.

– Ilio non c'è?

– Per esserci c'è. È che purtroppo ci sono anche i giapponesi. Una di quelle riunioni che non ti dico...

– Che noia!

– Già. E il tuo caro maritino è decisamente di pessimo umore. Fossi in te, me ne tornerei a casa. A meno che...

– A meno che?

– Mi hanno parlato bene di un nuovo locale dalle parti di corso Buenos Aires. Una pasticceria, credo.

– Siciliana?

– *Ça va sans dire*, mia cara!

Il suo viso affilato contratto nella smorfia del pensiero. Una decisione rapida, comunicata con tono sbarazzino. Ma sí, andiamo, in fondo c'è ancora un bel sole...

Giulio la prese sottobraccio, e insieme si avviarono in

direzione della Galleria. Un bel pomeriggio d'autunno. Ne esistono anche a Milano, sapete? Bella gente per le strade. Belle sensazioni tutto intorno. E bella l'idea di aspettare l'imprevedibile Maya. Un'idea dettata dal suo innegabile senso di protezione. Ci mancava solo l'irruzione della mogliettina in ufficio, con tutto quello che stava succedendo. Per non parlare di quello che sarebbe potuto succedere. No, Maya doveva essere tenuta fuori da tutto questo. Protezione. Come per una figlia un po' sventata, si disse Giulio Gioioso, anche se non è che poi la differenza d'età fosse cosí... piú o meno gli stessi anni che passavano fra lei e quel coglione di Ilio Donatoni. Peccato che la dolcissima, l'adorabile, la tenera e sensuale Maya avesse deciso di sposarselo, il coglione. Già, peccato davvero.

– Ecco. È questa.

Maya si lasciò guidare fra i tavolini impreziositi da cestini di limoni e riproduzioni del piú convenzionale carrettino isolano. Slalom fra coppie di sanbabilini dall'aria fintamente vissuta e tronfi *cumenda* che si chinavano a sussurrare all'orecchio di levigate segretarie dall'aria lasciva. Musica di sottofondo, *Jam* di Michael Jackson. Sconsolante mescolanza di kitsch e avanguardia. Ci fosse stato il Carroccio, al posto del carretto, c'era di che provocare orgasmi a catena ai bravi leghisti. Dio, che orrore! Lontani gli scatti frenetici del muoversi-muoversi milanese. Lontani quei toni di voce sempre un'ottava sopra. Come se il mondo intero dovesse necessariamente essere informato degli affari che rendevano cosí complicata, invidiabile e al contempo unica e irripetibile l'esistenza del cavalier Brambilla di turno. Il mondo ai piedi di Milano, la capitale della finanza e dell'economia... Maya, i milanesi, li trovava buffi. Correvano come gli americani. Ma gli americani ti davano sempre la sensazione di essere sul punto di conquistare chissà quale nuova frontiera. I milanesi, loro, sembrava che fuggissero da chissà che. E piú buffo ancora era che lo considerassero una specie di simbolo di una certa milanesità di là da venire. Un confuso sentire che aspirava a un idilliaco ritorno alla campagna. Quasi un meticciato allargato alla provincia. Quella sana, s'intende, e ben piú in alto della Linea gotica... Buffo. Lei, che veniva dal profondo dell'aspra Romagna sensuale. Lei che di tutto questo, in cuor suo, rideva.

– Eccellenza. Mi perdonasse. Non l'avevo riconosciuta! Che cosa posso servire a vossignoria e a questa bella signora?

Il cameriere, di tipo biondo normanno (la Sicilia è stata a lungo dominio dei Normanni, si era sentito in dovere di spiegarle Giulio Gioioso, come se si fosse accompagnato a una ginnasiale ignorante), cosí chino da sfiorare il piano del tavolo, poco ci mancava che gli facesse il baciamano... Si accordarono per una cassata «secondo la tradizione». Il cameriere si ritirò cerimoniosamente. Giulio Gioioso le sfiorò distrattamente una gamba passando una mano, come per un controllo svagato della perfetta verticalità del doppiopetto di fresco di lana. Caraceni, *of course.*

– Certo, Maya, che se non fossi arrivato cosí tardi alla festa, quella sera...

Era il loro innocente, piccolo gioco. Giulio che si attarda a scaricare un'amante molesta, raggiunge con inusitato ritardo il ricevimento di Fuffi Baldazzi-Striga e si accorge della divina creatura giusto un istante dopo l'aitante, lupesco Ilio Donatoni. *Quel dommage, chérie!* Ma tutti e due sapevano che quel mancato incontro non era mai avvenuto. Era il loro piccolo gioco. Giulio Gioioso non era nemmeno a Milano, al tempo. Per la verità, nessuno sapeva do-

ve fosse, e lui per primo si guardava bene dallo scoprire le
carte. Era spuntato all'improvviso, Giulio Gioioso. In un
momento di crisi dell'impresa, con Ilio assediato da commesse inevase e creditori stizziti. Consulente per le pubbli-
che relazioni del Gruppo, le aveva spiegato Ilio. Le cassati-
ne furono servite. Il cameriere oppose un fermo diniego alla carta di credito Gold che Giulio, con un compiacimento
macchiato di volgarità, aveva preso a sbandierare (offre la
casa, la presenza di vossignoria è un onore per il nostro locale eccetera: se ne sarebbe parlato nei salotti, di quel *tête-
à-tête* fra lei e Giulio), e svaní. Giulio e Maya si sorrisero.
Giulio Gioioso sospirò teatralmente. Maya accostò alle meravigliose labbra un brandello di glassa. Giulio Gioioso chiuse gli occhi. Come stesse assaporando il profumo di lei. *A
tiny flirt in a sweet afternoon in Milano...* tutto cosí ruffiano,
eppure anche cosí *cool...* Maya sapeva che l'incontro non
era stato casuale. La credevano tutti una vacua, fatua stu-
pidina. Dimenticavano che era la figlia del Fondatore. Maya
si era accorta di quegli sguardi accesi che andavano ben oltre i limiti del loro gioco innocente. Non c'era niente di male a flirtare. Dopo tutto, quell'uomo non possedeva un grammo della forza di Ilio. Non immaginava nemmeno quanto
le fosse costato strapparsi dal cuore il Fondatore, metterlo
in un angolo, prendersi quell'impresa che era la sua creatura piú amata, la sua sola ragione di vita. Prendere il pacco,
come dicevano le coccodrille mogli dei coccodrilli che sedevano nel consiglio d'amministrazione, anzi, nel Ciddià... e
consegnare il tutto a Ilio. Per amore, soltanto per amore,
perché sennò? Dunque, che Giulio Gioioso la credesse pure una conquista facile, una sciocchina da portarsi a letto.
Che importanza poteva avere? L'amore è un'altra cosa. L'a-
more sta da un'altra parte. L'amore sta con Ilio...

Quando si separarono, lui le fece il baciamano e lei lo congedò con un ritrarsi appena accennato, ma aspro quanto bastava a garantire la giusta distanza.

Piú tardi, dal suo appartamento con vista sul Pirellone, Giulio Gioioso ordinò via filo che le consegnassero, a ricordo dell'incantevole pomeriggio, due dozzine di rose scarlatte. Angelino Lo Mastro, che verificava davanti allo specchio la tenuta della sua nuova giacca della collezione Oliver, scoppiò in una franca risata.

– Almeno ficcasti?

– Potresti evitare di essere cosí volgare?

– Ho capito. Non ficcasti.

Giulio Gioioso fu tentato di mandarlo al diavolo. Certe volte, le origini erano un peso insopportabile. Il passato stesso era un peso insopportabile. Non tutto di quello che era costretto a fare lo esaltava. A volte, una pericolosa punta di depressione si insinuava nell'aria sicura che amava cosí tanto ostentare. Angelino Lo Mastro gli andò vicino e lo abbracciò, inondandolo di una nube di profumo al retrogusto di tabacco.

– Lassamu perdiri, Giulio, lo sai che mi piace babbiare!

– Lassamu perdiri.

– Che disse Donatoni?

– Che non se ne fa niente.

– Brutta cosa.

– Diamogli un po' di tempo e capirà.

– Non ci sta tempo, Giulio.

– Una simana basta e avanza.

– Cosí sia. Adesso scusami, ma ho un impegno inderogabile!

– Ficcatina? – insinuò Gioioso, facendogli il verso.

– Magari! Si torna a casa, amico mio!

– Auguri e figli maschi!

2.

– Mando tutto a monte!

Ilio Donatoni era un uomo alto, forte, elegante, bello e virile come un attore del cinema americano. Ilio Donatoni era venuto su dal niente, e sul niente aveva costruito un impero. Ilio Donatoni si era infiltrato in una robusta dinastia avvizzita dalle rughe del successo e l'aveva innervata con il suo sangue corsaro. Ilio Donatoni aveva sempre la battuta pronta e non perdeva mai la calma. Con orrore, l'ingegner Viggianò lo vide rovesciare sul ripiano della scrivania il pesante busto bronzeo del Fondatore. Il forte botto richiamò una segretaria spaventata. Ilio Donatoni la mandò via con un sorriso forzato. Poi sollevò delicatamente il busto e lo scagliò contro la teca che custodiva i trofei della sua luminosa carriera sportiva. Il vetro scoppiò. Targhe, coppe e diplomi scompaginati lasciarono partire un tintinnio malinconico. La famosa mazza da golf dal manico istoriato con l'effigie di Ilio volò ai piedi dell'ingegnere. Dai corridoi filtravano nell'immenso ufficio l'andirivieni del personale, l'agitazione della vigilanza, i singulti trattenuti di fedeli collaboratori che avvertivano l'incalzare della tempesta. La loro paura aveva un odore acido. Penetrava dai battenti accostati. Impregnava i pesanti broccati del finestrone, la *chaise-longue* destinata alle pause di riflessione, il megaschermo sintonizzato su Canale 5, i terminali che aggiornavano le quotazioni in collegamento con le principali Borse del mondo.

– Mando tutto a monte!

L'ingegner Viggianò raccolse la mazza da golf e ne accarezzò l'impugnatura.

– Non abbiamo scelta, – sussurrò.

– Chi lo dice?

– Giulio Gioioso. È stato categorico.

– Giulio Gioioso non è nessuno!

– È uno che ci tiene per la gola. E non è il solo.

– Chi? Chi altri?

– I bilanci.

– I bilanci si adeguano.

– Abbiamo la Finanza sul collo.

– La Finanza si paga.

– Abbiamo fatto un accordo. Non sarà cosí facile scioglierlo. Siamo stati noi a cercarli!

– Trasferiremo i cantieri nei Paesi dell'Est. Si stanno aprendo opportunità incredibili, da quelle parti...

– Senza i siciliani non ci saranno piú commesse al Sud, ingegnere. E senza commesse al Sud non ci saranno piú cantieri.

– Allora vendiamo tutto. Adesso. Subito!

– Non realizzeremmo quanto basta a tacitare tutti i creditori...

– Venderò i beni di famiglia.

– Non basterà lo stesso. Se rompiamo il patto siamo alla bancarotta fraudolenta. La galera, Ilio...

La galera! Viggianò l'aveva chiamato per nome. Non succedeva da... da quanti anni? Da quando erano saliti insieme, con una valigia piena di ambizione e di spregiudicatezza, sul galeone del successo... I siciliani volevano l'1,5 per cento aggiuntivo sulle provvigioni. I siciliani lo stavano ricattando. Senza i siciliani non c'era futuro. I siciliani gli erano sembrati l'idea geniale per risolvere la crisi. O i siciliani o la galera. Ora come allora. I siciliani lo tenevano per le palle. I siciliani. La galera. La libertà. E poi, forse, la morte.

– Non se ne fa niente.

– Soltanto quest'ultima settimana abbiamo avuto due bombe ai cantieri di Partinico. Quindici guardiani notturni si sono licenziati. I capicantiere si dànno malati e i camion escono pieni di materiali e non tornano piú...

– Me ne fotto!

– Ripensaci, Ilio! Quelli sono capaci di tutto!

– È deciso. Basta cosí. Lasciami solo, ti prego.

La libertà! La libertà che aveva inseguito per tutta la vita. La libertà che s'era conquistato sfruttando quel pacchetto di doti che il Padreterno gli aveva generosamente elargito. La bellezza. Il *savoir faire*. La decisione. L'ardimento. Il gusto dell'avventura. La libertà del vento dell'oceano e delle corse in moto fra le dune. Sollevò il busto del Fondatore e lo ripose sulla scrivania. Gli urti avevano lasciato intatto il suo austero profilo bronzeo. Nemmeno se ti facessi fondere a cancellare quel ghigno contadino! Il Fondatore ammoniva a non fare il passo piú lungo della gamba. Il Fondatore aveva costruito un impero sulla parsimonia e sulla dedizione. Il Fondatore aveva mille idee e ne scartava novecentonovantanove. Le piú geniali, le piú audaci. Il Fondatore seguiva sempre l'idea piú elementare, la piú semplice, l'unica che si potesse spiegare in venticinque parole. Venticinque parole d'oro. Lui, di idee, ne aveva avute sempre e solo una per volta. Sempre quella giusta. O quella sbagliata. Che importa? Che importa una vita senza i passi piú lunghi delle gambe? Una vita da impiegato? Una vita a scartamento ridotto?

Improvvisamente, ebbe voglia di Maya. Delle sue labbra corrucciate. Della passione che non gli aveva mai negata. Che non si erano mai negata. Si precipitò a casa. La bambina si esercitava al pianoforte. Maya dipingeva un paesaggio. Immagini di quiete. Di oblio. Maya, la sua ironica ostinazione.

– Prima che su tutti i muri di questa specie di paesone che ti ostini a definire «metropoli» vengano affissi i manifesti con la notizia del giorno, mio caro marito, sappi che ho passato il pomeriggio con il tuo amico Giulio Gioioso... e senza andarci a letto!

Giulio Gioioso! Ilio strinse i pugni. Maya lo fissò, sorpresa.

– Non penserai sul serio...

Le andò vicino. La strinse forte fra le braccia. Lei lo scrutava, tesa. Maya era una ragazza intelligente. Se le avesse confidato tutto? Se le avesse detto chi era veramente quel bastardo cascamorto di Giulio Gioioso...

– Dimmi tutto, Ilio.

– Ti amo.

Alta politica

Nel backstage, dopo il faccia-a-faccia, vinta una lieve esitazione, Carú e il senatore Argenti si strinsero la mano.

– Sei stato bravo, – disse Carú, trattenendo un istante piú del dovuto la mano del rivale.

Argenti, sorpreso dall'inatteso complimento, abbassò istintivamente lo sguardo. Carú lo lasciò andare con un sorriso benevolo, si voltò di scatto e si rifugiò nel camerino che Costanzo gli aveva fatto attrezzare.

Il camerino sapeva di cosmetici, con una vaga traccia di deodorante per ambienti. Carú si accese un Hoyo de Monterrey Epicure 1. Qualcuno, una volta, gli aveva fatto notare che la passione per i sigari cubani era alquanto incoerente, in un noto anticomunista. Carú l'aveva bonariamente mandato a quel paese. Da quando in qua un uomo ha il dovere di essere coerente?

Lo specchio rimandava l'immagine di un quarantenne composto, autorevole, elegante, misurato, asserragliato dietro la nube azzurrognola del fumo. Gli assistenti di sala si erano complimentati con lui per l'esito della trasmissione. Costanzo lo aveva abbracciato. Tutto questo non significava un bel niente. Gli assistenti di sala si complimentavano sempre con tutti gli ospiti di riguardo. Costanzo era un vecchio amico, e Argenti non l'aveva abbracciato solo perché il senatore era un tipo freddo e poco espansivo.

La verità era che aveva perso. Il messaggio trasmesso agli spettatori: Argenti è il futuro, Carú il passato.

– È chiaro, dottor Carú, che lei è come uno di quei giapponesi che, a trent'anni dalla fine della guerra, continuavano a difendere l'isoletta da un nemico che non c'era piú! Ma lei è anche un uomo intelligente, Carú. E io confido che, grazie alla sua intelligenza, un giorno o l'altro anche lei capirà, finalmente, che la guerra è finita!

E con questa battuta, accolta da un'ovazione del pubblico in sala, Argenti lo aveva spedito definitivamente al tappeto.

Attraversato dal pensiero di aver commesso, nell'abbandonare il partito, una colossale castroneria, valutò i possibili esiti di un cambio di squadra. Poteva prendersi una mesata sabbatica, cominciare a limare i toni dei suoi editoriali, e poi lanciare in grande stile l'operazione riallineamento.

«Ho sbagliato, compagni, non dovevo andarmene, eccomi qui, sono tornato».

I compagni erano abbastanza idioti da credere al pentimento. Ma anche abbastanza astiosi da fargliela pagare a caro prezzo.

Dunque, non aveva altra scelta che continuare a combattere.

D'altronde, Carú era un giornalista da combattimento.

Carú era un opinionista di lotta.

Carú si esaltava davanti al nemico.

I suoi corsivi erano fulminanti lezioni di sarcasmo. Le sue apparizioni televisive rovinose incursioni di guastatori in territorio nemico.

Carú azzannava la preda e non la mollava fino a che morte non sopraggiungesse.

Carú menava fendenti a destra e a manca. Carú ne aveva sempre per tutti. Carú dava l'impressione di essere cattivo ma imparziale. A un osservatore superficiale la sua linea poteva apparire ondivaga, persino distonica. In realtà, dietro tutti i bersagli, c'era uno e un solo bersaglio. E dietro tutti i nemici c'era uno solo.

I rossi.

Non era stato lui a sbagliare andandosene via.

Erano stati i rossi a commettere un errore fatale allontanandolo dal partito.

Carú era il grande accusatore dei rossi.

Carú aveva giurato di distruggere i rossi.

Carú era diventato celebre per la sua lotta senza tregua alla dittatura culturale del marxismo.

Carú pensava che, prima delle alleanze, prima dei progetti, prima della conta delle forze in campo, ciò che veramente avrebbe deciso l'esito dello scontro sarebbe stato il controllo delle pulsioni profonde.

L'Italia era un Paese di destra e lo sarebbe sempre rimasto.

Una Destra moderna, spregiudicata, una Destra, per usare una delle sue espressioni preferite, «che anticipava, piú che seguire, il passo della Storia».

Aveva creduto di trovarla nei socialisti, questa Destra.

Ma i socialisti si stavano liquefacendo sotto l'aggressione della Procura di Milano.

E i rossi si preparavano ad affondare le zanne nella ghiotta torta.

Carú era rimasto solo. In questo Argenti, il suo vecchio, metodico, un po' mesto ma sottilmente pericolosissimo ex amico Argenti, aveva perfettamente ragione.

Lui era il piccolo guerriero giallo sulla grande isola che nessuno assediava.

L'immagine aveva in sé qualcosa di poetico e di nobile. Ma Carú disprezzava tanto la poesia quanto la nobiltà.

Meglio concentrarsi sugli eventi per comprendere dove aveva sbagliato, dove avevano sbagliato tutti loro. E da lí ricominciare.

Il controllo degli impulsi profondi. Era quella la chiave di tutto.

Mentre nel resto del mondo venivano esecrati e maledetti, in Italia i rossi si preparavano a spadroneggiare.

Ma gli italiani non erano improvvisamente diventati tutti rossi.

Erano solo stati commessi dei tragici errori. Tutto qui. E ora si doveva correre ai ripari.

Carú si era speso generosamente per «instaurare un nuovo orientamento culturale destinato a creare un sentimento positivo nell'opinione pubblica. Un sentimento di ripulsa verso quel radicalismo permissivista che ha ammorbato il nostro Paese negli ultimi anni. Un segnale di riscossa contro il lassismo. Ma un segnale laico, aperto ai fermenti sociali. Un segnale d'attacco, non di difesa».

L'accoglienza era stata tiepidina. Aveva dovuto rispondere a muso duro alle critiche dei missini, gelosi custodi della «tradizione». Gelosi e congelati, con i loro voti buttati al vento. Perché ancora nessuno si era mai dichiarato disposto a un'alleanza con gli eredi del duce. E nessuno l'avrebbe mai fatto, se loro non avessero trovato il coraggio di cambiare. Il vero problema della Destra era che pensava ancora di cavarsela con la vecchia trimurti Dio-Patria-Famiglia... Per carità, contesto rispettabilissimo! Ma gli italiani stavano andando da un'altra parte. Gli italiani diventavano laici, checché ne pensasse il papa. Gli italiani stavano andando da un'altra parte. Bisognava riacchiapparli prima che fosse troppo tardi. Ritrovare la sintonia con l'italiano. Il buon vecchio coglione che tutti conosciamo... vive di paure, si alimenta del sogno impossibile di un miracolo, ha bisogno di una madre protettiva e di un padre autorevole e severo... adora essere strigliato e allo stesso tempo compiaciuto, non gli dispiace essere garbatamente truffato ma detesta passare per fesso, e soprattutto non tollera che lo si sappia in giro...

Riportare gli italiani nella loro vera casa!

Sarebbe servita una gran pazienza. Sarebbe occorso un massiccio impiego di energie e di intelligenza. Soprattutto, ciò che mancava era un'idea folgorante. L'Idea.

Carú non sapeva, in quel momento, che l'Idea stava prendendo forma fra le nebbie di Milano. Che presto dall'Idea sarebbe nato un Progetto. E che lui ne sarebbe diventato uno degli attori principali.

2.

Un appartamento al terzo piano di un anonimo condominio borghese in viale Ippocrate. Una quantità impressionante di libri, soprattutto saggi storici, ma anche una collezione di poesia, narrativa e teatro. Riproduzioni di quadri politicamente consoni, da *Guernica* ai *Funerali dell'anarchico Pinelli*. Jazz di sottofondo. Una giovane compagna luminosa, Beatrice, shampoo fresco, camicetta bianca e un delicato profumo di frutta. La tana del senatore Argenti, pensò Scialoja con una punta di ammirazione, comunicava un senso di sana e robusta serenità «democratica». Scialoja era rimasto piacevolmente stupito dall'immediata disponibilità di Argenti a un incontro.

– Credevo di esserle antipatico, senatore.

– Non lei, ci conosciamo appena! È il suo ruolo che mi lascia alquanto perplesso, dottor Scialoja.

Dalla rapida stretta di mano che si erano scambiati, Scialoja aveva potuto escludere che Argenti fosse un confratello. Il che rendeva tutto piú complicato. Scialoja sapeva che quanto stava per dirgli non sarebbe piaciuto al senatore. Poteva solo sperare che Argenti fosse abbastanza elastico da seguirlo sul terreno di una valutazione «politica» della faccenda. Che si rendesse conto di come ad accomunarli, al di là dalle ovvie differenze, era la volontà di evitare un bagno di sangue.

– Mi permetta intanto di complimentarmi per l'esito del match televisivo...

Argenti sbuffò, piuttosto seccato. Sí, aveva vinto. Ma era stato tutto troppo facile, troppo scontato. Era come se, a un tratto, tutti gli avversari fossero scomparsi.

– Pare che Carú, – proseguí Scialoja, – sia andato in depressione... magari uno di questi giorni lo vedrete tornare all'ovile...

Ma per l'amor di Dio! Ci manca solo questa. Al partito sarebbero capaci di accoglierlo a braccia aperte! Al partito avevano un debole per le intelligenze perverse. Soprattutto per quelle nemiche. Dipendeva dall'ansia di farsi accettare. Dalla voglia feroce di venire considerati come tutti gli altri. Miserie umane, ai suoi occhi.

Si diffuse un aroma di caffè e Beatrice si affacciò sulla soglia. Scialoja si precipitò a liberarla dal piccolo vassoio. Lei ricambiò con un sorriso gentile.

– Si trattiene a cena, dottor Scialoja?

– Veramente avevamo quell'impegno, ricordi, Beatrice?

– Ah, sí, certo, dimenticavo. Mi scusi, sarà per un'altra volta!

Argenti le rivolse un muto cenno di ringraziamento. Lei gli passò le mani fra i capelli, con una sorta di ironica tenerezza. Non avrebbe mai imparato davvero a giocare all'uomo di mondo, il suo Mario!

Poi lei fluttuò via, leggera, e in Scialoja l'ammirazione si colorò d'una sfumatura d'invidia. Chissà se un giorno, con Patrizia, ci sarebbe mai stata una condivisione cosí profonda... Ma intanto Argenti lo fissava, spazientito. Scialoja si bagnò le labbra nel caffè e cercò di spiegargli come stavano le cose.

Piú tardi – il poliziotto se n'era andato da una ventina di minuti – lei fece irruzione nello studiolo. Mario, arroccato dietro la scrivania ingombra di carte, fissava il vuoto. Nell'aria c'era tempesta.

– Non lo sopporti proprio quel tipo, eh?

– Se sapessi che razza di discorso mi ha fatto...

– Ti va di parlarne?

– Meglio di no.

– Come vuoi. Ma non dimenticare che abbiamo un impegno!

– Quale impegno?... Ah, sí, già, grazie per prima, Beatrice!

– Si va al cinema?

– Sto lavorando.

– Non si direbbe.

– Ti assicuro che è cosí!

– Ma è domenica!

– E allora?

– Al *Rivoli* dànno *Un cuore in inverno*.

– Genere?

– Commedia drammatica, credo. È un film francese.

– Puoi sempre andarci con qualche amica.

– Ma io voglio andarci con te!

– Un'altra volta.

Lei si ritirò accostando la porta con esasperata cautela. Un gesto carico di violenza repressa. Beatrice era offesa. Come darle torto? Be', si era comportato come un animale. E ora avrebbe dovuto recuperare. Ah, che bella domenica! L'incontro con Scialoja lo aveva scombussolato, inutile negarlo. Per tutta la durata del colloquio aveva mantenuto, nei riguardi del poliziotto, un atteggiamento fermo e risoluto, a tratti sprezzante. Da comunista vecchio stampo, per intenderci. Gli erano bastate le prime frasi per comprendere dove andava a parare l'ambiguo figuro. Voi comunisti siete destinati a prendervi l'Italia. Bene, fate pure. Ma sappiate che dovrete, in un modo o nell'altro, fare i conti con certe questioni, diciamo cosí, problematiche che si agitano nel nostro amato e sciagurato Paese. E non sarà piacevole, caro senatore. Perché un conto è tuonare in difesa della legalità e della giustizia dall'opposizione, un altro sporcarsi le mani con l'esercizio del potere. Quindi, sarebbe opportuno muoversi per tempo, non farsi cogliere impreparati… Essere *pronti*. Ma pronti a che?

Il senatore ripensò ai suoi inizi. Al momento della scelta. Si era iscritto al partito d'impulso, o forse per sfida. Sfida contro un contesto accademico che sentiva la rivoluzione dietro l'angolo, e nel quale i piú furbi e tenaci, *vulgo* paraculi, andavano edificando luminose carriere dirigenziali all'ombra del piú scatenato e innocuo estremismo da salotto. Partito era, per lui, Berlinguer. Berlinguer era stato il suo faro. Berlinguer era stata la sua stella.

Berlinguer vedeva lontano.

Berlinguer sapeva che l'Italia è un paese di destra.

Berlinguer aveva capito che non potevamo vincere da soli, o sarebbe stato il Cile.

Berlinguer sapeva che il socialismo reale aveva prodotto mostri.

Berlinguer cercava di traghettare verso il domani il suo elefantiaco partito.

Berlinguer era morto. Il Muro era caduto. I giochi si erano rimescolati. L'antica preclusione contro la Sinistra non aveva piú ragion d'essere. Era impensabile che il partito non ne risentisse. Argenti non era ostile al cambiamento. Il cambiamento è l'anima della politica. Argenti credeva nella politica. Nonostante i politici, gli scappava qualche volta, sorridendo, con gli amici piú intimi. Nonostante i politici del mio partito, aggiungeva, mai però in pubblico. Argenti credeva nella politica. La militanza gli aveva insegnato a prendere le distanze dall'entusiasmo e a praticare la costante disciplina del possibile. Argenti diffidava di gruppi, gruppetti e movimenti. Quando qualcuno si arrogava il diritto di parlare in nome della società civile, gli passavano per la mente pensieri omicidi. Lui la conosceva sin troppo bene la società italiana. Brutale, l'avrebbe definita, altro che civile. Il cambiamento, dunque. Il partito aveva cominciato dal nome. Quel *comunista* evocava ormai dovunque scenari sinistri. Argenti aveva incontrato, una volta, un intellettuale polacco. Il Muro era appena stato abbattuto. Il polacco si dilungava sugli orrori del comunismo sperimentati sulla sua stessa pelle.

«Voi sapevate, compagno Argenti. E non avete mosso un dito».

«Da noi era diverso, – si era difeso, con un certo malessere. – Da noi il partito era una cosa buona».

«Una cosa cattiva a Varsavia non può essere buona a Roma, *compagno*».

Ah, se si fossero smarcati prima, se fossero stati piú decisi nella condanna… Acqua passata. Ora c'erano altri problemi da affrontare. Il cambiamento del partito stava pericolosamente influenzando gli uomini. Nel male dell'organiz-

zazione centralizzata c'era un bene innegabile: l'agire anonimo, il sentirsi parte di un disegno piú vasto, l'appartenenza, ma sí, perché negarlo, a una sorta di Chiesa laica. Bene,
quella rassicurante comunità d'intenti era la vittima piú il-
lustre, e rimpianta, almeno da lui, del cambiamento. Si poteva ironizzare sulla devozione bovina dei vecchi compagni.
Ma ciò che Argenti vedeva svolgersi sotto i suoi occhi supe-
rava di gran lunga le piú pessimistiche previsioni. Una vera
e propria commedia umana all'insegna dell'opportunismo,
della viltà, del compromesso, dell'arrivismo piú sfrenato. I
compagni sentivano profumo di stanza dei bottoni e sgomi-
tavano frenetici. E quelli come Scialoja avevano capito che
loro erano *pronti*. Pronti a tutto, allora? Pronti a fare affari
con Cosa nostra?

    Il senatore si sentiva stanco.

    Era domenica.

    E lui odiava la domenica.

    Era stato ingiusto con Beatrice, e lui amava Beatrice.

    La raggiunse nel salotto. Leggeva un giallo americano,
i lunghi capelli illuminati dal riflesso dell'ultimo solicello.
La baciò sul collo.

    – Perdonami.

    Beatrice non sollevò gli occhi dal libro. Argenti si mi-
se a sfogliare con aria fintamente svagata una copia della
«Repubblica».

    – Che ne diresti di *Basic Instinct*?

    – Quello vai a vedertelo tu con i tuoi amici maschi, se
proprio ci tieni.

    – Va bene, mi arrendo. Vada per *Un cuore in inverno*.

    Bea incassò il trionfo con un sorriso e, finalmente, lo
baciò.

La figlia del Fondatore

1.

Fuori del pronto soccorso, sotto lo sguardo preoccupato della dottoressa che appena un'ora prima l'aveva caricata sull'ambulanza, Maya fumava la sua prima sigaretta dopo diciotto mesi di astinenza.

Maya fumava e aspettava. Aspettava Ilio. Anche se la Saab era finita accartocciata contro il pioppo, il telefono di bordo funzionava ancora. Tipico di Ilio. La rotazione vorticosa delle tecnologie. La scelta del modello di generazione sempre piú avanzata. Volere il meglio di tutto per tutti coloro che gli stavano accanto. Ilio viveva attorniato dal successo sociale. Dietro l'ossequio di facciata, a Maya, che dopo tutto era la vera ricca della situazione, avevano fatto intuire chiaramente che lo consideravano un provinciale fanatico. Uno guastato dal successo. Maya sapeva che non era cosí. Dietro la vanagloria c'era insicurezza. E nell'insicurezza, quella profonda dolcezza ribalda che l'aveva fatta innamorare a prima vista.

Ma l'aveva cercato ovunque, senza trovarlo.

Sotto lo sguardo corrucciato del primo soccorritore, uno studente che la scongiurava di mettersi distesa farfugliando qualcosa a proposito di fratture, era riuscita finalmente a parlare con Giulio Gioioso.

– Sono finita fuori strada. La macchina è distrutta.

– Vengo subito.

– No. Cercami Ilio. Per piacere, Giulio, dov'è mio marito?

– Vedo quello che posso fare.

Cosí ora aspettava. Al maresciallo dei Carabinieri, grosso, tondo e premuroso, aveva detto di non ricordare niente del «sinistro».

– Ho sentito suonare un clacson e mi sono spostata sulla destra per fare strada... ma forse la carreggiata era troppo stretta, oppure, chissà, quello aveva bevuto... fatto sta che mi sono ritrovata nella scarpata, cioè, no, questo non posso dirlo... insomma, c'era questo pioppo che mi veniva addosso... no, cioè, ero io, ovviamente, che andavo addosso al pioppo... insomma, è stato un attimo...

– Ha potuto notare la targa? Il tipo di autoveicolo?

– Mi dispiace. Posso solo dire che era grosso. Grosso e scuro...

Per il maresciallo, per la dottoressa, per gli infermieri e per i portantini la dinamica era evidente. Cosí come la colpa: di uno di quei giovinastri che sono pronti a calpestare anche la mamma pur di andarsi a «bombardare» in discoteca.

Maya aveva annuito con un sorriso dolce. Maya li aveva rassicurati: aspettava suo marito, questione di momenti.

Finalmente l'avevano lasciata in pace. Finalmente da sola. Sola con la sua rabbia e la sua delusione.

Miseria ladra, doveva essere una gitarella piacevole. Un fuor d'opera in una domenica morta: con la piccola al campo scuola invernale, libera finalmente dall'insopportabile istitutrice ginevrina... Raffaella l'aveva soprannominata Annamaria Baffetti, moglie di Samuel, come nella fiaba di

Beatrix Potter... un'altra brillante pensata di Ilio... Ma perché non l'aveva trovato?

Ilio da qualche tempo era strano. Piú brusco, a volte scontroso. Persino capace di trascorrere ore in silenzio. Un cruccio segreto doveva tormentarlo. Era come se stesse perdendo la gioia di vivere. Sarebbe finita secondo le premonizioni delle sue «amiche»? Con la stanchezza che patina di muffa ogni slancio? Un Ilio triste, un Ilio spento lei proprio non riusciva a figurarselo. Le venne in mente un tedioso tè di confidenze dalla Vingelli-Orsolatti. Tutto, a quanto pare, ruotava intorno al concetto di «darla o non darla». Il senso ultimo, nelle parole della baronessa levigata da saune e digiuni per calarsi quei vent'anni di troppo, era che a darla non ci si mette niente. Il problema è quando lui smette di chiederla. Problema diffuso nel giro, stando ai si dice. Quando era venuto il suo turno, quando l'amica l'aveva brutalmente sottoposta a interrogatorio sul «merito della questione darla-o-non-darla», Maya aveva candidamente confessato i suoi trasporti, l'amore frequente e gaio, il piacere reciproco che durava da anni. La Vingelli-Orsolatti aveva acceso un bastoncino d'incenso e con un sorriso tirato l'aveva accusata di starsene «coperta». Di mentire, in altri termini, per mancanza di fiducia nella confidente.

«Ma quando avrai voglia di dirmi la verità, io sarò qui ad accoglierti, tesoro!»

Insomma, non era credibile che una coppia funzionasse. Invece, funzionava. Anche adesso, adesso che Ilio aveva scoperto il silenzio e stava cambiando sotto i suoi occhi, ancora adesso l'intesa a letto restava perfetta. Non solo a letto, se è per questo. Maya ripensò con un brivido a certe fughe da fidanzatini, a qualche mattana da ufficio, al gioco della-padrona-e-del-fattorino, al bagno delle don-

ne del ristorante giapponese la sera di un noiosissimo sum-
mit con certi dignitari sauditi... Il che escludeva l'ipotesi
amante. Ilio le era fedele. Se solo si fosse fidata di piú di
lei. Se solo si fosse finalmente reso conto che lei era la figlia del Fondatore non solo e non tanto perché il Fondatore le aveva garantito le migliori scuole, un'educazione
raffinata, tutte le opportunità che una ragazza può sognare... se solo avesse capito quanto erano simili, in fondo,
tutti e tre: il Fondatore, lei, che era sangue del suo sangue, e Ilio stesso...

Maya agguantò al volo un portantino e si fece accendere un'altra sigaretta. Era scura, senza filtro, volgare come
l'uomo dalle dita rozze che l'aveva estratta da un pacchetto stropicciato e unto di macchie indefinibili.

– Grazie.

– Se le serve un passaggio, signora, io smonto fra venti minuti...

Curioso, no?, che la trovassero ancora desiderabile.
Con il cashmerino praticamente affettato dall'urto. Il collare di Shanz che le provocava conati di vomito. Il trucco
disfatto. Un taglietto sotto l'occhio sinistro. No, non curioso. Tipico. Donna uguale vacca. Buona solo a una cosa. Maya schiacciò il mozzicone sotto il tacco dello stiva-
letto. E sorrise. Era proprio quello che le damazze come
la Vingelli-Orsolatti non riuscivano a capire. Che si potesse stare insieme alla pari e amarsi senza sotterfugi...

Ma perché Ilio tardava tanto? Dove diavolo era finito? Avrebbe fatto centomila volte meglio a restarsene a
casa. Invece di prendere il macchinone di Ilio per andare
a ispezionare un terreno in vendita dalle parti di San Ze-
none. O forse, doveva tornare indietro prima. Subito, magari. I segnali non erano certo mancati. La sua tristezza
inquieta davanti al lucore indistinto dei lampioni che il-

languidivano nella nebbia montante. L'assolo di sassofono alla radio. Le saracinesche serrate e l'anticorodal alle finestre di Broni e Casteggio deserte nella domenica morente. I filari di pioppi sepolcrali. Prima che quel pazzo, ubriaco o che altro, la scaraventasse nella scarpata, Maya si era sorpresa, una volta di piú, a commiserare le motozappe e i trattori allineati sui piazzali dei capannoni industriali. Padani operosi. Padani blindati dietro i cancelli di un'irredimibile tristezza.

– Maya, grazie al cielo! Come stai, tesoro?

Giulio Gioioso le offriva le sue braccia e il suo profumo.

Giulio Gioioso l'aveva circondata con il suo paltò color cammello.

Giulio Gioioso la scortava premuroso verso la scintillante Lamborghini con cui, c'era da giurarlo, aveva bruciato i chilometri per esserle accanto nel momento del bisogno.

Maya si scoprí fragile. Aveva freddo. Giulio Gioioso le accarezzava i capelli. Le lacrime la facevano sentire in accordo con se stessa.

– Va tutto bene, è tutto passato, è tutto passato.

Ilio non era con lei. Ilio non c'era. Ilio.

2.

Dormivano abbracciati quando Maya si lamentò della luce.

– Spegni, Ilio, ti prego, stavo dormendo cosí bene!

– Ma è spento, amore, è tutto spento!

Maya aprí gli occhi. La camera da letto era immersa nell'oscurità. Eppure, una mezzaluna di colore rosso, accecante, insopportabile, pulsava contro il quadrante inferiore dell'occhio sinistro.

– Ti dispiace accendere, Ilio?

– Ma che ti prende, Maya? Prima mi svegli perché vedi una luce che non c'è, poi...

– Per favore!

Ilio pigiò un interruttore. Maya si portò le mani agli occhi, colpita da un terrore antico, irrazionale. Ora la mezzaluna rossa aveva lasciato il posto a un cerchio nero. Chiuse l'occhio destro. Con il sinistro aperto percepiva un incerto tremolio, le sagome confuse dell'*étagere*, la consolle con gli strumenti del trucco... tutto il resto era nero, un nero di seppia, un nero assoluto, devastante, osceno...

Un'ora dopo il professor Nivasi le diagnosticò il distacco della retina. Conseguenza dell'incidente, senza dubbio. Mentre la portavano in sala operatoria, distesa sul lettino, mano nella mano di Ilio che le mormorava formule rassicuranti ma si vedeva che era sconvolto, piú sconvolto di lei... Ma si sa come sono i maschi... fuoco e fiamme e quando li metti di fronte al dolore vorrebbero scappare... grossi animali imbarazzati... improvvisamente scaraventati nel calderone della vita vera... Mentre le iniettavano qualcosa nel braccio, lei fece giurare a Ilio che non l'avrebbero messa sotto anestesia totale. Voleva essere cosciente. Per nessuna ragione al mondo si sarebbe fatta consegnare alla nube gassosa dell'oblio. Sentí Nivasi bofonchiare qualcosa. Ilio le strinse piú forte la mano. Troppo tardi. Tutto era già deciso. Cercò di urlare, ma la paralisi saliva lenta. La paralisi artigliava i muscoli. La paralisi avvelenava la sua volontà. Non si sarebbe mai piú risvegliata. Non...

Ma si risvegliò. Un martello le conficcava chiodi nell'occhio malato. Un dolore lancinante continuo, senza tregua. Un confuso borbottio di voci. Sagome tremolanti di là dalle bende che le serravano entrambi gli occhi. Cercò di richiamare la loro attenzione, ma non avvertiva il palato. Forse le avevano mentito? Forse era qualcosa di diverso, qualcosa di piú grave? Si concentrò sulle voci, per quanto il dolore sembrasse deciso ad assorbire ogni scintilla della sua energia. Riconobbe l'impostazione profonda, coltivata, di Ilio. Parlava con qualcuno. Forse Giulio Gioioso... Le parole stentava a distinguerle. I toni, piuttosto... Da quello di Ilio trapelavano rabbia e un fondo di paura. E Giulio... Giulio sembrava dovesse difendersi da chissà quale accusa... Maya si sforzò di capire meglio. Qualche parola cominciava a filtrare. «Stanno perdendo la pazienza»... «Non voglio piú vederti»... Oscurità. Allusioni. Il senso di una minaccia incombente la pervase. Le sfuggí un lamento. Le voci tacquero. Rumore di passi. La mano fresca di Ilio sulla fronte. Il suo bacio umido sul collo. Maya scivolò nel sonno cullata dalle dolci rassicurazioni di lui: va tutto bene, amore mio, tutto bene...

3.

Quattro.

Ilio Donatoni nuotava intorno al *Nostromo*: squalo sfiatato, delfino intristito.

Il *Nostromo*, il suo *Nostromo* alla fonda in un ridicolo braccio di mare a vista della costa. Il *Nostromo*: nato per veleggiare possente e leggero senza orizzonti né confini.

Ilio Donatoni aveva deciso di fare trenta volte il giro della barca. La sua barca con le vele ammainate. La sua barca trainata in diporto dagli ottusi motori d'emergenza: Giulio Gioioso soffriva il mal di mare. Giulio Gioioso era l'ospite d'onore. Giulio Gioioso aveva cercato di uccidere Maya. Giulio Gioioso aveva fatto soffrire Maya.

Cinque.

Sul castello di poppa Giulio Gioioso parlava dei Tirreni.

Gli antichi Tirsenoi. Insuperabili costruttori di torri. Eccellenti marinai. Gelosi custodi del segreto della fusione del bronzo.

Sul castello di poppa Maya si riprendeva dall'intervento sorseggiando champagne ghiacciato. Sul castello di poppa la piccola, sua figlia, ascoltava affascinata l'improvvisato conferenziere.

Sei.

Che idea, questo bagno fuori stagione, aveva detto Maya.

Mettiti almeno la muta, aveva consigliato Gioioso.

Già, che idea!

Nell'ultimo mese: due cantieri chiusi a Petralia Soprana. Quattro ruspe scomparse. Tre pale meccaniche finite in fondo a una scarpata. Scioperi a singhiozzo di maestranze. La gara per il tribunale di non-so-dove, Sicilia, Italia, si fa per dire, persa per una misera manciata di milioni. Dimissioni in massa di capicantiere. Una testa di agnello imputridita spedita per pacco postale a Viggianò.

E l'incidente a Maya. Doveva esserci lui su quella macchina. Giulio Gioioso aveva pianto. Giulio Gioioso aveva giurato che i responsabili sarebbero stati puniti. Giulio Gioioso aveva promesso che avrebbe protetto Maya come... come una figlia. Come la figlia che non aveva mai avuto. Giulio Gioioso era innamorato di Maya. Schiacciargli la testa. Come a una serpe schifosa.

Sette.

Giulio Gioioso stava finanziando una ricerca sugli antichi Tirsenoi. Giulio Gioioso investiva in cultura. Giulio Gioioso era stato sedotto dagli antichi Tirsenoi quando aveva scoperto che non si erano estinti, ma disseminati. Avevano rifiutato la battaglia finale scegliendo la diaspora. Avevano continuato a esistere per millenni sotto falso nome. Esistevano ancora, nascoste sotto cognomi improbabili, etnie dimenticate, radici che si perdevano nella notte dei tempi. Era un segnale, diceva Giulio Gioioso. Il segnale che ciò che è eterno non sarà mai disfatto.

Otto.

Nell'ultimo mese: fuga precipitosa di amici e alleati. Ossessive segreterie telefoniche. Segretari e ministri fuori stanza, in riunione, in viaggio d'affari, in alcova, dovunque, purché lontani da quel rompiballe di Donatoni. Inviti annullati, cene disdette all'ultimo minuto. Cronisti d'assalto improvvisamente votati alla piú monacale riservatezza. La stampa amica volatilizzata. Risultato: aveva pagato e strapagato a fondo perduto. Gli restava solo Giulio Gioioso. Giulio Gioioso che desiderava Maya.

Nove.

Giulio Gioioso non aveva mai battuto la strada, incrociato i pugni, versato una lacrima di sudore. Giulio Gioioso era nato alto, biondo, misurato di modi e di parole, ricco di premure e di charme. Le loro strade non si sarebbero mai incrociate se non fosse stato lui a volerlo. Era stato lui a lanciare il grido di dolore. Giulio Gioioso l'aveva raccolto e l'aveva riportato in cima. Ma quella cima, ora, si rivelava un abisso.

Dieci.

Giulio Gioioso non alzava mai la voce. Giulio Gioioso non minacciava. Giulio Gioioso guardava negli occhi e scuoteva la testa.

Undici.

Pensò alla lotta. Sognò la resistenza. Il Fondatore avrebbe organizzato squadre armate. Il Fondatore avrebbe pagato gli anarchici e fatto saltare in aria la sede centrale. Il Fondatore avrebbe dichiarato guerra e l'avrebbe combattuta sino in fondo. Il Fondatore si alzava in piedi quando parlava dei partigiani. Il Fondatore non si sarebbe mai fidato di uno come Giulio Gioioso. Ma lui non era il Fondatore. Lui era un epigono. Un epigono indegno.

Dodici.

Il cuore scoppiava. Squalo sfiatato, delfino ingrigito. Non sarebbe mai riuscito a farne trenta. Un modo c'era. Scomparire. Per sempre. Avrebbe mandato la piccola e Maya all'estero. Liquidato ogni attività. Poi un colpo di pistola. Un modo c'era. Coniugare libertà e morte. Un modo c'era. Ma il cuore scoppiava. Dopo, forse, dopo…

Ilio Donatoni rimontò ansimando la scaletta di prua. Un marinaio premuroso si offrí di aiutarlo a sfilare la muta. Ilio lo congedò con un cenno risoluto.

Giulio Gioioso lo fissava con l'aria ansiosa, succhiando dalla bocca ben modellata il bocchino di una pipa spenta.

– Allora? Hai preso una decisione?

– Va bene. Accetto.

Giulio Gioioso sospirò di sollievo.

4.

Maya adorava il Forte. Maya adorava il mare livido della stagione morta, le onde che schiumando riflettevano il candore accecante delle Alpi Apuane, quella luminosità velata di una foschia aggressiva che sembrava volesse divorare la stessa curvatura dell'orizzonte.

Maya adorava il Forte. Distesa su un lettino fra due capanne, sintonizzata sulla lunghezza d'onda del respiro irrequieto delle acque, riusciva persino a rendersi impenetrabile all'insopportabile cicaleccio dei Bendonati-Richter sulla difficoltà di trovare, oggigiorno, delle serve all'altezza. All'ultimo pettegolezzo mondano di Bea Montalenti. Al resoconto di una trattativa sindacale durante la quale l'ingegner Perrot le aveva cantate chiare a capi e capetti della Trimurti rossa. All'astio con cui Ramino Rampoldi, giovane astro socialista in ascesa, malediceva il suo compagno Mario Chiesa per essersi fatto beccare con le mani nel sacco, anzi, nella mazzetta, trascinando nel fango, del tutto immeritatamente, il nome onorato del partito.

– Ah, ma il Craxi gliele ha cantate, a quel mariuolo lí. E fuori dal partito, cosí, su due piedi, senza perdersi in chiacchiere!

– Il Craxi l'è bell'e cotto, dammi retta, Rami!

– Vedrai… vedrete tutti!

A volte, quando era certa che nessuno la stesse osservando, Maya sollevava la benda dall'occhio ancora convalescente e si concentrava nello sforzo di mettere a fuoco il galleggiante di un subacqueo, o la vela tremolante di un windsurf. L'occhio era rimasto debole. La retina compromessa, perciò: addio sport! A meno di non provare con certi protocolli avanzati, ma ancora tutti da sperimentare… Maya confidava nella scienza, ma soprattutto confidava nella sua tenace volontà. Era la figlia del Fondatore, diamine! L'incidente le aveva donato una pausa. Il distacco della membrana come metafora del distacco dal quotidiano. Stagione di bilanci. Infanzia dorata, adolescenza di prestigio, gioventú sfavillante, matrimonio, procreazione, svezzamento della prole. Il meglio, garantito dal Fondatore. C'era forse un altro modo di vedere la questione: trentadue anni scivolati via. Eh, già! Per quanto studiasse di pescare nell'archivio di memoria & possibilità… per quanti sforzi facesse… non le veniva in mente quella qualità che l'avrebbe resa unica, inconfondibile, insostituibile. Maya, la… Maya, quella che… Maya la trasparente, avrebbe dovuto dire. Desiderio, o forse nostalgia, la colse, di un nuovo cominciamen-

to. Avrebbe lavorato. Ne aveva parlato con Ilio. Il suo annuire vago: sí, un po' di volontariato le avrebbe fatto bene.
D'altronde, tutte le sue amiche... Eh, già: nel mondo di Ilio,
lavoro femminile uguale volontariato. Passatempo. Svago.
E invece per Maya si trattava... si trattava di riprendere il
controllo della propria vita.

  – Guarda che sto parlando di lavoro. Lavoro vero. Con
orari, regole, mansioni... e una retribuzione.

  – Tu non hai bisogno di una retribuzione.

  – Io ho bisogno di fare qualcosa che non sia solo comparire come signora Donatoni.

  – Vale a dire?

  – Vale a dire: dammi un incarico in azienda. Uno qualunque. Per cominciare...

  – L'azienda è tua, Maya.

  – L'azienda è nostra, Ilio. E sei tu che la mandi avanti.

  – Troveremo una soluzione anche per questo, amore.

Accadeva dopo l'estemporanea gita sul *Nostromo* con la
performance natatoria di Ilio. Quanto al week-end versilia-
no, Ilio aveva deciso di aggregarsi all'ultimo momento. Incapace di reggere la combriccola, come e peggio di lei, passava ore a nuotare al largo. Incurante del gelo e del vento.
Ilio. Era tornato il suo Ilio di sempre. Premuroso, deciso,
affettuoso e sessualmente scatenato. In qualche modo che
non riusciva a spiegarsi, Maya sentiva che tutto questo era
dovuto all'incidente. Non che non avesse cercato di introdurre l'argomento. Ma Ilio aveva negato. Mai passato nessun momento di crisi. Mai stato taciturno o distratto. Tutte fantasie!

Ilio usciva dall'acqua. Bea Montalenti gli si precipitava
incontro reggendo un asciugamano. Ilio rifiutava sdegnato
l'offerta e si avviava con passo esageratamente lento verso
le docce. Ilio non poteva mostrarsi piegato dal freddo! Com-

parve Giulio Gioioso, in maglioncino caprese e pipa. Ilio, bagnato com'era, si appartò a discutere con lui.

Maya aveva resistito alla tentazione di unirsi a loro. Un'altra cosa Ilio giurava e spergiurava non fosse mai accaduta: la conversazione al suo capezzale quando si era risvegliata dall'anestesia. Né lui né Giulio Gioioso erano là. C'era solo un'infermiera, e aveva riferito che lei, Maya, aveva straparlato pronunciando frasi sconnesse nel dormiveglia. Grida, persino. Perciò le avevano dovuto somministrare un ulteriore blando sedativo, e solo al mattino dopo aveva pienamente recuperato conoscenza. Ilio negava con tanta convinzione che, alla fine, Maya aveva finto di cedere. Ilio mentiva?

In definitiva, tutto ciò non aveva importanza. Avrebbe avuto quel lavoro. Userò un *nom de plume*, Ilio. Ma dài, Maya, che ti conoscono tutti! Come si sarebbero comportati con lei gli operai? E i «quadri»? Le avrebbero dato qualcosa di serio da fare, o... L'occhio, all'improvviso, si fece sentire con una fitta lancinante. Sollevò la benda, preoccupata. Niente lampi, grazie a Dio. Erano i lampi che annunciavano i distacchi, beffardi fuochi d'artificio...

Il sole aveva diradato la foschia.

Cicci Zandonel ungeva di crema idratante le spalle secche e coperte di efelidi di Bea Montalenti. Per un istante, i due, diciamo cosí, «amici» la piantarono con il loro gioco di società preferito: scagliare palate di merda sui meridionali.

– Di' un po', Cicci, ma il Gioioso... lo sai che l'è siciliano anca lü?

– Ma che c'entra! Lui è diverso!

La Catena

Scialoja aveva incontrato un mafioso elegante e poi, subito dopo, un politicante comunista. Viaggio fra due poteri, dunque. Quello antico e vacillante dei siculi e quello dei nuovi padroni. Se due piú due fa quattro, aveva riflettuto Stalin Rossetti, il business era la sicurezza. Logico. Lo Stato, percosso dall'offensiva della Cosa nostra, corre ai ripari. E si affida al dottor Nicola Scialoja. Ah, ah! Che ridere! Il mafioso elegante non poteva che essere Angelino Lo Mastro. Stalin lo aveva conosciuto, anni prima, nelle vesti di sottopanza dello zu' Cosimo. Era evidente che Angelino aveva fatto carriera. In altri tempi, per giungere a un accordo, gli sarebbe bastato spendere il nome del Vecchio. Il Vecchio godeva di massimo rispetto presso chi contava oltre lo Stretto. In altri tempi, appunto. Adesso, solo per ottenere che Angelino accondiscendesse a un misero incontro interlocutorio, aveva dovuto implorare e piatire in nome dell'antica amicizia. Ovvio. Lui non era piú il delfino del Vecchio. Lui non era piú nessuno. E per convincere i mafiosi a dargli credito, non aveva che una strada. Offrire qualcosa in cambio. Ma il coniglio dal cappello l'avrebbe tirato fuori al momento opportuno. Prima doveva dare una strizzatina al fichetto che sembrava uscito da un dépliant del made in Italy. Cosí, tanto per ricordargli con chi aveva a che fare.

– So che hai incontrato Scialoja.

– Mi complimento per il servizio informazioni, – sorrise Angelino senza scomporsi. Poi aggiunse: – Per caso questo James Bond sarebbe la femmina che entrò e ci vide insieme?

– Mi complimento per lo spirito di osservazione, – ribatté Stalin, sullo stesso tono.

– Ci chiesero una tregua, – disse, serio, Angelino.

– E voi?

– Stiamo discutendo.

– Mi pare giusto. Ma ricordatevi: quello sempre sbirro è!

– E tu? Tu chi sei, dottore Rossetti?

– Io stavo con il Vecchio, non dimenticarlo!

– Un tempo, forse. Ma adesso... adesso c'è quell'altro. È lui che sta in sella al cavallo. E tu, mi pare, stai a piedi!

Uuh, la metafora agropastorale, cosí cara al linguaggio della vecchia onorata società! Con tutta la sua aria da fichetto, Angelino restava l'eterno buzzurro di sempre!

Angelino si alzò e si portò una mano al fermacravatte in segno di saluto. Il colloquio, per quanto lo riguardava, era finito.

Stalin Rossetti sorrise. Bene. Il sepolcro era stato scoperchiato. Il rospo sputato. Finito il tempo dei preliminari. Stalin si rilassò sulla poltroncina. Attese che l'altro raggiungesse la porta dello studio, poi si schiarí la voce. Parlò, e lo fece con tono beffardo.

– Vi interessa ancora Manuele Vitorchiano?

Questa volta Angelino non fu cosí abile a dominarsi. Tremore, rossore, un sobbalzo improvviso. I soliti segni di debolezza umana. Ne aveva ancora di pane tosto da mangiare, il picciotto!

– E tu che ne sai di questa storia?

– Servizio informazioni, no? Allora? Vi interessa ancora?

– Gli affari nostri siamo abituati a vederceli da soli.

– A casa vostra, forse. Ma qui nel continente mi risulta che abbiate qualche problema... come dire... logistico... Allora? Un altro bicchiere di Coca?

Piú tardi, dopo aver definito i termini della questione e aver accompagnato all'uscio un Angelino ancora scettico ma decisamente meno arrogante, Stalin chiamò il Guercio e gli disse di trovargli immediatamente Pino Marino. Ma il Guercio, che aveva un cerotto sulla guancia sinistra e si massaggiava un braccio indolenzito, gli disse che non ne aveva notizie da... da almeno una settimana, sí, una settimana.

Stalin considerò con un certo disgusto l'aspetto miserevole del suo collaboratore. Sapeva che il Guercio arrotondava le entrate con un po' di spaccio al minuto, e in linea di principio non era contrario. Da convinto fautore della libertà d'intrapresa, l'iniziativa individuale non lo turbava piú di tanto. Yanez, per esempio, piazzava cimici e vendeva tabulati al miglior offerente. Ma, al contempo, non avrebbe mai permesso che il libero mercato interferisse con i doveri d'ufficio. Sinora aveva tollerato, ma non era piú tempo di compromessi. Il gioco si faceva duro. Da questo momento in avanti non erano ammessi errori. Ci mancava solo che uno sbirro solerte andasse a ficcare il naso negli affarucci della bassa forza!

– Da oggi con la roba hai chiuso, Guercio.

– Ma, capo...

– Niente «se» e niente «ma». Vale per te e vale anche per Yanez e i suoi piccoli traffici. Da questo momento torniamo operativi!

– Ma allora è vero, capo! Rifacciamo la Catena!

– Non c'è piú nessuna Catena, Guercio. E adesso vai, e portami Pino!

Stalin lo vide andar via sconcertato e deluso. Si versò mezzo dito di whisky e sospirò. No, non c'era piú la Catena. Non ci sarebbe mai piú stata nessuna Catena. Le cose cambiano, povero vecchio patetico bestione d'un Guercio. Quella stagione esaltante e irripetibile è definitivamente tramontata. Bisogna adattarsi ai nuovi scenari, tutto qui.

«Molte brave persone si sono sforzate invano di migliorare il mondo, ignorando una verità elementare: il mondo non sopporta di essere migliorato. Per questo io mi propongo di assecondare il mondo, rendendolo peggiore. D'altronde, sono un giocatore, e so che non sempre è possibile realizzare l'*en plein*. Diciamo, dunque, che mi accontento di fare quanto in mio potere perché le cose restino come sono».

Cosí si era presentato al Vecchio, tanti anni prima. E il Vecchio, letta la sua breve nota, si era messo a ridere.

«Lei non me la conta giusta, Rossetti».

Touché. Non era un giocatore, e detestava perdere. Del mondo non gliene fregava un accidente, che seguisse pure il suo corso. L'unica cosa che contava era che, in cima alla piramide, ci fosse lui. Stalin Rossetti.

Era diventato il capo della Catena. Il Vecchio aveva premiato la sua propensione alla falsità.

La Catena! Il fior fiore degli agenti operativi!

Dopo la fine della Seconda guerra mondiale, in tutti i Paesi occidentali le operazioni di contenimento occulto dell'avanzata comunista in Occidente erano state *ufficialmente* affidate a una rete di organizzazioni segrete coordinate in ambito Nato. La branca italiana si chiamava Gladio. Si trattava, in realtà, di un raggruppamento di «quadri» destinati ad assumere decisioni di rilievo in caso di vittoria, anche elettorale, dei comunisti. La Gladio era un corpo semiufficiale, tutto sommato pulito. C'erano corsi di addestramento in appositi centri, i comandanti si avvicendavano, qualche bello spirito, di tanto in tanto, si proponeva di fare pulizia eliminando gli elementi piú estremisti.

Gladio non era che un piccolo, innocuo battaglione di riservisti.

Qui stiamo parlando della Catena, amico! Qui stiamo parlando della Sporca dozzina!

Gestione autonoma di fondi pressoché illimitati. Carta bianca in ogni sorta di operazioni. Unico referente: il Vecchio. Un solo compito: impedire, a ogni costo, la diffusione del morbo rosso.

Era stato esaltante. Finché era durato.

Poco alla volta, il suo rapporto con il Vecchio s'era consolidato. Il Vecchio aveva cominciato a usarlo per missioni che non avevano nessun legame con l'atto costitutivo della Catena. Missioni di estrema delicatezza. Missioni che il Vecchio, un tempo, avrebbe condotto di persona.

Con lui il Vecchio si era abbandonato a una confidenza che non era mai stata riservata a nessun altro. A lui il Vecchio aveva persino confessato di avere avuto, un tempo, qualcosa di simile a un cuore. Stalin si era persuaso di essere l'unico depositario di un simile segreto. Il solo a poter leggere dentro ciò che di quel cuore era sopravvissuto.

Era stato esaltante. Finché era durato.

Ma era durato poco. Era durato il respiro di un'illusione.

Un giorno il Vecchio l'aveva convocato e gli aveva detto: la guerra è finita.

Il Vecchio aveva detto: le cose stanno cambiando.

Il Vecchio aveva distrutto tutti i documenti della Catena.

Il Vecchio aveva detto: prenditi una vacanza. Una lunga vacanza.

Stalin Rossetti aveva sorriso educatamente.

Stalin Rossetti aveva chinato il capo.

Stalin Rossetti si era dato da fare.

Stalin Rossetti aveva triturato nel tritacarte le carte compromettenti per sé e trafugato e nascosto in luogo protetto le carte compromettenti per gli altri. Stalin Rossetti aveva venduto titoli, concretizzato attività, sbloccato fondi.

Stalin Rossetti aveva convocato i vecchi camerati nella birreria di via Merulana. Aveva bevuto e cantato con loro sino a notte fonda. Aveva commemorato con loro chi non c'era piú. Aveva brindato con loro al trionfo della libertà.

E alla fine, quando erano tutti cosí ubriachi da non reggersi in piedi, Stalin Rossetti aveva detto: la guerra è finita. Le cose stanno cambiando.

I camerati avevano gridato: siamo traditi!

I camerati avevano gridato: abbiamo combattuto la piú sporca delle guerre e ci buttano via come ferrivecchi!

I camerati avevano gridato: il Vecchio si è venduto ai rossi!

I camerati avevano proposto di uccidere il Vecchio.

Stalin Rossetti, lo sguardo dolente, la voce un fermo sussurro ipocrita, aveva blandito, aveva convenuto, aveva stigmatizzato l'inumana ingratitudine.

Stalin Rossetti aveva detto: consideriamolo un momentaneo ripiegamento tattico.

Stalin Rossetti aveva promesso: torneremo! Ci sarà ancora bisogno di gente come noi! Per questo non c'era spazio per iniziative avventate. Per questo si doveva mantenere intatta la forza. La forza dell'Ideale!

Stalin Rossetti aveva annunciato la sua partenza per un lungo viaggio.

I camerati avevano urlato che era un'ingiustizia. Che l'Italia non meritava un eroe come lui. Stalin Rossetti aveva tollerato l'ovazione con gli occhi bassi e un nobile sospiro. E aveva cominciato a distribuire a ciascuno i suoi spiccioli.

I camerati si erano lanciati sui libretti al portatore.

Il giorno dopo Stalin Rossetti era partito alla volta del suo Salento. Di tutta la sua vecchia vita si era portato appresso solo Yanez, il Guercio e, naturalmente, Pino Marino.

Aveva abbastanza da parte per mettersi in proprio. La Puglia era il terreno ideale per chi aveva ancora tanta voglia di fare.

Nel giro di qualche settimana aveva impiantato una piccola compagnia di navigazione. Tre barchette, un modesto ufficio in Bari vecchia, personale ridotto all'osso. La copertura: un'agenzia di import/export di generi vari.

Stalin Rossetti trafficava con la sacra corona unita.

Stalin Rossetti trafficava con i serbi.

Stalin Rossetti trafficava con gli albanesi.

Stalin Rossetti comperava dai serbi armi e munizioni e le girava ai pugliesi della sacra corona unita in cambio di eroina turca che Manuele Vitorchiano, un siciliano che la mafia aveva condannato a morte, smistava nel Centro Italia.

Stalin Rossetti prendeva il dieci per cento su ognuna delle puttane che lo Chef di Valona gli spediva con cadenza settimanale. La merce e le donne viaggiavano con documenti indiscutibili. Stalin Rossetti procurava regolari permessi di soggiorno. Nessun problema da parte dei supposti controllori: metà di loro era iscritta alla stessa loggia di Stalin Rossetti, gli altri si accontentavano di qualche regalino.

In breve il volume degli affari si era quintuplicato. Sta-

lin aveva comperato un elicottero e una masseria alle porte di Ostuni.

Stalin Rossetti era un uomo ricco.

Stalin Rossetti era un uomo depresso.

Gli mancava l'odore della polvere. Gli mancavano le
missioni impossibili. Gli mancava il palcoscenico. Gli mancava il gusto del corpo a corpo.

Stalin Rossetti rivoleva il posto che gli era stato sottratto con la frode. Era lui l'erede del Vecchio. Non doveva finire cosí. Non doveva finire nel Salento tra pecorai albanesi e puttane impestate.

Il Salento non era il principio di una nuova èra. Il Salento era caduta, degradazione, esilio. Il Salento era *finis
terrae*.

Cosí aveva deciso di ritornare.

2.

La roba non è un problema, aveva detto il Guercio. Ma
lui, in cambio, esigeva almeno un lavoretto di bocca.

Valeria aveva cercato di strappargli via l'occhio sano.
Il Guercio le aveva artigliato la mano con la sua morsa fer-
rea e l'aveva scaricata in strada, incurante delle urla e degli insulti feroci.

– Vai a fare in culo, stronza!

Lei aveva finto di rassegnarsi. Il Guercio si era ricompo-
sto e aveva fatto la mossa di andarsene. Lei gli aveva sorriso e si era fiondata verso il portone. Il Guercio l'aveva afferrata per un braccio, costringendola a bloccarsi. Lei era
riuscita a piazzargli un calcio al basso ventre. Il Guercio aveva appena increspato la fronte. Poi aveva preso a torcerle il
braccio dietro la schiena.

– Adesso mi chiedi scusa, puttana!

Lei aveva urlato per il dolore. Un paio di passanti s'erano fermati, incuriositi e spaventati. Il ghigno del Guercio li aveva convinti a riprendere la strada, a capo chino. La stretta aumentava d'intensità. Ma Valeria taceva. Aveva anche smesso di lamentarsi. Non voleva chiedere scusa a quella bestia. Non voleva chiedere scusa a nessuno. Se c'era qualcuno a cui chiedere scusa, quella era se stessa. Ma non l'avrebbe fatto mai, mai. E se avesse avuto un'arma, l'avrebbe scaricata nel cranio di quel bastardo. E poi l'avrebbe fatta finita, una volta per tutte. E intanto il dolore cresceva, e il Guercio le avrebbe spezzato il braccio, e sentiva il dolore mescolarsi al sudore, e il suo odore diventare acido, l'odore della scimmia, e si odiava per questo, e odiava il mondo, e poi... Poi la stretta si era allentata, e lei si era trovata libera, accasciata sul marciapiede, il braccio anchilosato, ma libera. E il Guercio ansimava, appoggiato allo stipite del portone del Centro studi, e davanti a lui c'era un ragazzo. Teneva i pugni stretti e sfidava il Guercio. Il Guercio si toccava un fianco e alzava una mano in segno di resa, un sorriso umile dipinto sul volto.

– Va bene, va bene, ho capito. Ma non dire niente al capo, eh? Sai com'è, mi è scappata la mano...

Il Guercio scomparve nel portone. Il ragazzo le andò vicino, l'aiutò a risollevarsi. Un tipo alto, scuro, forte. Molto scuro. Forse un meridionale. Ma con due occhi di un azzurro che rasentava la trasparenza. Lei si appoggiò al ragazzo, poi lo respinse. Non voleva che sentisse il suo odore terribile. Non voleva dovergli dire grazie. Non voleva dover dire grazie a nessuno.

Si era avviata per la sua strada, cercando di dominare il tremito che la scuoteva tutta. Il ragazzo l'aveva affiancata.

– Che cazzo vuoi, eh? Devo dirti grazie? Grazie. E adesso vaffanculo, ok?

– Posso fare qualcosa per te?

– Tu non puoi fare proprio niente per me!

– Prova a chiedere.

– Lascia perdere.

– Provaci!

– Va bene, va bene! – aveva urlato, esasperata. – Mi serve un mezzo grammo di roba. Ce l'hai?

– Che roba?

– Che roba! Eroina, cazzo!

– Ho i soldi. E posso accompagnarti a prenderla, se mi dici dove.

Aveva deciso di seguirlo perché la sua calma l'aveva impressionata. Era la calma di un altro mondo, di un altro tempo. E aveva deciso di seguirlo perché non c'era alternativa. La scimmia appollaiata sulla schiena ghignava e mordeva alla gola, e non c'erano né lacrime né grida che potessero scacciarla.

Lui aveva un macchinone blindato. Lei si era fatta portare alle Terme di Diocleziano. Lui le aveva allungato un paio di banconote. Lei aveva comperato la roba da una coppia di egiziani. Poi erano finiti nell'appartamento di via dei Banchi vecchi. Una casa che doveva aver avuto una storia, e che adesso andava in rovina. Lei aveva tirato mezza dose ed era corsa in bagno a farsi una doccia. Si era messa una vestaglina corta e poi era tornata in salotto. Gli aveva offerto un tiro, e lui aveva rifiutato. Aveva ripulito la stagnola doppiandola con una canna. Finalmente aveva smesso di sudare. Ora si sentiva felice. Felice e intontita. Il ragazzo rigirava fra le mani un ritratto fotografico. Mostrava un uomo giovane, faccia da televisione. Gli diceva qualcosa. Una faccia di gomma, ma gli diceva qualcosa. Quando si accorse del suo interesse per la foto, lei gliela strappò di mano.

– È il tuo ragazzo? – domandò lui, educatamente.

– Storia finita.

– Ti ha fatto del male?

– Fatti i cazzi tuoi. Vuoi scopare?

– No.

– Perché no? Magari è una buona idea!

– No, non credo.

– Ma perché?

– Perché… non lo so il perché, ma è no.

Lei aveva recuperato il clarinetto e aveva accennato *When the Saints Go Marching In.* Lui la guardava come un fiore profumato, come un diamante raro. Il fiato le era venuto meno.

– Una volta ci sapevo fare.

– Continua, per favore.

Ma il torpore l'aveva invasa. Era andata a stendersi sul letto.

– Vieni qui, – aveva sussurrato.

Lui le era scivolato accanto, impacciato, teso. Lei si era rannicchiata fra le sue braccia.

– Io sono Valeria.

– Pino Marino.

– Che buffo!

Poi il sonno l'aveva vinta, leggero.

Pino Marino accarezzava i corti capelli biondi della ragazza addormentata fra le sue braccia. Lei era alta, lei era slanciata, lei era nervosa. Lei era malata. Pino Marino aveva deciso di curarla. Non c'era un perché, non c'era un motivo.

Pensava che a qualcuno tocca in sorte una bella casa nel cuore di Roma e a qualcun altro un bugigattolo lungo il

Pallonetto di Santa Lucia. Cumparielli che violentano le donne e tagliano la gola ai loro uomini. E un uomo gentile di nome Stalin Rossetti.

Lui non aveva fatto niente per meritarsi il destino che stava vivendo. Gli era semplicemente caduto addosso. Non aveva mai protestato. Non si era mai ribellato. Non si era nemmeno mai chiesto se potesse esistere, da qualche altra parte, un destino diverso. Non sino a questo momento.

Con un braccio, senza rendersene conto, le aveva cinto il seno. Si ritrasse, con un sentimento di sacrilegio. La ragazza si mosse piano. Odore di cannella, con una vaga traccia del sudore acido di prima. Pino Marino giurò che avrebbe cancellato quella traccia. Lei sospirò.

– Sei ancora qui?

– Sí.

– È bello!

Il respiro si fece regolare, quasi impercettibile. Sí, era bello, ma non aveva nessun senso. E dove non c'era senso, non c'era futuro. Pino Marino liberò delicatamente il braccio. Avrebbe dovuto farsela. Chiunque, al suo posto, ne avrebbe approfittato. La coprí dolcemente con un lembo di lenzuolo. Doveva andare. Ma sarebbe tornato. Era una promessa. Era un giuramento.

Stalin lo aspettava sotto casa. Piuttosto seccato. Gli consegnò le chiavi della Honda 750 che Yanez aveva prelevato nel pomeriggio e gli ordinò di partire subito.

3.

Quando gli avevano dato la *battuta*, Manuele Vitorchiano aveva chinato il capo, aveva detto sissignore, aveva ritirato il revolver e si era avviato con passo stanco sotto lo sguardo indifferente dei paesani che sorbivano il caffè al *Bar dello Sport*.

Con suo cognato Lillo aveva parlato la mattina dopo. Lillo si era stupito nel vederselo comparire davanti con gli occhi cerchiati e la voce strascicata.

– È arrivata una battuta, Lillo.

– A chi tocca?

– A te.

– Ma perché? Che ci feci io di male?

– Niente. Ma non si fidano piú. Dicono che uno che s'è girato una volta in qualunque momento può girarsi di nuovo.

Lillo aveva ricordato quella notte a Bronte. Uno dei capi corleonesi aveva offerto una cena di riconciliazione alla famiglia di don Saro. C'erano arrivati in quaranta, capi, capintesta, ufficiali gentiluomini e soldati. Lillo a braccetto di don Saro. 'U me' figghiu, lo chiamava don Saro. E lui, in quel momento, aveva già tradito. Grandi abbracci e grandi sorrisi, nessuna perquisizione perché nessuno si sognava di portare un'arma, certe cose erano impensabili, allora. Agnello, vino rosso, formaggi delle Madonie. Sull'ultimo brindisi all'amicizia il corleonese aveva fatto un cenno a Manuele. Ed era cominciata la mattanza. Non ne era scampato uno. Tutti sgozzati come capretti. Lillo, come prova della sua nuova fedeltà, si era occupato di don Saro. Il corleonese aveva annuito. Piú tardi, mentre scaricavano l'acido nelle vasche e vi trascinavano uno alla volta i cadaveri, Lillo aveva detto a Manuele che la sua vita gli apparteneva.

– Minchiate. Sei il marito di mia sorella. Sei mio fratello. Ma ricordati che ho dato garanzia per te!

E proprio perché aveva dato garanzia ora toccava a lui risolvere la questione.

– Ma io non me la sento. E chi vivrà vedrà!

Lillo aveva abbracciato Manuele ed era partito senza nemmeno ripassare da casa. Cosí com'era vestito, coi panni di tutti i giorni e in tasca quanto bastava appena per un biglietto di seconda e un paio di settimane di sopravvivenza.

Manuele aveva riferito che il cinghiale doveva avere avuto qualche soffiata, perché lui, come s'era fatto sotto per assolvere alla missione, non ce l'aveva già piú trovato.

Ma quando, una settimana dopo, su tutti i giornali era comparsa la foto di Lillo nella sua nuova veste di infame pentito, Manuele aveva pensato che la sua sorte era segnata. E pure lui s'era fatto latitante. Certo, si sarebbe potuto persino fare infame. E non è che non ci avesse pensato. Ma che ne sarebbe stato, allora, della sua famiglia? Finché i capi restavano nell'incertezza, finché restava al coperto, non gli avrebbero torto un capello. Quanto a lui, sapeva che era solo questione di tempo. Ma finché durava...

La storia andava avanti da due anni, con lui a nascondersi e a diffidare di tutto e di tutti, quando, tramite un barese che aveva conosciuto alla Pianosa, era stato reclutato dal dottor Rossetti. Rossetti cercava qualcuno di poche pretese che gli piazzasse un po' di roba nel Centro Italia. Manuele, di pretese, ne aveva una sola: sopravvivere. Si erano accordati con una stretta di mano. In seguito, erano entrati in confidenza. Manuele gli aveva raccontato la sua storia, e Rossetti lo aveva lodato: è cosa buona non tradire gli affetti, gli aveva detto. Dal canto suo, aveva vantato conoscenze nella mafia, la promessa di spendere una parola per il povero Manuele, ove se ne fosse presentata l'occasione. Poi Rossetti gli aveva fatto sapere che per un po' di tempo il traffico era sospeso. Erano seguiti mesi grigi, di miseria, di paura.

Infine, la telefonata.

– Qualcosa si muove. Ho trovato un accordo. Li ho convinti a lasciarti perdere. Non muoverti, ti mando un mio uomo!

E la speranza era rinata. E Manuele già pensava che avrebbe riabbracciato la moglie e i figli. Che avrebbe riavuto il suo posto nella vita. Che tutto quello che aveva sentito dire di questo Rossetti, quand'era un membro felice e rispettato della Cosa nostra, era tutto vero: Rossetti era un uomo potente, cosí potente che persino i capi ci scendevano a patti.

E un uomo generoso, se si era ricordato di lui, se non l'aveva abbandonato in quel paesino sperduto delle Marche...

Cosí, quando la mattina dopo la telefonata, alle otto in punto, andò incontro allo sconosciuto con il casco che l'attendeva lungo la strada provinciale accanto a una motocicletta di grossa cilindrata, il suo sorriso era il sorriso di un uomo felice e speranzoso.

Ma lo sconosciuto estrasse dal tascone del giubbotto una pistola silenziata e gli sparò due volte a bruciapelo, portandogli via mezza faccia.

Pino Marino lasciò la moto in un parcheggio pubblico a Macerata e se ne tornò a Roma in treno. In una tabaccheria vicino alla stazione aveva comperato un quadernetto e una confezione di pennarelli. Per tutta la durata del viaggio si sforzò di tracciare schizzi delle sue Madonne. Madonne con il volto di Valeria. Ma pennarelli e pensieri seguivano strade diverse, e il risultato erano guazzabugli indecifrabili. Pensava all'uomo che aveva ucciso. Non era stata la prima volta, e forse non sarebbe stata l'ultima. Ma questo morto gli aveva lasciato dentro una strana sensazione. Chi era, quell'uomo? Di che colpa si era macchiato agli occhi di Stalin? Aveva una donna che l'aspettava da qualche parte? Dei figli? Non lasciare mai che diventino persone, gli aveva spiegato Stalin, durante l'addestramento. Per te sono solo bersagli. Se dovessero diventare persone, sarebbe il principio della fine. Bene, ora lui sapeva di aver ucciso una persona. Stalin aveva ordinato, e lui aveva eseguito. Ma era stata la sua mano a premere il grilletto. La sua mano, non quella di Stalin. Era il principio della fine? Era questa la «colpa» di cui parlavano certi libri che aveva letto e che aveva sempre considerato con divertito disprezzo? C'entrava, tutto questo, con la ragazza? Pino era confuso. Voleva rivederla. Lo voleva con tutta la forza di un risveglio improvviso. E per questo risveglio provava qualcosa di assai simile a un terrore arcano. Non devo cercarla, si disse, infine, e gettò il quaderno e i pennarelli dal finestrino. Non devo. Mi porterà via dalla mia strada. Mi allontanerà da Stalin.

Ma poi, arrivato alla stazione, le telefonò da una cabina pubblica.

Anche Stalin, quella sera, fece una telefonata. A mezzanotte in punto. Angelino Lo Mastro era ancora sveglio.

– Hai guardato la televisione?

– Sí. Sei stato bravo.

– Bene. La prossima volta parleremo di cose serie.

Riattaccò senza attendere risposta. Il portatile prese quasi subito a squillare furiosamente. Lo spense. A tempo debito, a tempo debito. Qualche piccola soddisfazione bisogna pure prendersela, di tanto in tanto. Circa il povero Manuele, be', valeva anche nel suo caso quel vecchio detto cinese: nessuna buona azione resterà impunita.

La Morte e la Fanciulla

1.

L'onorevole Corazza vantava origini sottoproletarie e un passato oscuro. Aveva intrattenuto legami con la feccia della capitale. Il suo *cursus honorum* partitico era costellato di abiure e di tradimenti. Erano questi aspetti a renderlo interessante agli occhi di Scialoja. Dalle fogne Corazza si era portato in eredità fiuto, spregiudicatezza e preveggenza.

Scialoja passeggiava nel giardino della clinica *Salus*. Era una chiara giornata d'ottobre. Gli alberi della Svizzera verde avevano già perso il fogliame. Intorno, Lugano sonnolenta scintillava bella come nel canto anarchico. Di lí a pochi minuti Corazza, finita la terapia, l'avrebbe ricevuto.

Sedette su una panchina e compulsò le carte che si era portato appresso da Roma.

LETTERA INVIATA DAL DETENUTO ELIO CIOLINI
AL GIUDICE ISTRUTTORE DI BOLOGNA DR GRASSI
6 MARZO 1992

NUOVA STRATEGIA DELLA TENSIONE IN ITALIA
PERIODO MARZO-LUGLIO 1992

Nel periodo marzo-luglio di quest'anno avverranno fatti intesi a destabilizzare l'ordine pubblico come esplosioni dinamitarde intese a colpire quelle persone «comuni» in luoghi pubblici, sequestro ed eventuale «omicidio» di esponente politico Psi, Pci,

Dc, sequestro ed eventuale «omicidio» del futuro presidente della Repubblica.

Tutto questo è stato deciso a Zagabria – Yu – (settembre '91) nel quadro di un «riordinamento politico» della Destra europea e in Italia è inteso a un nuovo ordine «generale» con i relativi vantaggi economico-finanziari (già in corso) dei responsabili di questo basato sulla commercializzazione degli stupefacenti.

La «storia» si ripete dopo quasi quindici anni, ci sarà un ritorno alle strategie omicide per conseguire i loro intenti falliti.

Ritornano come l'araba fenice.

Era stato Camporesi a richiamargli alla mente l'*affaire* Ciolini. Le rivelazioni sulla «nuova strategia della tensione» erano state in un primo momento sottovalutate. Ma quando, sei giorni dopo, a Mondello la mafia aveva assassinato l'onorevole Salvo Lima, il valore azionario di Ciolini era improvvisamente esploso. Ufficiali dei Ros dei Carabinieri erano stati a trovarlo in carcere. Ciolini aveva dettagliato il *j'accuse*.

STRATEGIA DELLA TENSIONE
MARZO-LUGLIO 1992

Matrice masso-politica-mafia = Siderno group Montreal-Cosa nostra-Catania-Roma (DC-ANDREOTTI)-ANDREOTTI-via D'ACQUISTO-LIMA. Sissan. Accordo futuro governo croato (TUDJMANN) massone per protezione laboratori eroina-transito cocaina-cambio-ristrutturazione economia croata e riconoscimento Repubblica croata-investimento previsto 1000 milioni $ (illeggibile)-Sissan-Accordo fra gruppi estremisti per politica di destra in Europa commerciale-Austria-Germania-Francia-Italia-Spagna-Portogallo-Grecia. Commercializzazione eroina-cocaina-via (illeggibile) Sicilia-Iugoslavia (prov. eroina Turchia).

Commercializzazione-Sicilia-Iugo-trasporto sottomarino prov. Urss (mini) pers. croato.

Protezione Dc via Mr D'ACQUISTO e LIMA-previsto futuro presidenza ANDREOTTI.

Dc domanda voti alla cupola per nuove elezioni.

Corrente Dc sinistra no d'accordo con voti cupola.

ANDREOTTI secondo gli sviluppi della politica di sinistra e destra, poco (inc.) reticente.

Si giustifica LIMA, per pressione a ANDREOTTI.

È prevista anche, con l'accordo Psi, Repubblica presidenziale Andreotti.

Cupole-Pressione a Andreotti (affinché) nuovi sviluppi, indirizzo politico, leghe eccetera mette la situazione della mafia, in Sicilia, in difficoltà.

Strategia.

Creare intimidazione nei confronti di quei soggetti e istituzioni Stato (forze di polizia eccetera) affinché non abbiano la volontà di farlo e distogliere l'impegno dell'opinione pubblica dalla lotta alla mafia, con un pericolo diverso e maggiore di quello della mafia.

Insomma, uno scenario cosí inquietante da far gridare al golpe. Camporesi gli aveva preparato una sommaria rassegna stampa.

«LA REPUBBLICA», 19 MARZO 1992

LO STATO È IN PERICOLO

IL VIMINALE: C'È UN PIANO PER DESTABILIZZARE L'ITALIA

«L'UNITÀ», 19 MARZO 1992

SCOTTI GRIDA AL COLPO DI STATO

RIVELATO UN PIANO EVERSIVO CHE PREVEDEVA L'UCCISIONE
DI ESPONENTI DEI TRE MAGGIORI PARTITI
IL MINISTRO PARLA SOLO ORA E NON HA DETTO NIENTE AL QUIRINALE
PERCHÉ? COSA SOSPETTA?

«CORRIERE DELLA SERA», 19 MARZO 1992

ALLARME COMPLOTTO IN ITALIA

Poi, in meno di ventiquattr'ore, tutto si era sgonfiato. Era venuto fuori che questo Ciolini risultava già condan-

nato per calunnia e depistaggio. Lo si riteneva fonte squa-
lificata. E l'allarme era stato retrocesso a bufala.

«LA REPUBBLICA», 20 MARZO 1992

LA PATACCA DEL GOLPE

«L'INDIPENDENTE», 20 MARZO 1992

COMPLOTTO SGONFIATO

«CORRIERE DELLA SERA», 20 MARZO 1992

UN ALLARME GONFIATO E INATTENDIBILE

La notizia era stata servita in modo maldestro e confuso: nessuno poteva davvero credere alla riunione modello
Spectre in Croazia nel corso della quale, fra allegri conver-
sari, una congrega di farabutti internazionali avrebbe but-
tato giú, diciamo all'impronta, un cosí raffinato piano di de-
stabilizzazione. Ma un fondo di verità c'era.

Falcone e la sua scorta erano saltati in aria.

Borsellino e la sua scorta erano saltati in aria.

Tutto era accaduto fra marzo e luglio.

Tutto quanto Ciolini aveva anticipato era accaduto.

E dov'era, Scialoja, quando tutto questo si andava preparando?

Ah, sí, studiava le carte del Vecchio, s'impratichiva del
mestiere, inseguiva i propri sogni di gloria. Stava alla finestra, in altri termini. E intanto la pentola ribolliva.

C'era un'unica interpretazione possibile dell'accaduto.
Qualcuno, informato di un progetto effettivamente in atto, aveva deciso di servirsi della fonte screditata per lanciare un segnale. A potenziali complici o a coloro che avrebbero dovuto contrastarlo, questo non era dato saperlo. La
contorta genesi della rivelazione mirava a escludere serie
indagini da parte dei giudici (che meno s'impicciano della

zona grigia e meglio è per tutti, soleva dire il Vecchio) e, nel contempo, a far venire allo scoperto chi poteva essere utile nell'uno e nell'altro senso: per agevolare, ovvero per stroncare la manovra.

Un segnale che il Vecchio avrebbe immediatamente raccolto.

E, ancora una volta, si scopriva a ripetere a se stesso: non sei il Vecchio! Non sei lui, e non sei nemmeno come lui.

Storie come questa di Ciolini rischiavano di mandare in pezzi l'effimera sicurezza che credeva di aver cosí faticosamente raggiunto. Il suo senso di onnipotenza, troppo recente, troppo friabile, si sgretolava sotto una domanda: perché diavolo il Vecchio aveva scelto proprio lui? Al momento dell'investitura, il Vecchio gli aveva consegnato una delle famose «cariche». C'era dentro tutta la vita di Scialoja. «Questa la distrugga. È piú sicuro».

Lui l'aveva fatto, ma prima aveva letto. Non riusciva a cancellare dalla mente quelle parole: «Intelligente. Fedele ma compulsivo. Ormonale. Si guasterà».

Ma se era questo che pensava, perché diavolo il Vecchio aveva scelto proprio lui?

Non riusciva ad afferrare il bandolo della matassa.

Doveva esserci un manovratore dietro Angelino Lo Mastro e i suoi.

Ma chi?

Corazza doveva saperlo. Corazza era stato l'unico a prendere sul serio Ciolini. Corazza aveva rilasciato interviste di fuoco. Aveva puntato il dito contro gli americani, e gli americani avevano reagito con una smentita sdegnata. Corazza aveva profetizzato il «botto» di Capaci. Corazza e il Vecchio si erano rispettati.

Un'infermiera in camice bianco uscí dall'edificio principale della clinica. Era una ragazza alta, con vistosi capelli rossi. Si guardava intorno, come cercando qualcuno. Lo individuò e gli sorrise, agitando una mano. Scialoja le andò incontro.

– L'onorevole l'attende.

– Grazie, – rispose Scialoja, e aggiunse, sbirciando la targhetta appuntata su un seno decisamente generoso: – Valentina.

Lei sorrise. Davvero un gran bel sorriso. E davvero una gran bella ragazza. Occhi verdi, gambe svettanti e un profumo fruttato, per niente aggressivo. Scialoja fantasticò su di lei lungo il corridoio immacolato sul quale si affacciavano le porte sbarrate delle stanze dei degenti. Scialoja si dette dell'animale: ma che gli passava per la mente, in un momento cosí delicato! Che gli passava per la mente, con Patrizia che l'aspettava in albergo!

– Ecco, è qui.

Nel bussare con le nocche alla numero 15, Valentina l'aveva sfiorato. Un contatto fugace di seno contro spalla. Involontario, o malizioso?

– Vieni, vieni, Scialo'! Scusame si nun m'arzo, ma 'sta chemio è proprio 'na brutta cojonella!

A Scialoja scappò un sorriso malinconico. La sua strada e quella di Corazza s'erano incrociate tanti anni prima. Quando lui era ancora un semplice poliziotto e indagava sulla banda del Libanese. Corazza era uno di quelli che si erano piú dati da fare per liberare Moro. Il greve romanesco dell'onorevole lo fece ringiovanire di anni. Era la musica della memoria. La musica di un passato che non sarebbe mai piú stato.

Ma com'era ridotto, Corazza!

In vestaglia rossa di seta, ad ansimare su una poltroncina girevole, il volto pallido e scavato dalla malattia, la voce roca che faticava ad articolare il pensiero, il gesto estenuato con cui liquidava l'offerta di una stretta di mano...

– La mano nun te la dò perché mica è chiaro se 'sta roba è contagiosa, Scialo'!

– Ma che dice, onorevole! Vedrà che presto...

– Presto se faranno 'na scorpacciata li vermi, Scialo'! L'unica soddisfazione è che je lascerò poco da magna'... Guarda come me so' ridotto!

Tutto, tutto in quella stanza sapeva di morte. Scialoja abbrancò un'altra poltrona girevole e vi si lasciò scivolare.

– Sono venuto a trovarla perché c'è qualcosa che non riesco a capire... e lei potrebbe aiutarmi...

– Te dovevi decide' prima, Scialo'! Ma quanto cazzo c'hai messo? Che stavi a gioca' coi sordatini de piombo? Ce lo so perché sei venuto... ce lo so... e sai 'na cosa, Scialo'? È tardi. Troppo tardi...

– C'è lei dietro tutto questo, onorevole?

– Io? Io ho solo, come se dice, esercitato il pensiero. Due piú due quattro... nient'altro, Scialo'! E mo' è tardi!

– In che senso?

– E quanti sensi je vòi da' a 'ste parole? È tardi perché nun c'è piú gnente da fa'! Vinceranno loro, Scialo'!

– Ma loro chi?

– Diciamo i soliti ignoti, vabbene?

– Andiamo, onorevole! I soliti ignoti siete sempre voi!

– No, cocco de mamma. Questi so' artri soliti. Qua chi se agita so' i panchinari. Quelli che nun li facevi gioca' manco se la prima squadra c'aveva l'epidemia. I zozzoni. Gli impresentabili. Quelli che tutti quest'anni... mentre noi facevamo il lavoro... se ne so' restati nascosti nelle catacombe cor cappuccio e collo spadino!

– Il solito complotto massonico?

– 'A massoneria lo sai che d'è, qua da noi? 'Na masche-

ra! Un fatto de teatro che copre tutti li trafficanti e li traf-
fichini... ma non lo devo dire a te, che ce stai drento co'
tutt'e due li piedi!

– Perché lei, invece...

– Il punto è 'n antro, Scialo': il punto è che da quanno
è caduto il Muro li panchinari se so' messi 'n testa de fa'
a meno de noi...

– E le sembra una cosa cosí tragica?

– Sfotti, sfotti, ce lo sai che a me me piace la gente al-
legra! Stamme a senti': bene o male, noi pe' cinquant'anni avemo fatto magna' e beve l'universo mondo... communisti compresi... mo', 'sti cazzabubboli pensano che so'
solo loro a dove' magna'... Me so' spiegato?

– No. Continuo a non capire!

– E perché nun sei er Vecchio! Scusa se te lo dico, Scialo', ma c'aveva ragione Dandi... t'o ricordi, no, er pòro
Dandi?

– Pace all'anima sua.

– Be', Dandi m'ha detto, 'na vorta: lo sbirro... senza
offesa, eh... lo sbirro l'ambizione ce l'avrebbe pure... ma
quanto a palle... sempre senza offesa, eh!

Scialoja si alzò di scatto, invaso da una furia sorda. Prima il Vecchio, poi addirittura quel bandito di strada del
Dandi... tanto bravo, lui, ah, sí, e s'era fatto sparare di giorno in pieno centro come l'orso al tirassegno...

– Che dovevo fare, eh, onorevole? Che dovevo fare?
Aprire un'inchiesta? Presentarmi dai giudici e rimettere
nelle loro mani le carte del Vecchio? Che diavolo dovevo
fare?

– Ammazza, come s'è imbruttito Scialoja! Mettete a
sede', che me gira la testa... I giudici! Boni quelli! Ma che
cazzarola stai a di'? Ma nun l'hai capito che puro quelli de
Milano stanno a fa' er gioco loro?

– Addirittura!

– Ah, nun ce credi? Be', stamme a senti'. Questi c'hanno l'idee chiare. Primo: abbattere la classe politica e distruggere i partiti, come se dice, rappresentativi, noi, i rossi e i socialisti. Secondo: favorire le formazioni locali. Che magari ce fanno 'n'antra Lega a Palermo e cosí l'Italia se ne va a puttane 'na vorta pe' tutte… Terzo: mette' bombe, spara' e danneggia', cosí 'a gente se mette paura e je core 'n braccio… Quindi, ricapitolando: ci attaccano dalla strada cor piombo e cor tritolo, e dar palazzo colle inchieste… Ce vonno fa' a pezzi. È il cambio della guardia, me so' spiegato?

– E perché non avete reagito, allora? Lei che cazzo ha fatto, eh, onorevole?

– Io? E che posso fa' io da solo, e cor cancro che me se sta a magna' er fegato! Altri si dovevano muovere, Scialo'. Tu. Li communisti, perché so' quelli che rischiano de piú, insieme a noi. Se doveva fa' 'n'ammucchiata, ecco che se doveva fa'. De tutte le forze ragionevoli, pe' ditte, e organizza' un governo coi controcazzi… comincia' a fa' 'e cose sur serio, come se chiamano, 'e riforme, da' un segnale de cambiamento noi… ma è tardi, Scialo', è tardi…

– Se non la conoscessi sarei portato a dire che mi trovo al cospetto di un sincero democratico!

– Io je vojo bene a 'sto Paese, che te credi? Tutti noi d'a vecchia guardia je volemo un bene dell'anima… Certo, schifezze n'avemo combinate… e mica solo noi, nun te crede' che i rossi so' angioletti… io nun vojo che se sfascia tutto! E sta' sicuro che se je riesce il colpo, altro che democristiani ladri e compagnia cantante! Questi la politica la schifano. Questi so' banditi de strada, Scialo'… Te ne sai quarche cosa, me pare…

– Se le dico una cosa... nella massima riservatezza...

– Sarò muto come una tomba! - sghignazzò Corazza.

– Stiamo trattando con la mafia.

– Mecojoni! Sai la novità! E i communisti 'o sanno?

– Ne ho accennato ad Argenti...

– E te c'ha mannato, no? Quello se crede piú Robespierre lui de Borrelli... però c'ha le palle... je manno io du' righe... ma tu tratta, tratta, Scialo', tanto i frutti non te li godrai tu, ma quell'artri!

Poi Corazza esalò una specie di singulto contratto, si portò la mano alla gola, chiuse gli occhi. Il suo respiro s'era fatto quasi impercettibile. Scialoja si chinò su di lui. Corazza lasciò partire un colpo di tosse, poi, con un guizzo, gli afferrò una mano. Nei suoi occhi una luce sarcastica.

– No, nun so' morto. Non ancora.

Scialoja cercava di liberarsi dalla morsa, ma Corazza si stava aggrappando a lui, alla salute che scorreva nelle sue vene.

– Ma da quanno la commare secca s'è appuntato l'indirizzo de casa mia c'ho un pensiero qua drento, Scialo'... Speramo che nun me so' sbajato! Speramo che er Padreterno ce sta pe' davero... sinnò, m'o sai spiega' te che cazzarola ce stamo a fa' a 'sto monno?

Infine, Corazza lo lasciò andare. Scialoja fuggí da quel luogo di morte massaggiandosi la mano, come a voler liberarsi da un contatto impuro.

Non c'era solo un uomo che moriva, in quella stanza. C'era un'epoca che marciva, là dentro. E lui si sentiva un uomo di guado, un serpente nella stagione della muta: la sua antica pelle si decomponeva a velocità impressionante, ma la nuova, ancora, non voleva saperne di nascere.

Valentina lo raggiunse alla reception. Si era cambiata. Indossava un tailleur grigio, composto, con la gonna appe-

na sopra il ginocchio, un soprabito leggero di colore arancione, piuttosto dozzinale, e stivali che la rendevano ancora piú alta. Il profumo era un po' piú accentuato. Si offrí di
accompagnarlo in città. Quando seppe che stava allo *Splendide Royal* gli pose una mano sul braccio.

In macchina passarono al «tu». Valentina gli disse che
la sua era la prima visita che Corazza riceveva da quando
l'avevano ricoverato. Sul suo futuro nessuno si faceva illusioni, lui per primo. Era un uomo un po' volgare ma generoso con i regalini. Anche se, a volte, non riusciva a tenere
le mani a posto.

Nel parcheggio dell'albergo, lei gli confessò che non aveva mai visto lo *Splendide Royal* e desiderava tantissimo vederlo!

Scialoja propose un drink. Succo di arancia senza zuc-
chero per lei, un calice di Châteauneuf-du-Pape per sé.

Valentina era nata a Mendrisio. Conosceva tre lingue
e lavorava, solo temporaneamente, in quell'orribile clinica, cosí *svizzera*. Il che voleva dire: tedesca, quindi ostile.

Che fare? Portarsela in camera era fuori discussione.
Forse a casa di lei? In un'altra stanza? Sotto gli occhi di
Patrizia? Valentina gli prese una mano: sono bravissima a
leggere il futuro, disse. Sotto il tavolo, intrecciò le gambe
con quelle di lui.

Patrizia attraversava la hall. Un boy la seguiva, carico
di pacchi.

I loro sguardi s'incrociarono per un istante.

Valentina sapeva ballare e cantare. La sua interpretazione di *I Will Survive* era stata premiata in un concorso per dilettanti alla radio della Svizzera italiana. Il suo sogno era,
naturalmente, quello di sfondare nel mondo dello spettacolo. Se qualcuno le avesse dato una mano, non sarebbe rimasto deluso.

Scialoja perse ogni interesse per lei.

Disse al cameriere che la ragazza era sua ospite e la piantò in asso, sfuggendo la sua aria delusa e corrucciata.

2.

Alla fine della diciottesima rotazione dei Cinque Tibetani, Patrizia si arrestò, in perfetto equilibrio, davanti allo specchio e si rivolse con noncuranza all'immagine riflessa di Scialoja.

– La tua nuova conquista ti ha mandato in bianco?

– Non dire sciocchezze.

– O pensavi a una cosa a tre?

– A volte sai essere sgradevole.

– Dev'essere il passato che riaffiora, tesoro. La puttana che è in me.

Scialoja sedette sul letto.

– È solo una poveraccia. Abbiamo bevuto insieme. Tutto qui. E non ho voglia di litigare!

Lei si voltò. Scialoja aveva l'aria disfatta. Sembrava, di colpo, invecchiato di anni.

– Giornata pesante? – azzardò lei, meno dura.

Scialoja le raccontò l'incontro con Corazza. Le parlò dell'aria di morte che si respirava in quella stanza. E, sí, se proprio ci teneva a saperlo, un pensierino su quella sgualdrinella l'aveva fatto. – Volevo provare a me stesso di esserne ancora capace, – sussurrò.

– Capace di cosa? Capace di tradirmi? Non ti ho mai chiesto l'esclusiva, mi pare!

– No. Sto parlando di qualcosa di diverso. Qualcosa che ha a che vedere con la vita e con la morte...

– Non ti sembra di esagerare?

– C'è un mucchio di gente che si aspetta qualcosa da me, Patrizia. Ma io per primo non so da dove cominciare. Certe volte non so nemmeno esattamente chi sono…

– Oh, Dio, no, ti prego! Non la reggo questa autocommiserazione! La prossima zoccoletta che incontri, fattela, ti prego. Cosí dopo avrai qualcosa di piú serio su cui piangere!

– Perché sei cosí cattiva con me, Patrizia?

Quella frase infantile la colpí al cuore. Patrizia si irrigidí. Cattiva. Era stata cattiva. Un bambino che rimprovera la mamma, e nel rimprovero c'è tutto lo stupore doloroso di chi non comprende. Perché non c'è niente da comprendere. Dipende da come sei fatto. E da quello che ti hanno fatto. Sua madre passava intere giornate sdraiata nella piú assoluta oscurità. Si lamentava di continuo di dolori inesistenti. Se Patrizia le si avvicinava, veniva inesorabilmente mandata via. Se insisteva, la madre passava dal lamento alle grida. Un giorno Patrizia aveva raccolto per strada un piccolo randagio. Quando lo aveva mostrato alla madre, lei si era messa a urlare: via quella bestia schifosa, via dalla mia casa! Patrizia aveva pianto. Lacrime inutili. Perché sei cosí cattiva con me?, le aveva chiesto. La madre aveva smesso di rivolgerle la parola. Patrizia aveva capito che sua madre era morta. Continuava ad alimentarsi, a lamentarsi, a vegetare. Ma era morta. Patrizia aveva cominciato a collezionare animaletti di peluche. A loro confidava le sue pene, i suoi sogni. Ma un animaletto di peluche non può risponderti. Un animaletto di peluche è una graziosa cosa morta. Era stato allora che anche lei, come la madre, aveva iniziato a morire. Sedette accanto a lui. Scialoja si tuffò fra i suoi piccoli seni. Ne aspirò il profumo mescolato alla pelle della giacca. Lei gli scompigliò i capelli.

– Perdonami, – sussurrò.

E in quel preciso istante capí, con sgomento, che stava diventando sincera.

Pino Marino e Valeria

Quello strano ragazzo dolce e gentile le aveva offerto un week-end a base di sesso e droga. Valeria aveva accettato. Forse un po' delusa. Sembrava uno diverso, invece era uguale a tutti gli altri. Vabbe', pazienza, cosí va il mondo. Lei aveva qualcosa a cui lui teneva molto. E lui qualcosa a cui lei teneva molto. Lei non sapeva che farsene di ciò a cui lui teneva tanto. E lui aveva promesso di essere generoso con ciò che a lei stava cosí a cuore. Peshawar di primissima qualità. Forse persino troppo pura. Era da un po' che andava avanti a roba scadente. Quindi, Valeria, attenta al dosaggio. Oppure, chissenefrega, un bello schizzo e amen, e farla finita una volta per tutte con questa vita di merda...

Durante il tragitto lungo una Pontina infestata di autotreni e di paranoici ossessionati dal salto di corsia, non si erano scambiati nemmeno una parola. Lui guidava tutto concentrato, lei osservava sfilare indifferente il paesaggio devastato della cinta urbana, le fabbriche e i supermercati di Pomezia, i campi e i capannoni di Aprilia, la sagoma lugubre della periferia di Latina. A un certo punto lui aveva messo su una cassetta di musica napoletana. Ma non roba classica, eh, cantanti neomelodici. Gli aveva fatto capire che detestava quella lagna insopportabile. Pino era arrossito. Valeria aveva smanettato con il cursore. Khaled poteva andar bene. Si era addormentata sulle note di *Didi*. Al risveglio si era ritrovata a Sabaudia.

– I miei mi ci portavano da bambina, – disse, cosí, tanto per fare un po' di conversazione, con una punta di struggimento.

– La casa è di un amico, – rispose Pino Marino, sorridendo. E aggiunse, chissà perché: – È una casa sicura.

Valeria si strinse nelle spalle. Per quello che le importava...

Appena scesi dall'auto, lei gli chiese della roba. Pino rispose che prima bisognava scaricare i bagagli e fare un po' d'ordine. Lei non si era portata praticamente niente, giusto un paio di maglioni per il freddo che saliva dal mare d'autunno e un cambio. Lui trascinava, senza sforzo, una sacca e un valigione.

Esaurita la fase bagagli, lei gli chiese della roba.

– Prima ti va un bagno?

– Tu sei fuori di testa!

Pino aveva rinunciato al bagno. La spiaggia deserta. Lui le parlava della bellezza del monte. Descriveva il profilo di Circe soffermandosi sul seno appuntito e sulla chioma di alberi verdissimi che digradavano verso il mare. Non le aveva ancora messo le mani addosso e parlava come un poeta. Lei, intanto, sentiva crescere l'urgenza. Non si faceva da dodici, no, quindici ore. Stava per arrivare al limite.

– La roba.

– Non ti va di mangiare qualcosa?

– No. Avevamo un accordo, cazzo. Sbrigati a scoparmi e dammi la roba. Oppure dammi la roba e poi vaffanculo!

– Io ho fame. Mi sa che dovrai aspettare.

Barbecue. Bistecche. Vino rosso. Pino Marino parlava di quadri, della bellezza di Roma, del Caravaggio. Cose senza senso. Parole che appartenevano a un'altra Valeria. Ma che cazzo voleva da lei quel tipo? Era un maniaco? L'avrebbe fatta a pezzi e poi cotta sulla brace? Ma era troppo stanca

persino per provare un'autentica paura. Sempre piú stanca.
La roba le urlava nella testa. La roba le sconquassava le vi-
scere. La roba. La roba. La roba. Il ragazzo aveva smesso di
parlare e la stava osservando. L'intensità del suo sguardo la
fece rabbrividire.

– Bevi.

Si accorse che davanti a lei c'era un bicchiere pieno. An-
nusò. Vino. Non le andava il vino. Non sapeva che farsene
del vino. Voleva la roba, maledetto bastardo pezzo di merda figlio di puttana rottinculo, la roba...

Ma lui ripeté: – Bevi.

Con un sorriso mite. Sfidandola con il suo sorriso mite.

Valeria bevve. In quel momento, da qualche parte in qualche paese, a Terracina o a San Felice Circeo, esplosero decine di fuochi d'artificio. Valeria si abbatté sul tavolo. Pino
Marino le accarezzò i capelli, e infine se la caricò in spalla,
come fosse una bambina addormentata.

Valeria si svegliò nel cuore della notte. Lo stomaco in gola per i crampi, il freddo che le attanagliava le membra, i conati di vomito che le facevano desiderare di morire.

Pino Marino era fuori della stanza dove l'aveva rinchiu-
sa. Aspettava quel momento da ore. Cercò di apparire dolce. Rassicurante.

– Nel vino c'era un po' di sonnifero. Sul comodino accanto al letto ti ho lasciato del Narcan. Ti aiuterà a passare
la crisi. Il bagno è sulla sinistra. C'è anche l'acqua calda. Io
resto qui nei paraggi per qualunque cosa...

– Fammi uscire, stronzo!

– Questa è l'unica cosa che non puoi chiedermi.

Valeria cominciò a urlare. I suoi peggiori incubi si stavano materializzando. E quel dolore... semplicemente,
non riusciva a sopportarlo. E l'umiliazione, la rabbia, il furore... Valeria urlò. E urlò. E urlò ancora.

Andò avanti cosí per tre giorni. Valeria urlava. Quando il dolore prendeva il sopravvento, perdeva i sensi. Al risveglio urlava. Nel sonno popolato di incubi mostruosi urlava. Al risveglio urlava. Urlava. Urlava. Urlava.

All'alba del quarto giorno si ritrovò in un mare di luce. La voglia di urlare era svanita. Il dolore scomparso. Valeria aveva fame. Si guardò intorno. La stanza era un letamaio. Il bagno in condizioni indescrivibili. Spalancò la finestra. Oltre le sbarre di ferro si scorgeva il lavorio incessante della risacca. C'era un pallido sole che stentava a forare una nebbiolina fresca. Il mondo, là fuori, odorava di fresco e di pulito.

– Voglio fare un bagno, – disse, piano.

Lo sentí agitarsi di là dalla porta chiusa.

– Non ti sento.

– Ho detto che voglio fare un bagno!

– Il bagno è sulla sinistra…

– Non hai capito. Voglio fare un bagno di mare!

Sentí la chiave girare nella toppa. Si accostò piano alla porta. Tentò la maniglia, che cedette al primo colpo. Uscí. Lui non c'era. Dalla portafinestra lo vide che correva verso la station wagon. Un istante dopo il mezzo risaliva la rampa verso il cancello che affacciava sul lungomare di Sabaudia.

Lui tornò al tramonto. Lei lo aspettava.

Valeria era alta e aveva corti capelli biondi. Valeria suonava il clarinetto e abitava in una vecchia casa padronale dietro piazza Navona. Valeria portava camicette bianche e jeans neri. Valeria un giorno aveva detto ai genitori: andate al diavolo. Valeria era andata a vivere da sola. Valeria voleva essere libera. I genitori erano morti in un incidente. Valeria era tornata nella grande casa padronale dietro piazza Navona. Valeria aveva suonato il clarinetto per

papà scultore e per mamma pianista. Dilettanti. Di professione sarebbero stati giornalisti. Giornalisti e comunisti. Valeria era cresciuta nel partito. Valeria odiava il partito. Valeria aveva odiato i suoi genitori. Valeria aveva
pianto per la sua solitudine. Valeria aveva pianto perché
non c'era stato l'ultimo saluto. B.G. l'aveva conosciuto a
una festa di ragazzi ricchi e stronzi. B.G., quello della televisione. La storia era andata avanti per quasi un anno.
Il mondo di B.G. era un mondo *caaarino*, dove tutti si sba-
ciucchiavano e si sentivano in obbligo di essere *caaarini*
con chiunque. Il mondo di B.G. era un mondo falso e mer-
doso. Valeria lo trovava detestabile, ma non poteva fare a
meno di sentirsene attratta. Il mondo di B.G. era tutto ciò
che i suoi austeri compagni genitori avevano sempre odiato. Perciò, in un certo senso, lei era costretto ad amarlo.
Poi, un giorno, B.G. aveva trovato qualcosa di meglio. La
scoperta della solitudine era stata un colpo troppo forte.
Si era sentita cosí debole quando lei si era fatta avanti, con
il suo sorriso caldo e le sue promesse di tenerezza... come
lei chi? Lady Ero, no? Si erano incontrate una sera di sei
mesi prima a San Lorenzo. Si erano istintivamente piaciu-
te. Da allora non si erano piú lasciate.

– Curioso, no? Nel mondo di B.G. l'ero non va piú di
moda. È roba per vecchi. Nel mondo di B.G. si viaggia a
mille all'ora sulle cartate di boliviana rosa... in fondo, mi
chiedo se non è proprio questo che stavo cercando. Voglio
dire, una cosa che non sia di moda. E una cosa che ti faccia morire fuori moda. Non lo so, non lo so, straparlo, me
ne rendo conto. Be', questa sono io. Per ora. E tu? Tu chi
diavolo sei, signor Pino Marino? Uno di quei preti che bat-
tono le strade in cerca di angeli caduti da risollevare? Chi
sei tu?

Pino la prese per mano e la portò in terrazza. Accese le

luci e le mostrò le tele. Dodici grandi tele che aveva dipinte durante la sua crisi d'astinenza. Valeria con la siringa. Valeria in tuta da astronauta che si staccava da un enorme cordone ombelicale a forma di siringa. Valeria circondata da mostri ghignanti dai volti devastati. Valeria che camminava su nuvole rosa che erano corpi lacerati di bambini. Valeria, in tutti i quadri, Valeria con la veste rosa e azzurra della Madonna. Al centro dell'ultimo dipinto, Valeria svettava, invitta ma incredula, su corpi contorti dai volti sfigurati da fori di proiettili. A qualche passo di distanza, in ginocchio, c'era un cavaliere in camicia hawaiana con mitraglietta Uzi e cartucciera a tracolla. Due ali da arcangelo spuntavano dalle sue spalle magre.

– Ecco, – le disse, indicando la figura, – questo sono io.

Valeria scoppiò a ridere. Piano piano il riso si mutò in un singhiozzo isterico. Poi vennero le lacrime. Un fiume di lacrime.

La Bella e la Bestia

Stalin Rossetti parcheggiò la Bmw nella piazzola di sosta dell'area di servizio di Riofreddo e uscí con le braccia ben lontane dal corpo.

Angelino Lo Mastro si fumava una sigaretta appoggiato al guardrail, lo sguardo perso in un tramonto dai colori accesi. Stalin gli andò incontro a mano tesa. Il mafioso distolse lo sguardo. Cominciamo bene, si disse Stalin. D'altronde, la durezza con cui Angelino l'aveva trattato due ore prima al telefono non lasciava presagire niente di diverso.

– Va bene, ci hai fatto un favore. Lo terremo presente. Ma adesso piantala di scassare la minchia e fammi capire che vai cercando da noialtri!

Stalin sospirò. Il risentimento di Angelino Lo Mastro era tanto prevedibile quanto giustificato. L'aveva tenuto un bel po' sulla corda, il ragazzo. Era ora di concedergli qualcosa.

– Siete messi male. I Ros vogliono fottervi. Scialoja non conta un cazzo. Se volete uscire da questa brutta situazione, dobbiamo farlo insieme.

– Insieme? Tu insieme con noi? Stai babbiando, Rossetti?

– Siete in un vicolo cieco.

– Questo lo dici tu!

– Lo dicono i fatti. Avete l'isola invasa dall'Esercito. I

vostri capi, nelle carceri speciali, sono sottoposti a sistematiche umiliazioni. Il regime di sorveglianza speciale, il 41 bis, è una fabbrica di pentiti. Voi fate la voce grossa, e a Roma fanno finta di non capire. Avete ammazzato Lima, Falcone, Borsellino, Salvo e non è successo niente! Vi offrono una tregua, e intanto tramano alle vostre spalle per fottervi. Come pensate di uscirne?

– Ci daremo un altro colpetto!

– Ah, capisco.

– È già deciso!

C'erano movimenti, stati d'animo, intenzioni, che Stalin Rossetti riusciva a comprendere prima di chiunque altro. Una specie di istinto. E conoscenza della natura umana, ovviamente. Non basta saper maneggiare un kalashnikov per diventare capi rispettati e temuti. È il cervello a fare la differenza. Ora, a questo ragazzo il cervello non faceva difetto. Quanto all'ambizione, ne era letteralmente divorato. Questa storia dei *colpetti* non gli andava per niente a genio. Glielo si leggeva sul bel volto perfettamente rasato, che non gli andava a genio. Stalin Rossetti gli offrí una sigaretta, ne prese una per sé e, dopo due o tre boccate meditabonde, improvvisamente serio, quasi ieratico, gli chiese:

– Ma tu… Angelino Lo Mastro… tu che ne pensi?

Il mafioso sorrise. Un sorriso incredibile, sereno e furbo, l'avrebbe definito in seguito Stalin. Quanto di piú lontano si potesse immaginare dallo stereotipo del mafioso.

– C'è chi dice che questa storia del colpetto è una vera minchiata!

Stalin faticò a dominare l'entusiasmo. L'argine era rotto. La comunicazione instaurata. Finalmente Angelino si levava la maschera dell'organizzazione e cominciava a giocare in proprio.

– Hanno ragione, Angelino. E chi non lo sa che quando cade un uomo se ne mette subito un altro al posto suo?

– Pure Falcone lo diceva sempre! – confermò il mafioso, con l'aria ipocrita di chi rende omaggio al valore del nemico appena scannato. – E però... qualche cosa noi la dobbiamo portare indietro. O alla fine di questa storia ci saranno piú morti che spine di fichi d'India!

A volte, gli confidò Angelino, a volte aveva la sensazione di impazzire. Parlava con uno, parlava con un altro, ma era come parlare con tutti e con nessuno. A volte – e non era certo il solo! – rimpiangeva i vecchi tempi. I democristiani untuosi; quei socialdemocratici di paese che non si lamentavano di fare la ruota di scorta; le battaglie dei socialisti per il garantismo; qualche amico repubblicano che sapeva quand'era il momento di mettere la parola giusta... E non erano mancati pure i comunisti, casi rari e sporadici, ma anche certi di loro, quand'era venuto il momento di vagnarisi 'u pizzu, non s'erano tirati indietro. Quello era un mondo ordinato, dove tutti giocavano il ruolo assegnato, e quando qualcuno dirazzava c'era chi pensava a rimetterlo in riga. Ma questo una volta. Ora... Il guaio era che loro avevano un disperato bisogno di trattare. Ma non sapevano con chi. Chi cazzo c'era dall'altra parte? Chi diavolo comandava veramente in Italia? I giudici di Milano? Lo sapeva, Stalin, lo sapeva che qualcuno, giú a Palermo, aveva proposto di ammazzare Di Pietro, che stava rompendo troppo i coglioni... e qualcun altro aveva risposto: e a chi li rompe i coglioni? A quei cornuti ca ni posarono tutti? E allora viva Di Pietro! E qualcun altro aveva detto: ma se niente niente a Di Pietro ci viene di mettere le mani su certi conti e certi affari? E allora la questione si era riaperta. Era, per cosí dire, in sospeso. Ma anche la soluzione di questo business, in fondo, dipendeva dalla solita domanda: chi comanda, oggi, in Italia?

– Nessuno, – gli spiegò, paziente, Stalin, – o meglio, tutti e nessuno. Quelli di prima sono alle corde. E quelli che verranno dopo ancora non ci sono. È una guerra oscura a chi si prenderà l'Italia. Si tratta di tenere duro finché non sappiamo chi sarà il vincitore. Ma chiunque sia, alla fine dovrà necessariamente fare i conti con voi.

– Mi sembra di sentire quello sbirro, Scialoja…

– Scialoja vuole che vi fermiate. Io invece dico che dovete andare avanti. Che dobbiamo andare avanti. Bisogna metterli con le spalle al muro. Se manteniamo alta la tensione, alla fine ci sarà convenienza per tutti!

– Io non ti capisco, Rossetti. Stai dando ragione a quelli che ci vogliono dare il colpetto!

– E dipende da quale colpetto.

In seguito, per quanto cercasse di frugare nella memoria, ripercorrendo passo per passo i momenti di quella conversazione che non avrebbe esitato a definire «surreale», in seguito Stalin Rossetti non sarebbe mai riuscito a determinare con esattezza la paternità dell'idea. Era stato lui a suggerirla o il mafioso? O ci erano arrivati insieme, ragionando con diligenza matematica sui pochi elementi di valutazione dei quali disponevano? O era stata la disperazione a impossessarsi delle loro menti, plasmandole con la sua soffice, insinuante possessione? Sta di fatto che a un certo punto l'idea si materializzò. Aveva la forma inconfondibile della Torre di Pisa. Il riflesso cangiante della Cupola di San Pietro nelle meravigliose ottobrate romane. L'eleganza composta e distaccata della Loggia de' Lanzi. Aveva il volto desiderabile della pura bellezza. Era la bellezza. La bellezza rovinata. La bellezza corrotta. Era l'Italia, in fondo.

L'enormità della rivelazione prendeva lentamente piede. Stalin e Angelino se ne scoprirono come folgorati. E pa-
ralizzati. Era un'intuizione colossale. Un disegno titanico.
Il capolavoro dei capolavori. Eccessivo, estremo, come tutti i capolavori. L'iconoclastia finalizzata alla trattativa. La
morte di una città. La morte di cento città. E una città che
muore fa molto, molto piú rumore di un giudice che cade.
Poteva essere il trionfo del progetto. Mandarli avanti. Troncare i legami. Fermarli nel magico istante dell'eccesso. Non
un momento prima né uno dopo. Concedere qualcosa. Forse piú di qualcosa. Fermarli. Il Paese avrebbe invocato l'ar-
mistizio. Fermarli: e avere il Paese in mano. Prenderselo. E
per sempre.

Naturalmente, c'era quel piccolo dettaglio. Scialoja. Ma
non era il momento di pensarci. Questo era il momento
delle decisioni storiche. Ai dettagli si sarebbe provveduto
dopo.

Nella stretta di mano che si scambiarono c'era piú che
un nuovo rispetto.

C'era un patto di sangue.

Prima di andarsene, Angelino disse che, secondo le regole, avrebbe dovuto parlarne con gli altri capi. Stalin annuí. Angelino sospirò.

– Mi puoi levare una curiosità?

– Di' pure.

– Stalin! Ma che cazzo di nome tieni?

– Mio padre era comunista!

Al ritorno in Sicilia, Angelino riferí a zu' Cosimo della nuova proposta.

'U zu' Cosimo, che stava amorevolmente potando una
piccola siepe nell'eremo poco fuori Siracusa dove aveva
dovuto riparare dopo essere sfuggito miracolosamente al-
l'arresto nel centro commerciale *La Vampa* (te lo dissi, fig-

ghiu, che quella era mala gente!), si terse il sudore dalla fronte e si fece una bella risata.

– A quanto pare tutti ci vogliono...

– Cosí pare!

– Ma nessuno ci compera... tu ti fidi, Angelino?

– Io mi fido solo della Cosa nostra, zu' Cosimo!

'U zu' Cosimo sorrise. Il picciotto manteneva la via maestra.

'U zu' Cosimo organizzò un rapido giro di consultazioni.

'U zu' Cosimo disse ad Angelino che avrebbero fatto come l'asino che mangia in due diverse pagliare: un po' dall'una, un po' dall'altra.

Angelino comunicò a Scialoja che la tregua era accordata.

E a Stalin Rossetti fece sapere che presto avrebbe avuto sue notizie.

Mani pulite

Alla fine, del lavoro non se n'era fatto piú niente.

L'occhio balzano. La convalescenza. La sorda resistenza di Ilio, mascherata da sincera condivisione e venata di affabile rammarico: ma cara, contro il parere del medico non si può…

Alla fine, si era regalata una vacanza nel Casentino con la piccola e la tata.

Cosí ora si ritrovavano nel casale fuori Poppi, magico luogo dell'animo scelto dal Fondatore nell'estate del '73 per la sua lontananza dai centri abitati e perché il proprietario, un mezzadro arricchito, aveva urgente necessità di liquidi per correre la sua ultima avventura di settantenne con una ballerina di tango.

Era una fine d'autunno sorprendentemente mite. Una minaccia lontana, un'eco sbiadita di inverno. A volte, però, d'improvviso, saliva una nebbiolina fredda e umida. Il profilo delle colline si scontornava sotto l'assalto dell'acquerugiola. Il bosco ai margini del casolare si popolava di ombre fitte. Le cime dei cipressi si agitavano con gemiti perfidi dai quali sembrava filtrare il dolore di una sofferenza antica. Nessun'altra terra italiana ha prodotto una tale quantità di leggende terrificanti come il Casentino. Raffaella aveva scovato un libro con le fiabe di Emma Perodi. Pretendeva che Maya gliene leggesse due, tre di fila. Quelle fosche vicende di preti lussuriosi, contadini decapitati e cavalieri assassi-

ni le strappavano gridolini d'eccitazione. Si stringeva alla
madre e giurava che, da grande, sarebbe diventata una «regista di cartoni». Cartoni dell'orrore, mica quelle cose da
bambini di Walt Disney, gatti, coniglietti e affini. Maya
si chiedeva, preoccupata, se tutto questo non dipendesse
dalla tensione che negli ultimi mesi era affiorata fra lei e
Ilio. Non era stata brava a dissimulare. Non era stata una
brava madre. E Raffaella ne aveva risentito. Ma poi il sole tornava a dominare, imperioso, lo splendido colle. Si poteva uscire. E Maya e la piccola scoprivano le lente chioc-
ciole, l'agile lucertolina verde, il terribile cervo volante, il
pericolosissimo bombo, la delicata passiflora che ci ricor-
da la passione di Nostro Signore Gesú Cristo, e i funghi
che sono il dono che la pioggia si lascia alle spalle dopo il
suo fugace passaggio, funghi magici proprio come quelli di
Alice nel paese delle meraviglie, ma è meglio non mangiar-
li, perché come si fa a sapere quale ti fa diventare piccina
piccina come Pollicino e quale grande grande come il Gigante Egoista?

Maya sapeva che Ilio non aveva voluto darle un lavoro
perché sarebbe stato inconcepibile agli occhi di tutti che
la figlia del Fondatore si degradasse a un lavoro.

Maya sospettava che l'avesse spedita in Toscana perché erano tornate le angustie e, in definitiva, non voleva
trovarsela fra i piedi con le sue mute domande e il suo atteggiamento adorante.

Poi, dopo una sfilza di interminabili giornate all'insegna della natura e della noia, d'improvviso *la comitiva* aveva annunciato strombazzando la sua *improvvisata*. Spazio
ce n'era in abbondanza e la servitú non era un problema.
Ilio appariva in gran forma, splendido come sempre, e come sempre, volando fra le sue braccia, Maya l'aveva subito desiderato. Non mancava, naturalmente, Giulio Gioioso,

con la sua aria da cane abbisognevole di carezza urgente e, a quanto pareva, un rinnovato contratto di stima reciproca con il marito.

Nanni Terrazzano aveva stappato una magnum di Bollinger Gran Riserva brindando alla salute del giudice Di Pietro.

– Che ha arrestato quel fanatico usuraio di Malacore, che buttino via la chiave una buona volta!

Perché questo signore, un terrone senza arte né parte che persino dalle sue parti, in Calabria Saudita, tutti lo schifavano e lo chiamavano, giocando con il cognome, «malacarne», questo grandissimo fetente non solo si era accaparrato a botte di tangenti tutte le commesse per la ricostruzione di chissà quale cazzo di isola caraibica distrutta dal periodico tornado, ma…

– Ha avuto il coraggio di dire a me, a me, capite, a Nanni Terrazzano, a me che quando i suoi genitori spalavano carbone nelle miniere i miei si davano del tu col re e con il duce, pace all'anima sua…

Ma che diavolo aveva avuto l'improntitudine di dire, 'sto Malacore-Malacarne da guadagnarsi l'eterno odio del fascistissimo Terrazzano? Una cosa semplice semplice: anche se paghi, e anche se paghi molto, io non ti faccio lavorare.

– Capite? Offrivo il dieci, ero pronto a salire fino al quindici, e quello niente! Tutto a me e niente a te! Be', se la tenga tutta per sé, la galera!

Sul racconto del gustoso episodio, fra un calice e l'altro di champagne ghiacciato (Sublime, salmodiava Terrazzano. Ah, i francesi! I francesi!), si innestavano altre voci, altri racconti, altri particolari sulla saga del malaffare che un brillante cronista aveva avuto l'idea di ridefinire *Tangentopoli*.

Avevano esagerato.

Erano troppo affamati.

Da che mondo è mondo si sa che per andare avanti bisogna ungere le ruote.

Ma quando è troppo è troppo.

Questi non si accontentavano piú della solita tangente.

Questi decidevano loro chi lavorava e chi no.

Bastardi.

Infami.

Il piú indignato di tutti era Ramino Rampoldi. Pensate: un suo amico vince una gara d'appalto e si presenta al «cassiere» per versare l'obolo. Quello, tutto impaurito, lo abbraccia e poi va a trincerarsi dietro la scrivania. Obolo? Ma stiamo scherzando? Anzi, che stammo pazziando, perché «il cassiere» è napoletano (il solito terrone, mortacci! Ma l'imitazione di Rampoldi faceva ridere a crepapelle la piccola)... dunque, che stiamo pazziando! Capita che l'amico è suocero di fanciulla appartenente alla famiglia... insomma, la nipote del ministro. E allora, capirete, una simile richiesta sembrerebbe uno sgarbo di quelli inauditi!

– Il mio amico incassa, tutto contento, e se ne torna a casa. Due giorni dopo si presenta il segretario del ministro in questione. Tutto avvilito. E gli fa: senti, io lo so com'è andata. Ma tu devi pagare lo stesso. E l'amico: ma siamo pazzi? Ma se proprio avantieri... Sí, sí, lo so, «il cassiere» e compagnia cantante... ma insomma. Il sistema è quello che è. Tu lo conosci meglio di me. Se si viene a sapere che non hai pagato, ci facciamo tutti una figura... E poi chiunque potrebbe alzarsi un bel giorno e dire: mia sorella è amica di Tizio, mia madre giocava a golf con la zia del presidente... insomma, per il bene del partito, per il bene del sistema, per il bene dell'Italia... paga e non rompere i maroni!

Quando Ilio chiese di che partito si stesse parlando, Rampoldi fece un gesto vago. Qualcuno gli chiese se davvero avesse restituito la tessera socialista. Lui annuí. Perché prima o poi arriveranno in alto, molto in alto. A Craxi arriveranno. Ve lo garantisco. E quindi, meglio guardarsi intorno e cercare un'altra casa. La Lega, per esempio, là c'è gente che fa discorsi chiari, pane al pane e vino al vino...

E sull'ultimo goccio del magnum si brindò ai giudici.

Fu allora che Maya, con la sua voce dolce venata da un guizzo di ironia forse involontaria, fece la sua prima domanda.

– Insomma, tutti pagavate le tangenti...

La comitiva rise. Qualcuno urlò: alzi la mano chi non ha mai pagato una tangente! Tutte le mani rimasero abbassate. Anche quella di Ilio. Maya sorrise e prese in braccio la piccola, che aveva cominciato a toccarsi l'orecchio nel tipico gesto della bambina insonnolita. Maya fece la sua seconda domanda.

– Ma perché non li avete denunciati ai giudici?

Tutti si fecero di colpo seri. E fissarono Ilio, che teneva gli occhi bassi nel piatto. Si cambiò rapidamente discorso. Ma anche il clima intorno alla tavola era cambiato. Un silenzio teso e imbarazzato aveva preso il posto dell'allegria di prima.

L'amico americano

Avevano appena messo piede nell'elegante suite che Scialoja aveva prenotato al *Pierre*, quando lui le disse che non l'avrebbe portata con sé a Washington.

– Dovrai accontentarti di New York, temo.

– Ma perché?

– Non saprei come giustificare la tua presenza.

– Puoi sempre dirgli che sono la tua segretaria!

– Non è cosí semplice con questi puritani... ma fra due giorni sono qui. Promesso!

Era durata una settimana. Patrizia aveva colto l'occasione per girare in lungo e in largo New York. Aveva sperimentato la spontaneità e la velocità dei newyorchesi. Si era commossa per i grattacieli. Aveva consumato tre rullini di foto studiando le inquadrature piú assurde delle Twin Towers. Durante le lunghe passeggiate, o quando si rilassava nella Jacuzzi, e al bar dell'albergo, dove aveva distribuito mance ai camerieri affinché tenessero alla larga gli importuni, le era accaduto di scoprire un nuovo gusto. Il gusto della libertà. Per la prima volta, dopo tanto tempo, la solitudine non l'aveva atterrita, ma sedotta. Era tornata a sentirsi padrona di se stessa, del suo tempo, delle sue decisioni e anche delle sue indecisioni. Le erano affiorati alla mente ricordi che l'avevano riempita di turbamento. E, sull'onda dei ricordi, aveva vagamente preso a progettare qualcosa di simile a un futuro. Lei che non aveva mai creduto nel futuro. Patrizia sentiva di essere sull'orlo di una tempesta. L'avvertiva con dolorosa lucidità: un turbine imminente, un cambiamento, forse. Aveva cercato di parlarne con Scialoja. Si sentivano per telefono, tutte le sere. Il tono di lui, a volte sbrigativo, altre formale sino alla freddezza, l'aveva frenata. Era il tono di un uomo che lavora, di un uomo che è *in missione*. Un uomo che non si sarebbe sforzato di penetrare la superficie del discorso. Decise di rimandare a migliore occasione. Eppure, quel grumo indefinibile che le si stava formando dentro prima o poi sarebbe esploso. Nella solitudine, fece un'altra scoperta. Piú il tempo passava, e piú l'immagine di Stalin si faceva evanescente. Sensazione nuova, a tratti devastante. Stalin, dal suo canto, aveva vietato qualunque contatto finché non fossero rientrati in Italia. Il divieto, che in un primo momento l'aveva irritata, si era rivelato un'autentica benedizione. Non era a Stalin che voleva parlare della tempesta, ma a Scialoja. E ora che lui era tornato, ora che le veniva incontro lungo la Quinta strada, con il suo soprabito di taglio elegante e i capelli un po' arruffati, ora aveva voglia di dirgli che era felice di averlo di nuovo accanto a sé. Che New York sarebbe stato un ottimo posto per ripartire da zero. Ma il bacio che si scambiarono era freddo, troppo freddo, come il pomeriggio che il sole si affrettava ad abbandonare. Scialoja era cupo, divorato da un'ansia che nemmeno il caldo contatto di lei sarebbe riuscito a placare.

– Domani ti porto nel Maine, Patrizia.

– Nel Maine? E che cosa c'è nel Maine?

– Oh, un sacco di cose. Le balene, per esempio.

– Da quand'è che ti interessi alle balene?

Delle balene, a essere sinceri, non gli importava un granché. Ma nel Maine c'era un tizio, un certo Billy Goat, che forse avrebbe potuto dargli le risposte che era venuto a cercare in America. Patrizia gli scoccò un'occhiata delusa e si lasciò risucchiare da un negozio di moda italiana.

Scialoja ne approfittò per accendersi un sigaro. Da qualche tempo si era rimesso a fumare. In America era un problema. Gli americani stavano diventando intolleranti verso il fumo. Cosí come verso tante altre cose.

In teoria, avrebbe potuto andarci benissimo da solo, nel Maine. Patrizia avrebbe certo preferito trattenersi ancora un po' in riva all'Hudson. Ma ne aveva abbastanza della solitudine. A Washington era stata dura.

Lo avevano sballottato da un ufficio all'altro, accolto dovunque con un rispetto persino offensivo da una banda di algidi figli di puttana che negavano tutto simulando esterrefatto scandalo. Noi destabilizzare l'Italia? Come on, Mr Scialoja, come on! I nostri preziosi amici italiani! I nostri piú cari alleati! Manco il Libanese e i suoi ragazzi erano cosí bravi a buttarsi a Santa Nega!

Un puzzo ammorbante di raggiro. Quelle smentite erano un insulto alla sua intelligenza. Ma nemmeno gettandosi ai piedi dei piú sperimentati contatti del Vecchio Scialoja era riuscito a sgretolare il muro di omertà. E si era domandato se anche il Vecchio, quando volava a Washington per le sue periodiche «consultazioni», avesse provato quella stessa sensazione di essere trattato come un vassallo di nessuna importanza. Forse, si era risposto con una punta di maligna soddisfazione, il Vecchio non andava a Washington. Il Vecchio veniva *convocato* a Washington.

Insomma. Era stato sul punto di sventolare la bandiera bianca, quando Freddy M., un giovane analista gay, dopo essersi scolato il quinto o sesto Martini e aver assunto informazioni sullo stato del movimento di liberazione omoses-

suale in Italia, gli aveva posato una mano sul ginocchio e,
guardandolo fisso negli occhi, gli aveva detto:

– Dovresti parlarne con Billy Goat. È l'unico che può
aiutarti.

Scialoja aveva scostato educatamente la mano, incas-
sando il sorriso mite e deluso dell'altro, e lo aveva pregato di organizzargli un incontro.

– Ti costerà un bel po' di quattrini, – aveva messo in
chiaro Freddy.

– Tu organizzami l'incontro.

La mattina seguente aveva ordinato a Camporesi di procedere all'accredito sulla banca dell'isola di Guernsey. Il
suo assistente si era messo a urlare.

– Ma sono duecentomila dollari!

– E allora? Li prenda dai fondi che sa e non rompa!

– E se fosse una bufala?

– Camporesi, lei sta prendendo un brutto vizio: parla
troppo. Esegua e basta!

Sí, poteva essere una bufala. Nei dischetti che si era
portato appresso, una piccola selezione dell'archivio del
Vecchio della serie «Vedi alla voce America», questo Billy Goat non compariva. Possibile che un potenziale contatto di alto livello fosse sfuggito al Vecchio? Ma anche se
fosse stata una bufala… lui doveva sapere. E questo tizio
che si era ritirato a vita privata nel Maine dopo quella che
Freddy M. aveva definito «una romanzesca vita pubblica», era l'unico aggancio che gli restava con il «progetto
americano».

Patrizia uscí dal negozio a mani vuote.

Per tutta la sera non si rivolsero la parola.

2.

Mentre guidava il suo pick-up color arancione verso il piccolo aeroporto di Bangor, Billy Goat pensava al modo migliore per risolvere la faccenda.

L'italiano aveva pagato, e dunque si era guadagnato il diritto di accedere alle informazioni richieste. Rimandarlo a casa a mani vuote era contrario all'etica protestante alla quale la metà americana di Billy prestava cieca obbedienza.

Ma l'altra sua metà, quella incisa nel Dna di un ragazzino nato Santo Mastropasqua in un caseggiato popolare di Milwaukee e diventato Billy Goat a onta del sarcasmo e del razzismo delle vespe anglosassoni, quella gli imponeva di diffidare. Gli italiani sono contorti, ambigui, ombrosi, paranoici, inclini a mancare di parola, innamorati del tradimento, che coltivano come un'arte sublime. Bisognava stare sempre in guardia, con gli italiani.

D'altronde, una piena divulgazione poteva rivelarsi controproducente anche sotto il profilo della convenienza.

Tre anni prima, quando la guerra santa contro il Satana rosso d'Oriente era stata trionfalmente vinta, Billy Goat, al pari di molti altri oscuri eroi che si erano coperti di misconosciuta gloria sul fronte delle azioni ufficialmente mai eseguite, era stato accantonato con brutalità.

Non c'era piú bisogno di gente come lui, era stato decretato in alto loco.

Billy aveva contattato Freddy M., un finocchio radicaleggiante con il pallino della storia segreta della guerra al comunismo, e gli aveva fatto annusare un po' del materiale che s'era portato appresso, in modo non del tutto trasparente, al momento del congedo. Il resoconto, per la verità appena accennato, dell'operazione *Condor* aveva ecci-

tato il giovanotto dalle guance rosate. Certi dettagli – si parlava di quando insieme ai ragazzi della Dina, la polizia segreta di Pinochet, caricavano i prigionieri sugli aerei e li scaricavano nell'oceano dopo averli imbottiti di morfina a scopo umanitario – avevano suscitato sdegno e commozione.
Sdegno e commozione che si erano tradotti in un bel fascio
di bigliettoni quando Freddy M. aveva sottoposto il progetto *My Life as a State Killer* a un importante editore. L'editore aveva immediatamente allargato i cordoni della borsa. A
questo punto Billy aveva fatto circolare la voce della sua nuova passione letteraria presso certi antichi referenti, tuttora
in servizio effettivo, che non avrebbero fatto salti di gioia
alla pubblicazione del libro. Voce accompagnata da una sinistra, e molto accorta, profezia: se dovesse succedermi qualcosa, le pagine, depositate in luogo sicuro, salteranno fuori,
con nomi e cognomi. Quelli veri.

Cosí Billy da un lato teneva sulla corda il finocchio cen-
tellinando resoconti e informazioni in vista di un capolavoro destinato, nella migliore delle ipotesi, ad apparire po-
stumo, dall'altro si era garantito una non disprezzabile si-
necura a spese degli antichi partner.

Nel frattempo, non disdegnava altri lavoretti. Come
quello che stava tanto a cuore all'italiano. L'uomo che aveva preso il posto del Vecchio.

Nell'andargli incontro nell'atrio dell'aeroporto, a mano tesa, un largo sorriso stampato sul volto, Billy decise
che gli avrebbe detto qualcosa, ma non tutto. A lui capire il segnale. Ne sarebbe stato capace? Del resto, non erano affari suoi.

L'italiano, Scialoja, si era portato dietro la sua amichetta. Un tipo notevole, anche se un po' scostante. Billy, dopo aver condotto gli ospiti nel cottage che aveva acquista-
to qualche mese prima a Blue Hill, affidò Miss Patricia al-

le cure della sua nuova moglie, Ingrid, un donnone metà norvegese e metà indiano, o, per dirla coi fanatici del politicamente corretto, *native American*.

L'impazienza dell'italiano traspariva da ogni suo gesto, da ogni sua frase. Si rodeva per quelle informazioni. Billy, appellandosi alle antiche tradizioni di ospitalità del Maine, tirava per le lunghe, prendeva tempo. Obbligò l'italiano e la sua ganza a un giro turistico nel villaggio, decantando le bellezze del Maine. Il Maine era un approdo, il Maine era una conquista. Il Maine era un covo di fottuti radicali, ma anche un pezzo di vecchia America immortale che esercitava sul figlio degli immigrati un'attrazione quasi rabbiosa.

A cena furono serviti astice e *mashed potatoes*. Scialoja, rassegnato alle schermaglie, pilucco il crostaceo disdegnando lo Chardonnay Lorenzo Mondavi, inquinato, a suo dire, da un retrogusto melassato. Tanto che Billy Goat fu costretto a stappare, scuotendo il capo in segno di disapprovazione, un mediocre vino rosato dell'Oregon. Quanto alle donne, anche se non era dato comprendere in quale lingua comunicassero, sembrava se l'intendessero a meraviglia, come si fossero conosciute da sempre.

Infine, mentre Ingrid e Patrizia, in fondo al pontile che si protendeva nell'oceano, godevano in estasi silenziosa di una delle ultime, meravigliose stellate della stagione, Billy ne ebbe abbastanza dei giochetti e, fissando negli occhi Scialoja, gli disse:

– Non c'è mai stato, a livello governativo, un progetto per destabilizzare l'Italia.

– Mi sta dicendo che ho appena scommesso duecento bigliettoni sul cavallo sbagliato?

– Ho detto *a livello governativo*, Mister Scialoja!

– Mi parli degli altri livelli, allora.

– Parliamo un po' di politica, invece, Mister Scialoja. Periodicamente, i miei compatrioti sembrano avvertire un pernicioso bisogno di libertà costituzionali e diritti civili, tutela delle minoranze e revival del sogno americano, e questo, amico mio, è proprio uno di quei momenti...

– Potrebbe sforzarsi di essere piú chiaro?

Lo sguardo di Billy si fece cattivo, la sua voce dura.

– Clinton sarà eletto presidente. Clinton suona il sassofono come i negri... oh, pardon, i neri... Clinton sbava per il papa. Clinton se ne fotte se in Italia o da qualche altra parte nel vecchio continente i rossi prendono il potere. Clinton guarda a oriente. Clinton è ammalato di buoni sentimenti. Clinton si guarda intorno e vede solo odio. Clinton si domanda: ma perché ci odiano? Noi siamo una grande nazione! Devono amarci! Clinton farà l'impossibile per farsi amare dai beduini, dai mugiki, dalle lesbiche con gli occhi a mandorla, dai difensori dei diritti delle foche monache e dalla Lega per il disarmo unilaterale... Gli americani amano Clinton e Clinton manderà in malora l'America. Ma non è stato sempre cosí!

– Credo di cominciare a capire.

– Già. Non è stato sempre cosí. E non tutti la pensiamo allo stesso modo. Non mi stupirei se, dato il contesto che le ho appena illustrato, in un recente passato qualche cittadino con le giuste idee da questa parte dell'oceano si fosse rivolto in cerca d'aiuto a qualche cittadino con le stesse idee dall'altra parte dell'oceano... I legami fra le nostre comunità sono sempre stati molto stretti e profondi, ne converrà con me, Mister Scialoja...

– Ma certo, Mister Billy Goat! Molti parlano ancora la stessa lingua. Magari il siciliano...

– Alcuni si sono sentiti autorizzati a spingersi oltre.

Hanno pensato che una certa isola starebbe meglio sotto la bandiera a stelle e strisce che con il tricolore...

– Ma?

– Ma forse hanno esagerato!

– È stato molto chiaro, Mister Goat. E molto utile.

Utile, forse, pensò Billy, mentre riattizzava la punta del sigaro. Chiaro, sino a un certo punto. Ma se l'italiano voleva leggere la storia in termini di mafia di qua e mafia di là, padronissimo. Le cose erano molto, molto piú complesse. D'altronde aveva pagato, e meritava ancora un piccolo contributo. Billy ripeté a Scialoja, ovviamente senza citarne la fonte, il discorsetto che a luglio, quando la vittoria di Clinton era apparsa ormai ineluttabile, gli avevano fatto gli amici texani.

– Ma tutto questo, ormai, è storia passata. È come quando compri una meravigliosa vacca dai fianchi larghi e alla prima monta ti accorgi che la bastarda è sterile. Certo, potresti prendertela con il figlio di puttana che te l'ha venduta, oppure portarla da uno specialista per vedere se c'è qualche nuovo ritrovato, ma perderesti solo un mucchio di tempo e di energie. Tanto vale comperarsi un'altra vacca!

Le ragazze rientrarono in casa. I volti arrossati dal freddo, gli occhi scintillanti. La conversazione era esaurita. Si erano chiusi alle spalle la porta dell'appartamentino in *boiserie* dove la premurosa Ingrid li aveva scortati, quando qualcosa sfiorò una gamba di Patrizia. Lei urlò. Scialoja protese una mano d'istinto e riuscí ad afferrare al volo l'intruso. Era un *chip munk*, uno scoiattolino americano. Lo fissava con espressione tra il furente e il terrorizzato. Cercava di azzannargli le dita in un crescendo di sforzi patetici.

– Non è carino? – chiese Scialoja. Patrizia era impalli-

dita, i pugni stretti, un'espressione terrorizzata sul volto.
– Potremmo portarcelo in Italia!

– Lascialo andare! Ti prego, lascialo andare!

– Ma perché? Se ne sta qui al caldo, con noi... lascia
che sia lui a scegliere, no?

– Nessuno sceglie mai, nessuno! Lascialo andare!

Lui portò la creaturina recalcitrante alla finestra, fece
scivolare il doppio vetro e le rese la libertà. In un baleno la
lunga coda era scomparsa tra il fogliame di un immenso noce americano. Patrizia lo abbracciò. Scialoja si stese accanto a lei. Non l'aveva mai vista cosí fragile, cosí disperata.
Restò ad accarezzarle a lungo i capelli, finché il sonno non
la vinse.

3.

Un tramonto al Gianicolo. Sotto di loro, una dopo l'altra si accendevano le luci di Roma immortale. Patrizia teneva le braccia serrate al seno, come chi ha un gran freddo. Forse non aveva ancora smaltito il jet-lag. O forse c'e-
ra qualcos'altro.

Stalin cercò di cingerle le spalle in un abbraccio tene-
ro e possessivo. Lei lasciò fare, passiva.

– Qualcosa che non va, tesoro?

– No, no, va tutto bene. Forse sono solo un po' stanca.

Ahi, ahi. Qualcosa era accaduto, in America. Patrizia
non gli aveva ancora raccontato niente di utile sul viaggio
di Scialoja. Qualcosa era accaduto. Qualcosa che l'aveva
avvicinata a Scialoja e allontanata da lui. Oltre un certo limite, nessuna donna riesce a fingere in modo convincente. Patrizia non faceva eccezione. Aveva tirato troppo la
corda. Aveva sopravvalutato la puttana. Non voleva nem-

meno prendere in considerazione un'altra possibilità: che Scialoja possedesse risorse insospettabili sul terreno del *fattore umano*. Si impose di restare calmo.

– Scusami. Ma ero cosí contento di rivederti, dopo tutti questi giorni!

Un lampo d'incertezza le attraversò lo sguardo. Stalin umile. Stalin remissivo. Stalin che si scusava. Stalin sfiorò le dita di lei con rapidi baci. La capacità che aveva di rendere sincera ogni piú insignificante menzogna lo riempiva d'orgoglio. Patrizia, china su una staccionata vacillante, contemplava Roma illuminata. Il padrone si era finalmente accorto che la cagna si era allontanata troppo, e la richiamava all'ordine con un semplice fischio.

– Quando finirà questo gioco, Stalin?

– Quando avrò ottenuto ciò che mi spetta.

– Quando?

– Presto. Molto presto!

– E poi?

– E poi, finalmente, comincerà la nostra vera vita!

– Devo crederti?

– Sei la mia donna!

– Nel Maine lui ha incontrato un tizio, un certo Billy Goat…

– Davvero?

– Sí. Scialoja dice che è… una specie di killer…

Una specie di killer? Una definizione cosí riduttiva era tipica della mentalità piccoloborghese di Scialoja. Lui e Billy si erano incontrati per la prima volta nel 1985. Un commando capeggiato da Abū ʿAbbās, cugino di ʿArafāt, si era impadronito di una nave da crociera. Dopo una lunga trattativa gli eroici combattenti palestinesi si erano arresi alla giustizia italiana: nel frattempo avevano eroicamente giustiziato un vecchio ebreo americano sulla sedia a rotelle, precipitandolo nelle azzurre acque del Mediterraneo sotto gli occhi della moglie.

'Abbās era stato caricato su un aereo militare che doveva restituirlo alla libertà. Gli americani avevano intercettato il volo. L'aereo era atterrato alla base Nato di Sigonella. I Marines chiedevano la consegna di 'Abbās. Bettino Craxi, capo del governo, aveva ordinato di schierare i carabinieri in armi contro il piú potente alleato dell'Italia. Bettino Craxi aveva le palle.

Gli americani ringhiavano: su quell'aereo potrebbe esserci Abū 'Abbās. Il governo italiano simulava stupore: sbagliate! Gli americani schiumavano rabbia: siamo certi che su quell'aereo ci sia Abū 'Abbās. Il governo italiano smentiva ufficialmente.

Intanto, l'aereo rullava sulla pista. I soldati delle due parti si innervosivano. Nessuno voleva un conflitto a fuoco. Nessuno voleva perdere la faccia. L'aereo rullava sulla pista. I soldati delle due parti erano sempre piú nervosi. L'incidente era nell'aria.

Il Vecchio aveva chiamato un suo contatto a Washington. Era stato rapidamente organizzato un incontro. Stalin Rossetti e Billy si erano visti a bordo pista. Stalin aveva lasciato sfogare l'americano. Gli era bastata una semplice domanda per mandarlo in crisi.

«Come fate a essere cosí sicuri che il pescespada è su quell'aereo?»

«Questo è un segreto militare».

«Balle. Sappiamo tutto del satellite. Sono anni che spiate le nostre comunicazioni riservate. Spiate un Paese alleato. Non è una bella cosa, amico!»

«Non sono autorizzato a parlarne».

«Credo che i rossi di casa nostra farebbero salti di gioia se la notizia venisse diffusa...»

«Non lo farete...»

«Tu non conosci il Vecchio!»

«Il Vecchio è un rosso?»

«Il Vecchio è il Vecchio e basta. Il Vecchio vi consiglia di lasciar perdere il buzzurro con la kaffiyah e di tenervi stretto il vostro satellite».

Billy Goat aveva telefonato a Washington. L'aereo era ripartito con il suo prezioso carico. Lo strappo era stato ricucito. Billy Goat e Stalin Rossetti erano stati elogiati dai rispettivi referenti. Stalin Rossetti aveva procurato due ragazze per scaricare l'adrenalina. Insieme avevano tirato l'alba sorseggiando Moscato di Pantelleria.

In seguito c'erano state altre missioni, altri incontri. Si erano sentiti l'ultima volta durante l'esilio salentino. Era stato proprio Billy a dirgli che Scialoja avrebbe preso il posto del Vecchio. Quella sera Stalin aveva fatto a pezzi un prezioso biliardo inizio Novecento. E aveva deciso che sarebbe tornato a combattere.

Tutto questo era Billy Goat. Tutto questo e anche qualcosa di piú. Che Scialoja fosse arrivato a lui era preoccupante sotto due aspetti. Primo: perché Billy, anche involontariamente, poteva aver indirizzato lo sbirro sulle sue tracce. Secondo: perché che diavolo c'entrava Billy con gli affari interni italiani di oggi?

Quando Stalin gli telefonò, Billy fu quanto mai rassicurante. No, non aveva parlato di lui a Scialoja. Non avrebbe mai tradito un amico, se non dietro specifica richiesta e adeguato compenso, secondo le regole comuni, insomma. Di tutt'altro si era parlato, con l'italiano.

– Suppongo che il contenuto della vostra conversazione sia confidenziale, Billy...

– Be', il tizio ha pagato per avere certe informazioni...

– Quanto?

– Per te centomila.

– Sei passato al ramo estorsioni, di recente?

– È un prezzo di favore. In nome dell'antica amicizia.

– Posso farteli avere entro un paio di giorni.

– E noi entro un paio di giorni ci risentiremo!

Dopo, a transazione conclusa, Billy si chiese come avesse fatto Stalin a sapere della visita dell'italiano. Qualcuno a Washington? Oppure... la ragazza? Ma allora lo spiava! Stalin spiava Scialoja! Billy Goat ricordò l'aria funerea che aveva inalberato Stalin quando gli aveva rivelato che Scialoja era stato nominato successore del Vecchio. Spiare. Odiare. Scialoja aveva un nemico. Billy Goat si chiese se l'informazione potesse valere, diciamo, un cinquanta/sessantamila dollari. Il pensiero del tradimento lo sedusse per un breve istante. Ma alla fine decise che non avrebbe informato Scialoja. Primo: l'eccessiva avidità ripugnava alla sua parte protestante. Da quell'affare aveva già ricavato il possibile, dunque meglio lasciar perdere. Secondo: Clinton, dopo tutto, non era eterno. Terzo: un amico come Stalin poteva sempre far comodo. E siccome di amicizia si stava parlando, in fondo, Billy si sentí in dovere di aggiungere al memorandum un bigliettino con una frase spiritosa. «Take care of the lady». Prenditi cura della signora. Ma anche: sta' attento a lei, amico. Usala finché ti pare, ma sta' attento.

4.

Un progetto, dunque, c'era stato. Qualcuno, in America, non vedeva di buon occhio la nuova Italia. Era stata allertata la mafia americana. La mafia americana aveva preso contatti con i cugini corleonesi. Si era convenuto di fare un po' di casino. Erano state garantite protezioni. Si era sbandierato il miraggio del separatismo. Fare della Sicilia il nuovo Stato americano. Mafialand. Come già aveva progettato il banchiere Sindona quindici anni prima. La Cosa nostra aveva alzato il tiro. Troppo, l'aveva alzato. Le stragi di Capaci e di via D'Amelio avevano scatenato reazioni imprevedibili oltreoceano, dove a Falcone e a Borsellino si tributava maggior rispetto che nella loro stessa patria. Gli americani si erano spaventati. E poi c'era Clinton in arrivo. Clinton il democratico. Gli americani si erano tirati indietro. Quindi, storia chiusa. Inutile perdere tempo nella ricerca di mandanti che non sarebbero mai stati individuati. Qualche repubblicano incarognito? Schegge impazzite della Compagnia? Non aveva nessuna importanza. Il terminale italiano era uno e soltanto uno: la mafia. La mafia che era rimasta sola. Fu questo il succo del discorso che Scialoja tenne, al suo ritorno, a Camporesi.

– Per questo ci hanno cercato. Perché sono isolati!

– Veramente siamo stati noi a cercare loro…

– Non è esatto. A modo loro, gli omicidi sono un'offerta di trattativa. Sono stati loro i primi a farsi avanti! Ora dobbiamo solo cercare di convincere quelle teste di cazzo dei piani alti che una concessione è necessaria. Una qualunque concessione…

L'argomento, per quanto lo riguardava, era esaurito. Ma Camporesi se ne restava davanti alla scrivania, impalato, una muta domanda nello sguardo.

– Allora? Si può sapere che cosa c'è ancora?

– Com'è andato il viaggio?

– A parte il lavoro, bene, direi…

– La signorina…

– Sí?

– Lei… lei ha assistito a qualche incontro, si è informata sul suo lavoro, ha…

– Cosa intende dire, Camporesi? – s'irrigidí Scialoja.

– Che cosa sa esattamente di lei, dottore?

– Vuole che le racconti la mia lunga e tormentata love-story?

– Con tutto il rispetto, credo di essere già informato sui passaggi salienti.

– E allora la pianti e torni al lavoro!

– Perché è ricomparsa proprio adesso, dottore? Se lo è mai chiesto? Perché adesso che lei...

– Adesso che io ho le carte del Vecchio? È questo che la tormenta, Camporesi? Deve necessariamente esserci del marcio?

Scialoja a volte era burbero, a volte contorto e contraddittorio. Ma Camporesi non l'aveva mai visto perdere cosí apertamente il controllo. Forse sarebbe stato piú saggio battere in ritirata. Ma nell'ira di Scialoja c'era pure un che di eccessivo. Quanto se la portava dentro, quella donna!

– Se lei mi autorizzasse, dottore, potrei fare qualche piccolo accertamento...

– Fuori di qui. Immediatamente!

Ma il dubbio era stato seminato. O, meglio, disseppellito. E ancora una volta l'insicurezza tornava ad aggredirlo. Scialoja non si spingeva a pensare che nel ritorno di Patrizia ci fosse qualcosa di definitivamente losco. Non era un carabiniere dalla mente deformata, lui. Ma qualcosa di falso, un sottofondo stonato, una nota anomala, tutto questo sí, sí che a volte l'aveva percepito. Patrizia amava viaggiare. Patrizia amava gli incontri che lui le procurava. Patrizia fluttuava con naturale leggerezza in tutti gli ambienti in cui lui l'aveva introdotta. Patrizia amava la vita di un uomo di successo. Patrizia amava un uomo di successo. Patrizia amava il successo.

Scialoja si negò per due o tre giorni, accampando il pretesto di una missione improvvisa. Li fece in proprio, i «piccoli accertamenti». Scovò un dettaglio che, sulle prime, lo sconcertò. Subentrò poi una sottile paura. Infine, una rabbia che non poteva tenersi dentro. Decise di affrontarla una domenica mattina. Nonostante la pioggia, lei faceva jogging a Villa Ada. La inchiodò contro l'imponente tronco di un cedro del Libano e le chiese perché gli avesse mentito. Patrizia impallidí. Scialoja provò una stretta al cuore.

– Ho parlato con il Secco. Non vi vedete dalla morte del Dandi. Non siete mai stati insieme. Mi hai mentito. Voglio sapere perché!

Patrizia scostò dalla fronte i capelli umidi e lo fissò, con una smorfia di sfida.

– Se ti dicessi che ti ho raccontato una piccola bugia per ingelosirti?

– Non ti credo.

– Che fantasie ti stai facendo?

– Non lo so. Sei tu che devi spiegarmelo, Patrizia.

– Vuoi rovinare tutto?

– Aspetto una risposta.

– Vaffanculo, sbirro!

Lo schiaffo lo colse impreparato. Lasciò che se ne andasse. Non cercò di trattenerla. Eppure, non l'aveva mai desiderata tanto. Eppure, non aveva mai desiderato tanto la sua complicità, la sua protezione, quel senso di essere finalmente accettato per quello che era. Con tutti i suoi difetti e le sue ambiguità. Avrebbe ridato indietro tutto il suo potere, avrebbe bruciato tutte le maledette carte del Vecchio pur di riconquistare quella magica intesa che il sospetto aveva mandato in frantumi. Ma la vide svanire, a passo di corsa, rabbiosa, nell'intrico del fogliame bagnato. Provò un brivido di freddo. Provò un brivido di paura. Era destino che la perdesse, ora che l'aveva ritrovata? Ma non poteva fidarsi di lei. A sera telefonò a Camporesi.

– La segua e annoti tutti i suoi movimenti. Metta i telefoni sotto controllo. Voglio un rapporto dettagliato ogni ventiquattr'ore.

Disvelamenti

1.

La zona grigia ha questo di bello, pensava Stalin Rossetti: quando ci sei dentro, sei al centro del mondo, e nulla di
ciò che di veramente interessante, di potenzialmente conveniente accade, nulla può sfuggirti. Ma basta un piccolo
momento di distrazione ed ecco che sei fuori. E allora la Storia ti passa accanto, ti inquadra con i suoi occhietti maligni
e in men che non si dica ti scarta. E rientrare in gioco è ogni
volta sempre piú difficile. E costoso. Quella sanguisuga di
Billy Goat gli aveva fatto il contropelo. Come se non bastasse, i mafiosi l'avevano ricompensato a modo loro per il *cadeau* del povero Manuele Vitorchiano. Vero è, aveva pontificato 'u zu' Cosimo, che 'stu Rossetti ni purtò l'infame. Ma
vero è pure che per anni ci fece affari insieme, ben consapevole della sua natura di morto-che-cammina. Quindi, come
lui ci ebbe convenienza, ora tocca a noi avercene. Morale:
al posto del suo uomo, adesso a controllare la rete di spaccio nel Centro Italia era stato piazzato il giovane rampollo
di una famiglia catanese alleata dei corleonesi. Un perfetto
deficiente che si faceva forte della designazione per rubare
a man bassa. E un trenta per cento dell'utile era transitato
dalle tasche di Stalin direttamente nelle voraci fauci della
Cosa nostra. L'evidente caduta di stile dei siciliani fu fatta
notare, con il dovuto rispetto, ad Angelino Lo Mastro al

termine di una riunione, per cosí dire, operativa. Erano in una villetta del ridente paesino marchigiano che il giovane catanese aveva eletto a proprio quartier generale, ufficialmente per dare una scossa a una regione piuttosto tiepida nel consumo, in realtà perché l'aria del posto piaceva alla sua smorfiosa consorte.

– Foste un poco pignoli, – osservò asciutto Stalin Rossetti.

– Sí, hai ragione. Si poteva passare sopra, – convenne Angelino, – ma finché ci sono i vecchi, giú, si fa a modo loro!

– Va bene. Ma a buon rendere.

Il solo fatto che un uomo d'onore avesse osato esprimere una velata critica all'organizzazione in presenza di un non-battezzato era di per sé indice di eccezionale benevolenza. E poi, inutile insistere. I mafiosi non avrebbero mai cambiato idea. Inutile insistere, quando c'era ben altra carne al fuoco. Ma una stoccatina, giusto per il piacere dell'arte, non rinunciò a vibrarla.

– A Firenze andò cosí cosí, eh, Angelo?

Angelino lo fissò, torvo. Qualche giorno prima, a Firenze, i picciotti avevano depositato un residuato bellico nei giardini di Boboli. Fin qui niente di male: doveva essere l'avvio della nuova fase. Il guaio era che nessuno se n'era accorto. Era accaduto che l'incaricato della telefonata di rivendicazione, quello che avrebbe dovuto spiegare a chi di dovere che la mafia cambiava strategia, che d'ora in avanti avrebbero dovuto attendersi ben altre ritorsioni che la pelle di un giudice già segnato o l'ammazzatina di un vecchio amico che non c'era piú convenienza a tenere in vita… era accaduto che il mafioso, un ignorante, un plebeo, un mentecatto, *non si era fatto capire*.

E cosí l'avvertimento era andato a vuoto.

E cosí nessuno si era accorto di niente.

– Eh, sí, che ti devo dire? Prendemmo un picciotto alquanto tascio. Era quello che tenevamo sotto mano. Ma proprio tanto tascio non me l'aspettavo nemmeno io! Però tu, minchia, Stalin! Stai proprio avvelenato con noi!

– Io? Ma quando mai! Sto per farti un bel regalo, amico mio. Ascoltami...

Mentre gli raccontava tutto ciò che aveva appreso da Billy Goat, Stalin si godeva le espressioni del mafioso. Stupore. Sgomento. Livore. Orgoglio ferito. Era evidente che il giovane Lo Mastro era stato tenuto all'oscuro di tutto. E si domandava: di chi posso fidarmi, allora? E si domandava: dov'è finita la regola che impone all'uomo d'onore di dire sempre la verità in presenza di un altro uomo d'onore? È mai esistita, veramente, questa regola? Quelli che sapevano ci hanno mandato allo sbaraglio, tanti bei caprettini di Pasqua, e intanto i cugini americani gli dicevano fate, fate, e loro facevano, senza sapere niente facevano. Poi, alla fine, era successo quello che doveva succedere. E Stalin Rossetti, insinuante, che gli posava una mano sulla spalla, e gli ripeteva: solo di me ti puoi fidare, solo di me...

Angelino si sentí soffocare. Uscí in balcone, si accese una sigaretta. La valle era immersa in una nebbiolina malata, stinta. Faceva freddo. La Cosa nostra doveva lentamente morire nel suo cuore? Tutti quelli che si erano pentiti, prima o poi, questo avevano detto: che non erano loro i traditori. Era la Cosa nostra che li aveva traditi. Con un moto di orrore, Angelino realizzò che cominciava a capire quella gente. La stanchezza di quella gente. Il non ne pozzu cchiú di quella gente. Era questo che si provava, a diventare orfani? Solo di me, solo di me ti puoi fidare... E doveva mettersi nelle mani di quell'estraneo? Era questo il suo destino? La sigaretta se l'era fumata il vento. Un vento che dava i brividi. Angelino rientrò. Stalin Rossetti, con uno scatto rabbioso, scagliò il telefono contro un muro.

– Devo rientrare a Roma. Mi farò vivo presto.

2.

Usciva la mattina presto. Faceva compere. Rientrava per pranzo. Nel pomeriggio un cinema. La sera davanti alla tele, schermo illuminato sino a tardissima ora, forse ci si addormentava. I ragazzi del turno di notte non avevano segnalato niente di interessante. Camporesi aveva dato loro il cambio alle undici. Ora se ne stava rintanato in un'auto con targa civile. Lei era da mezz'ora dal parrucchiere, e chissà per quanto ne avrebbe avuto. Una pioggerellina fastidiosa batteva su via Sabotino. Era uno di quei momenti in cui le persone sane invidiano i malati col vizio del fumo. Una sigaretta avrebbe almeno attenuato il senso di noia. Andava avanti cosí da due giorni. Patrizia conduceva una vita persino troppo normale. Pochissime telefonate. Fornitori, l'idraulico, un'amica fotografa che non aveva richiamato, l'emittente televisiva con la quale di tanto in tanto collaborava, per fissare una registrazione del programma di fitness. Tutto molto normale. Tutto troppo normale. Oppure, tutto desolatamente banale perché tutto vero. Aveva preso una cantonata? Patrizia non gli piaceva. Dietro la seduzione gli era parso di intuire una rapacità ferina, oltraggiosa. Ma, a volte, dietro la rapacità faceva capolino un che di timido e di indifeso che aveva il potere di sconcertare. Chi era veramente Patrizia? Scialoja aveva perso la testa per lei, eppure non aveva rifiutato i suoi saggi consigli. Saggi consigli! Quella donna lo eccitava, ecco il punto. Quella donna spargeva feromoni tossici. Non potevi condividere con lei un ambiente senza sentirtene saturo.

Camporesi desiderava Patrizia. Se fosse riuscito a dimostrare che era falsa, bugiarda, opportunista... be', avrebbe solo fatto del male a lei e a Scialoja, e a se stesso. Ma perché, allora, Patrizia stava con Scialoja? Perché? Sul suo capo, Camporesi aveva sospeso il giudizio. Ma continuava a chiedersi, come tutti del resto, perché mai il Vecchio avesse scelto proprio lui. Cosí scialbo, cosí... forse era proprio questo che aveva convinto il Vecchio? La sua assoluta mancanza di qualità? Patrizia usciva dal parrucchiere. Un foulard a proteggere i capelli. Patrizia apriva l'ombrello rosa e si avviava con passo deciso verso le strisce pedonali, diretta, forse, al famoso caffè *Antonini*. Camporesi udí il rombo di una moto in avvicinamento e si voltò di scatto. Erano in due, con i caschi. Puntavano verso di lei. Camporesi spalancò la portiera della Golf. Ma si era mosso troppo tardi. Patrizia era già a terra, l'espressione sbigottita. La moto ripartiva. Quello sul sedile posteriore teneva stretta al petto la borsetta appena scippata. D'istinto sfoderò la Beretta d'ordinanza. Una donna urlò. Un piccolo capannello si stava formando intorno a Patrizia. Un uomo dai capelli grigi l'aiutava a rialzarsi. Un curioso su una Volvo si fermò, nascondendo alla sua vista il capannello. La donna urlò ancora. Camporesi la vide saltellare, e indicare qualcosa con la mano tesa. Due o tre persone presero a inveire. Nella sua direzione. C'erano altri curiosi, sul marciapiede opposto. Lo stavano fissando con aria inorridita. Finalmente Camporesi si rese conto della situazione: era al centro della carreggiata, la pistola in mano, stravolto. Un cretino stravolto armato. Un idiota che stava facendo saltare la copertura. Prese a retrocedere verso la Golf, sforzandosi di sorridere in modo rassicurante. Ma continuava ad agitare la pistola, e ormai il mondo intero gridava contro di lui. Ficcò l'arma nella tasca del trench, mise in moto, partí sgommando. Con la coda dell'occhio vide Patrizia e l'uomo con i capelli grigi. Lui la sorreggeva, lei camminava zoppicando. Ripassò qualche minuto dopo. Due volanti presidiavano la zona. La donna che aveva urlato riconobbe la Golf e prese a strattonare furiosamente un agente. Per evitare altri casini, Camporesi gli andò incontro sventolando il tesserino. L'urlatrice, delusa, si afflosciò. Niente e nessuno gli avrebbe mai tolto dalla testa che lo scippo era solo un diversivo. Ma, intanto, aveva perso Patrizia.

3.

Piú tardi, nel salottino del Centro studi e ricerche, Stalin si scusò per l'imperizia dei due sulla moto.

– Ma non c'era tempo. Ho dovuto raccattare un po' di feccia dalla strada!

– Cosí mi ha fatto seguire!

– L'hai visto anche tu, no, Camporesi? Fermo in mezzo alla strada come un pistolero suonato… Ah, e hai anche i telefoni sotto controllo.

– Ho seguito le tue istruzioni.

– Infatti non è successo niente.

– E me lo chiami niente?

Stalin la baciò teneramente.

– Calmati. Sei stata brava. E adesso spiegami tutto.

– C'è poco da spiegare. Non si fida piú di me.

– È per via della storia col Secco, vero?

– Sí. Avevi ragione. Sono stata una stupida.

– È un errore rimediabile.

– Non credo.

– Continui a sottovalutarti, Patrizia!

– Non mi va piú di farlo, Stalin. Finiamola con questa storia, ti prego!

Stalin non rispose. Mise su la loro canzone. Patrizia chiuse gli occhi. Finire. O ricominciare.

– Ora te ne torni a casa e riprendi la tua solita vita. Dobbiamo convincerlo che i suoi sospetti sono infondati. Fidati di me, Patrizia. Andrà tutto bene.

Statisti

1.

Cosa nostra sta rinnovando il sogno di diventare indipendente, di diventare padrona di un'ala dell'Italia, uno Stato loro, nostro.

In tutto questo Cosa nostra non è sola, ma è aiutata dalla massoneria.

Ci sono forze nuove... sono formazioni nuove, non tradizionali... non vengono dalla Sicilia... Cosa nostra non può piú rimanere succube dello Stato, sottostare alle sue leggi. Cosa nostra si vuole impadronire e avere il suo Stato...

La separazione dovrebbe riguardare Sicilia, Campania, Calabria, Puglia... ci sarà un nuovo compromesso con chi rappresenterà il nuovo Stato, se ce la faranno...

Loro devono raggiungere un fine; che sia la massoneria, che sia la Chiesa, che sia un'altra cosa, devono raggiungere l'obiettivo. Cosa nostra deve raggiungere l'obiettivo, qualsiasi sia la strada.

(Dichiarazioni del pentito Leonardo Messina alla Commissione antimafia, 4 dicembre 1992).

2.

Per potersi esprimere a dovere su un argomento, pensava il senatore Argenti, è necessario entrare in possesso del maggior numero possibile di informazioni.

Bisogna, in altri termini, studiare, studiare e studiare.

Da quando aveva letto le dichiarazioni del pentito Messina, il senatore si era messo con impegno a studiare la massoneria.

L'idea di base consiste nell'individuazione di un selezionato nucleo che avrebbe assunto su di sé l'ingrato compito di condurre il disordinato gregge umano nei piú verdi pascoli del progresso, dell'ordine e della giustizia. La massoneria era stata decisiva per l'unità d'Italia. Molti di loro erano gente perbene. Diciamo, allora: logge deviate. Ma diciamo pure: l'idea in sé è pericolosa.

Un'idea elitaria: taglia fuori tutti gli altri. E però, se si vuole, era anche l'idea di Lenin: l'avanguardia del proletariato, rivoluzionari d'acciaio che erano pronti a versare il sangue per la conquista del Palazzo d'Inverno. Per la verità, i bolscevichi di sangue ne avevano versato a torrenti. Per lo piú sangue altrui.

Inorridito, Argenti sollevò lo sguardo dalle carte e si passò una mano sulla fronte. Ma che andava a pensare? Vergogna! Davvero il *nuovo corso* stava rompendo tutti gli argini. Non c'era piú limite. Neanche per un vecchio comunista come lui. Ancora un passo e si sarebbe messo a teorizzare che Stalin era stato un serial-killer.

Ci voleva un punto fermo.

Logge deviate che reclutano mafiosi.

E i comunisti?

Poteva escludere, in tutta coscienza, che qualcuno dei suoi compagni... magari tra i piú giovani e ambiziosi... Ma poi perché «giovani e ambiziosi»? Non c'era anche qualcuno della sua generazione che aveva fatto fuoco e fiamme per allearsi con i socialisti di Craxi, *a qualunque costo*? I socialisti che schiumavano di rabbia. Aggredivano i giudici di Milano. Usate due pesi e due misure. Spietati con l'*ancien régime*, indulgenti con i comunisti. Con quel misto di cinismo e ammirazione che gli italiani tributano ai furbi che la

fanno franca, si vociferava che i comunisti sarebbero usci-
ti indenni dalla tempesta giudiziaria perché troppo abili per
farsi fottere.

Non onesti, e dunque diversi dagli altri.

Soltanto piú *paraculi*.

Ora, Argenti non aveva mai preso una lira sporca in tutta la sua vita. Ed era stato educato al culto del partito/cit-
tadella celeste contrapposto all'immonda Babilonia dei *for-
chettoni* clerico-fascisti.

Per questo si era opposto a ogni tentazione di compromesso. Perché il partito non fosse travolto dalle inchieste.
Ma, giovani o anziani che fossero, di compagni che gliel'a-
vevano giurata, di compagni che avevano maldigerito la sua
intransigenza, il partito, doveva pure ammetterlo, era pieno. Quelli erano già *pronti*. Avrebbe dovuto presentarli a
Scialoja!

Tornò a concentrarsi sul tema: massoneria e potere.

Idea nobile, ma pericolosa, dunque. Ma non solo: è che
ogni setta si ritiene l'unica. Ogni idea non tollera concor-
renza. Ogni gruppo crede di agire per il meglio. L'obiettivo è uno e uno solo: il potere.

Mafia e massoneria.

Messina parlava di un progetto separatista.

Argenti spulciò nel suo archivio. Ah, ecco. Separatismo
siciliano. Movimento nato durante la Seconda guerra mondiale che propugnava la divisione della Sicilia dall'Italia e
la sua affiliazione agli Stati Uniti d'America. Piú o meno.
Argenti rilesse gli appunti sul bandito Giuliano. La strage
di Portella della Ginestra. Le nuove ipotesi degli storici
sul ruolo di forze extramafiose. L'esecuzione di Giuliano.
Il caffè avvelenato al suo luogotenente Pisciotta.

C'era un altro caffè avvelenato, nella recente Storia italiana.

Lo avevano servito al finanziere Sindona nel carcere di Pavia.

Sindona, che nel '79 si era fatto sparare a una gamba dal medico Miceli-Crimi.

Sindona, che era rientrato in Sicilia con un progetto separatista.

Sindona massone.

Sindona avvelenato.

Come diceva quella beffarda canzoncina? «Venga a prendere un caffè da noi. Ucciardone, cella trentasei…»

La dichiarazione di Messina disegnava un contesto ambiguo.

A chi si riferisce l'espressione «nuovo Stato»? Al nuovo Stato nato dal separatismo? O al Nuovo Stato Italiano che avrebbe comunque dovuto scendere a patti con la mafia?

Se la Sinistra, per la prima volta, fosse stata *davvero* chiamata a governare?

Sarebbero scesi a patti con la mafia?

Era questo che pensavano Riina e i suoi accoliti?

Di sicuro, era questo che pensava Scialoja.

Ebbe voglia di ridere.

Compagno Argenti, avrebbe detto un giorno una voce, bisogna fare qualcosa per i nostri fratelli mafiosi!

E che avrebbe risposto? Obbedisco? O li avrebbe mandati tutti a fare in culo? In attesa che qualcuno piú disponibile prendesse il suo posto?

Magari un compagno piú giovane e ambizioso? O un anziano in cerca di rivincita? Uno *pronto*, in ogni caso.

La voglia di ridere passò. Il senatore Argenti provò un brivido di terrore. Una paura antica. La paura di un bambino che in un pomeriggio di pioggia perde il sicuro appoggio del braccio materno e si ritrova a vagare fra una selva di gambe sconosciute, ostili, e grida, grida disperato, e nessuno viene in suo soccorso.

La mafia. La massoneria. Erano davvero le architravi del potere italiano?

Era realmente impossibile prescinderne?

La mafia. La massoneria. E gli americani. Li avevano tenuti lontani dal potere per tutti quegli anni. I lunghi anni della Guerra fredda. Ora che la Guerra fredda era finita e gli americani non facevano piú paura, a chi toccava tenere a bada gli ex comunisti?

E come?

Con sottili inganni?

Con altre bombe?

O convincendoli a scendere a patti?

E non era meglio, allora, perdere? Non era piú giusto, allora, perdere?

E rinunciare alla possibilità di cambiare le cose?

Ma le cose possono mai cambiare?

Quando Beatrice rientrò da una di quelle sue noiosissime *vernici*, fresca dell'aria frizzante di un inverno che sapeva di neve e con un raggio di luna nei capelli, lo trovò rannicchiato in poltrona, al buio, gli occhiali sulla fronte, preda di un sonno grinzoso che lo rendeva cosí simile a un bambino spaventato.

I resti di una pizza ai peperoni troneggiavano sul tavolino davanti al televisore spento.

Beatrice lo scosse piano. Il senatore mormorò qualcosa che la sua compagna non comprese.

Io non voglio niente di tutto questo, mormorò Argenti.

Io non permetterò che accada.

La mattina dopo irruppe nell'ufficio di Scialoja sventolando i verbali del pentito Messina.

– È questo che sta tramando, Scialoja? Vuole regalare

l'indipendenza alla Sicilia? Vuole che nominiamo Riina senatore a vita?

Scialoja prese i verbali e li accantonò con un'occhiata triste. Poi lo invitò a sedersi. Argenti trovò ridicola la sua aggressività, e provò l'impulso di scusarsi. Scialoja appariva smagrito, sciupato, come svuotato di energia. Aveva persino la barba lunga di uno o due giorni.

– Nessuno crede piú al separatismo, senatore. Quanto a me, mi accontenterei di molto meno. Un gesto umanitario, per esempio. Permettere a un vecchio boss di morire nella sua casa. Trasferirlo in un carcere meno disumano. Una piccola cosa, un piccolo segnale. Lo Stato non andrà in rovina per cosí poco.

– Significa trattare, Scialoja. E questo lo Stato non può farlo!

– Non cambiate mai, eh, voi comunisti! Come ai tempi di Moro: non si tratta, non si tratta, e intanto…

– Fu una scelta dolorosa… e doverosa!

– Già, e chi lo nega? E un anno dopo abbiamo pagato brigatisti e camorristi per liberare Cirillo! Andiamo, su, lei ha in mente uno Stato che non esiste, senatore.

– Qualunque sia lo Stato che ho in mente, Scialoja, gente come lei non dovrebbe farne parte.

Argenti si alzò, riprese i verbali, accennò un saluto piuttosto legnoso. Scialoja si passò una mano fra i capelli.

– La invidio, sa? Invidio la sua sicurezza… o è bianco, o è nero, i buoni di qua, i cattivi di là… da qui, dalla zona grigia, le cose le vediamo in un modo un po' diverso… qui i colori si confondono tutti… e… vuol sapere un'altra cosa? Dopo un po' ci si fa l'abitudine. Le auguro di restare il piú a lungo possibile dall'altra parte del confine.

E quelle non erano le parole del figlio di puttana che gestiva i dossier clandestini del Vecchio. Erano le parole

di un uomo amareggiato e molto, molto piú complesso di
quanto ruolo attuale e storia personale lasciassero intendere. Soltanto molto dopo, durante il loro ultimo incontro, Argenti avrebbe compreso che, a suo modo, in quel
momento, Scialoja chiedeva il suo aiuto.

Lady Ero comes back

1.

Nick Cave cantava: il tuo funerale è il mio giudizio.
Valeria ascoltava con gli occhi socchiusi.
Valeria ascoltava la melodia oscura del signore delle tenebre e sognava Pino Marino.
Valeria sognava Pino Marino e sognava Lady Ero.
Ma Lady Ero era una Madonna nerovestita dal bacio avvelenato.
E Pino Marino un cavaliere troppo esitante.
Valeria faceva la brava.
Valeria si lasciava ritrarre da lui.
Valeria suonava per lui il clarinetto.
Valeria gli spiegava il jazz e la musica di frontiera.
Pino scopriva un mondo nuovo.
Valeria voleva fare l'amore ma lui non glielo chiedeva.
Valeria gli aveva detto: andiamocene via. Ma lui le aveva risposto: non posso, non adesso, domani, forse, chissà, un giorno.
Valeria aveva insistito: non domani, non forse, non chissà, non un giorno. Adesso.
Pino Marino le aveva detto: aspetta.
Valeria aspettava.
Ma Lady Ero era impaziente.

Lady Ero bussava alla sua porta e la strappava a un sonno tormentato con il suo sorriso seducente e una stretta della sua mano diafana e scivolosa.

Valeria ricevette una telefonata.

Era B.G. Era a Roma per registrare uno show. Era un sacco di tempo che non si sentivano. Perché non passare una bella serata insieme, in nome dei vecchi tempi?

Valeria gli disse di no. Sono impegnata, disse Valeria.

Valeria fece una telefonata.

Pino Marino non rispondeva.

B.G. richiamò.

Valeria gli disse di sí.

Lady Ero entrò dalla finestra.

Lady Ero le porse la sua diafana, scivolosa mano.

Seguimi, disse.

Valeria la seguí.

2.

Qualche giorno dopo l'episodio dello scippo, Yanez informò che i telefoni erano stati *liberati*, gli appostamenti e il pedinamento revocati. Patrizia non era piú sotto sorveglianza. Stalin spedí da lei il Guercio.

– Il dottore la prega di preparare i bagagli per una settimana. Lui è già a Ciampino. L'aereo dovrebbe partire fra un paio d'ore.

– Aereo? Ma per dove?

– Il dottore non me l'ha detto, signorina. Credo voglia farle una sorpresa. Il dottore però mi ha ordinato di dirle di prendere un po' di roba pesante.

Patrizia fissò corrucciata quel bestione che Stalin le aveva presentato come «la mia guardia del corpo». Era di una bruttezza impressionante. Quando lo invitò a entrare in casa, arrossí, e una volta dentro, si mise a sedere impettito su una *tonet* a braccia conserte. Come se non sapesse che farsene delle sue goffe manone. Il fedele, ottuso esecutore di ordini. Il dottore mi ha ordinato… Ma anche a lei era appena stato impartito un ordine. Patrizia sentí affiorare dentro di sé qualcosa di assai prossimo a un moto di ribellione. Non sarebbe partita. Non l'avrebbe seguito. Negli ultimi giorni aveva nuovamente assaporato il gusto della libertà. Aveva scoperto che la solitudine può trasformarsi in una condizione confortevole. A patto che si possa decidere come e quando interromperla. Ma questo viaggio non era una scelta. Questo viaggio era un ordine. Stalin non faceva che attenersi al loro comune schema. Lui chiamava, lei accorreva. Lui svaniva, lei attendeva. Era lei, Patrizia, il problema. Era la sua inquietudine che montava, la «tempesta».

– Signorina, si sta facendo tardi… il dottore sarà impaziente…

– Il dottore ha preso in considerazione l'ipotesi che io non voglia partire?

Il Guercio si grattò la testa e prese a torcersi le mani. La fissava con uno sguardo supplichevole che voleva dire: nòn mettermi nei guai. Non metterti nei guai. Era chiaro che l'ordine era perentorio e non ammetteva repliche. Patrizia pensò a Scialoja. Ai suoi legittimi sospetti. Si chiese se, quando gli aveva mentito a proposito della sua relazione con il Secco, non avesse scelto di lasciarsi aperta una via di fuga. Se non lo avesse deliberatamente provocato a svelare la sua grande menzogna. Ma se era davvero la libertà ciò che desiderava, allora aveva perso l'occasione di ottenerla. Avrebbe dovuto raccontargli tutto. Non l'aveva fatto. Per fedeltà? Per paura? Perché non era ancora pronta ad affrancarsi dalla sua schiavitú? Cosí, ora Stalin rivendicava il proprio buon diritto al possesso. Mentre l'altro, Scialoja, l'aveva lasciata andare. Nella tua vita non ci sono nobili cavalieri pronti a scalare la torre per liberarti dal drago, povera piccola Patrizia. Nella tua vita c'è solo un padrone chiamato Stalin Rossetti.

– Va bene, mi sbrigo subito.

Il Guercio la condusse sino all'estremità della pista dove un aereo privato scaldava i motori. Mentre l'aiutava a trasportare la valigia, il Guercio le sussurrò un timido «Grazie». Patrizia lo baciò sulla guancia. Il Guercio avvampò.

Stalin, già a bordo, l'accolse con un sorriso e una coppa di champagne ghiacciato.

Ma sí, champagne! Parigi! La musica stonata della sua vita! Stalin amoroso. Stalin che previene ogni minimo desiderio. Stalin che svanisce e ricompare con un enorme mazzo di fiori. Stalin alle mostre e Stalin dai librai della Rive Gauche. Stalin al Louvre e Stalin *Chez Lipp*. Stalin che duetta *Les feuilles mortes* con il pianista del vecchio hotel di rue d'Aubuisson. Stalin dalle carte di credito a disponibilità illimitata. Stalin che in una *boîte* dietro la Bastiglia compera coca per lei da un tagliagole *pied-noir* e poi glielo presenta: Maurice qualcosa, un mio vecchio camerata dello Sdece, il Servizio segreto francese. Lo sguardo di ammirazione dell'uomo per Patrizia. Il vomito nel bagno dell'albergo, nel cuore della notte. Stalin che le deterge il sudore. Stalin che butta nel cesso la coca avanzata. La colazione nel grande letto dal baldacchino viola. Il saccheggio sistematico dei negozi sulla Rive Droite. La musica stonata che con subdola lentezza si trasforma in una sinfonia. Il potere magico di Stalin su di lei. La stagione della grande confusione. La resa. Stalin seduttore e infine Stalin improvvisamente freddo, l'ultima sera, alla *Coupole*.

– La vacanza è finita. Da domani si torna al lavoro.

– Non ha senso che io mi metta a cercarlo, dopo quello che è accaduto.

– Giusto. Ma sarà lui a tornare. Si è coperto di ridicolo. Abbiamo il coltello dalla parte del manico, tesoro.

Patrizia chinò il capo. Stalin si concesse un sospiro di sollievo. Era andata. Settimana di merda, con tutto 'sto miele e 'sta tenerezza, ma era l'unico modo per ripristinare l'equilibrio del sistema.

3.

La ragazza si era presentata all'alba. Il Guercio aveva stentato a riconoscerla. L'ultima volta che si erano visti (lei passeggiava allacciata a Pino Marino), gli era apparsa come una di quelle strambe Madonne che popolavano le fantasie pittoriche del ragazzo. Una bella Madonna, aveva dovuto ammettere il Guercio, che a messa ci andava spesso e volentieri e a volte si mondava del peccato nel corso di lunghe confessioni che suscitavano piú di un moto d'incredulità nel sacerdote di turno. Ora che la ritrovava, lacera e scarmigliata, le occhiaie peste e un lungo graffio sulla guancia sinistra, i capelli sporchi e l'andatura sbilenca, rivedeva in lei la tossica che, in fondo, era sempre stata. E sempre sarebbe stata. Se è vero che la prima cosa che lei gli chiese fu una dose di roba. Offrendo, in cambio, quel famoso lavoretto di bocca.

Il Guercio non era una cima, d'accordo, ma alcune cose, poche ed elementari, una volta che le aveva introiettate non c'era verso di levargliele dalla testa. Una di queste era l'equazione Valeria uguale Pino Marino. Equazione che si portava come corollario: Pino Marino uguale guai. Lui l'aveva visto all'opera. Lui sapeva di che cosa era capace quel piccolo bastardo. Perciò, con tutta la grazia e il garbo che la sua scarsissima educazione e l'oligofrenia di fondo gli consentivano, aveva fatto presente alla tipa che, se avesse avuto un po' di pazienza, l'avrebbe quanto prima messa in contatto con Pino Marino.

– Io non voglio vederlo quello stronzo. Io voglio la roba. Se ce l'hai, bene, sennò fottiti.

Il Guercio sapeva che i tossici sono spesso incontrollabili. Lo sapeva perché, da ragazzo, insieme ad altri soggetti tosti come lui, si era trovato coinvolto in una lunga serie di spedizioni punitive contro di loro. Il Guercio ricordava con piacere quei tempi. Si spaccavano un po' di teste, si rovesciava un po' di roba sulla strada, si usava un po' di sana violenza per ripulire il quartiere. La gente a volte li ringraziava, altre volte manifestava in modo piú tangibile la propria riconoscenza. Una vera pacchia. E con i tossici aveva anche avuto a che fare in seguito. Quando era stato ammesso nella Catena e Stalin gli aveva spiegato che i tossici possono rivelarsi una preziosa risorsa: ottimi informatori, decenti infiltrati, persino, in caso di estrema necessità, colpevoli ideali per qualche azione, laddove le ordinarie procedure di copertura non avessero funzionato. Ed era accaduto almeno in un paio di casi che lo avevano visto protagonista: una rapina e lo strangolamento di un tale che si era messo in testa di ricattare nientemeno che Stalin Rossetti. Alla fine, con i tossici per qualche tempo ci aveva pure guadagnato.

Ma sapeva quanto possano diventare incontrollabili. Cosí aveva finto di pensarci un po' su, mentre la ragazza si dondolava su una gamba mordicchiandosi le unghie già rose sino all'osso, poi, come colto da un'improvvisa rassegnazione, con un profondo sospiro l'aveva invitata a seguirlo su nel Centro. Lei aveva avuto un conato di diffidenza. Il Guercio aveva fatto il segno della siringa e poi annuito vivacemente. Valeria lo aveva addirittura preceduto lungo le scale. Il Guercio aveva notato le sue calze smagliate e l'ampia porzione di coscia che affiorava sotto l'ondeggiare della gonna. E ci aveva fatto un pensierino. Solo un innocente pensierino. Poi davanti agli occhi gli era balenata l'immagine della lama del serramanico di Pino Marino e il pensierino era stato immediatamente scacciato.

Quando erano entrati nel Centro, prima che Valeria si voltasse per chiedergli per l'ennesima volta la roba, il Guercio l'aveva colpita di taglio alla base del collo. Un colpo innocuo, non voleva farle *veramente* del male. Solo levarsela di torno per il tempo necessario a rintracciare Pino Marino. L'aveva chiusa a chiave dentro un ripostiglio. Per eccesso di precauzione, perché non si sa mai, l'aveva anche imbavagliata, ma *appena appena*, con un tovagliolo che aveva annodato *piano piano*.

Trovare Pino Marino. Una parola. Il Guercio tentò al cellulare. Con poche speranze. E infatti. Spento. Pino sembrava avesse l'allergia alle comunicazioni. Nessuno sapeva dove abitasse Pino Marino. Nemmeno Yanez. Solo Stalin aveva accesso alle segrete stanze. Ma Stalin era lontano, a Parigi, con l'amichetta. Era stata gentile con lui, Patrizia. Non si era messa a urlare né lo aveva insultato, come spesso gli era accaduto in passato quando aveva avuto a che fare con le donne. Con una cosí accanto, pensava il Guercio, sarebbe potuto diventare un uomo diverso. Un capo. Ma lui non era un capo, e non era Stalin. Sperava solo che quel bastardo non le facesse troppo male. Lui non era un capo. Al momento era solo il custode del Centro. Dove però non succedeva mai niente, una noia mortale, e come se non bastasse, Stalin aveva vietato di fare casino. Il che significava: niente fica. Una vita da monaco di clausura, e adesso la ragazza!

Non restava altro da fare che mettersi in giro. Visitare un po' di posti possibili. Fare qualche domanda. E magari c'era anche il rischio che Stalin tornasse all'improvviso... Il Guercio sentí che stava per esplodergli un violento mal di testa. Succedeva sempre cosí, quando gli si chiedeva di elaborare una qualche riflessione piú complessa. Il Guercio si schiantò su un divanetto, poi cercò di rimettersi in piedi, prima che fosse troppo tardi. Ma era già troppo tardi. Un mal di testa da togliere il respiro. Paragonabile solo a quella volta che lui e un altro sciagurato della Folgore si erano messi a provocare certi portuali di Livorno. Non avevano calcolato le mazze ferrate. Non credevano che avrebbero osato tanto. Onore ai compagni, comunque. Dopo il pestaggio li avevano rimessi in sesto a botte di grappa e di pacche sulla schiena. Era venuto fuori che lo sciagurato era un mezzo comunista. L'unico rosso per il quale il Guercio avesse mai provato qualcosa di vagamente simile a un senso di gratitudine.

Il Guercio si levò gli scarponi militari e si allungò sul divanetto. Il Guercio chiuse gli occhi e scivolò in un sonno salvifico.

Pino Marino capitò per caso al Centro qualche ora dopo, nel primo pomeriggio. Il Guercio si tirò su di scatto. Il mal di testa era svanito. Quanto ai rumori e ai gemiti che provenivano dal ripostiglio, se gli avesse dato solo un attimo di tempo gli avrebbe spiegato tutto.

4.

Erano sui monti della Tolfa, ai margini di un pascolo gelato. Il Guercio e Yanez controllavano i due sentieri d'accesso. Pino Marino faceva saltare un barattolo dopo l'altro con il suo tiro rapido e preciso. La valle risuonava del canto inesorabile del revolver Astra che Stalin gli aveva portato in dono da Parigi. Dopo quella tediosa settimana con Patrizia, un po' di sano esercizio virile era una boccata d'aria pura. Ma, a quanto pareva, i problemi non mancavano mai. Problema Patrizia: risolto. Ora toccava a Pino. Il ragazzo era strano. C'era qualcosa che non andava. Pino gli tese l'arma arroventata.

– Ci facciamo ancora qualche bersaglio, Pino?

– Ne ho abbastanza per oggi.

– Qualcosa che non va?

– È tutto a posto.

– Non sei mai stato bravo a mentire, Pino. Non a me. Avanti, dimmi tutto…

– Stalin, io… ho conosciuto una ragazza…

Stalin Rossetti sospirò. Prima o poi doveva accadere.

– Avanti. Ti ascolto.

– Si chiama Valeria…

Stalin ascoltò in silenzio. Le parole affluivano con fatica, frenate dallo sforzo di sfumare, di minimizzare. Ma c'era poco da sfumare, poco da minimizzare. La cosa era seria, serissima. La cosa era grave. Era una vera e propria crisi, a dirla tutta. Stalin ripensò all'espressione sospettosa e ironica con cui il Vecchio aveva salutato la sua decisione di occuparsi del ragazzo.

«Che ci faceva là quel Pino Marino?»

«È senza madre, ha solo una zia che batte a Secondigliano. Quel giorno lei l'aveva mollato a un'amica che fa il suo stesso mestiere. Pasquale Settecorone aveva voglia di una donna. La disgraziata se l'è portato appresso. Una pura casualità. Tutto qui».

«Ha pensato agli aspetti burocratici della faccenda, Rossetti?»

«Formalmente è affidato alla zia. In realtà, Pino viene a stare da me».

«Potrei sapere il motivo di questa decisione?»

«Mi piacciono i suoi disegni».

«A mio modesto avviso lei sta commettendo un errore. Tenga a mente queste parole, e se le ricordi quando sarà il momento».

A quanto pareva, il Vecchio ci aveva visto giusto. Ma la sinistra profezia non si sarebbe avverata. E lui non avrebbe permesso al ragazzo di imboccare la cattiva strada.

Per tutti quegli anni, Pino Marino si era dimostrato un eccellente investimento. Era stato un... un figlio leale, fedele e devoto. Su un solo argomento non c'era verso di trattare. Le donne. Pino Marino aveva ucciso, e avrebbe ucciso ancora. Ma niente donne. Era l'unica condizione che Pino aveva imposto, quando Stalin gli aveva spiegato che cosa sarebbe stata la sua vita, nel futuro. Io non uccido donne. Pino Marino non uccideva donne e dipingeva Madonne. Stalin Rossetti accettava le sue stranezze perché Pino Marino si era dimostrato un eccellente investimento.

Almeno sino a oggi.

Perché, prima o poi, doveva accadere. Che Pino si accorgesse di essere solo un ragazzo. Un ragazzo innamorato dagli occhi ardenti.

– È una drogata, Pino. I drogati sono inaffidabili.

– Guarirà.

– Vorrei crederti, ma l'esperienza...

– So di doverti molto, Stalin. E non ti ho mai chiesto niente in cambio. Ma adesso...

Stalin Rossetti era un tipo pragmatico.

Stalin Rossetti aveva bisogno di Pino Marino.

Stalin Rossetti sapeva che se gli avesse detto di no lo avrebbe irrimediabilmente ferito.

Stalin Rossetti aveva bisogno di Pino Marino.

Prenderò tempo, decise.

Stalin Rossetti sorrise, rassicurante, e abbracciò Pino.

– Lascia fare a me, figliolo!

Bianco Natal...

Scialoja e Mariella Brin erano finiti a letto due ore dopo
essersi conosciuti. Non proprio un record, ma quasi. Lei lo
aveva contattato per un'intervista gossip sui gusti e gli amo-
ri di un uomo tanto potente quanto schivo e riservato. Lui
aveva risposto picche: finire su un giornale scandalistico non
era all'apice dei suoi pensieri. Anche se la giornalista, aveva aggiunto malizioso, avrebbe meritato un trattamento migliore...
   – Ci sta provando, dottor Scialoja? – aveva ribattuto con
una franca risata la Brin, uno e settanta, minigonna spetta-
colare e seno ragguardevole.
   – Non mi permetterei mai!
   – Che delusione!
   – Sono ancora in tempo per ritrattare?
   – Ti va di vedere la mia collezione di stampe orienta-
li? Non è molto lontano da qui...
   Cosí ora la Brin era sotto la doccia, e cantava a squarcia-
gola «Il cobra non è un serpente...» La Brin gorgheggiava,
per favore, caro, mi passeresti il balsamo per i capelli... la
Brin irrompeva nuda scintillante e con l'occhio acceso di de-
siderio. Come amante era del genere eccessivamente foco-
so e sostanzialmente inconcludente. Si sentiva irresistibile.
Ma non possedeva un'oncia della sensualità di Patrizia.

Patrizia.

Era la prima volta che la tradiva.

Perché di tradimento si era trattato.

Lei era pulita. Persino Camporesi aveva gettato la spugna. Si era scusato e aveva gettato la spugna. Scialoja aveva annullato tutto. Scialoja aveva rovinato tutto.

A un tratto, quella gatta vezzosa che gli si strofinava contro gli dette la nausea.

Si sentiva colpevole, doppiamente colpevole. Di averla tradita e di averle negato la sua fiducia.

Scialoja si alzò di scatto, nudo com'era, perlustrando la morbida suite con affaccio su piazza Tor Sanguigna in cerca dei vestiti sparsi qua e là.

La Brin fece una smorfia corrucciata. Non gliene poteva fregare di meno.

– Hai ragione ad avercela con me, Nico.

– Non ce l'ho con te. Devo andare al lavoro.

– L'intervista era solo un pretesto.

Ecco, ci siamo. Ora lei avrebbe chiesto il prezzo della prestazione. Contropartita, per dirla alla maniera del Vecchio.

Forse aveva bisogno di essere presentata a qualcuno.

O c'era un direttore che le rompeva le palle.

O le serviva una raccomandazione.

– Non preoccuparti. Sono stato bene con te. Sei un'amante formidabile.

– Bugiardo. La verità è che volevo venire a letto con te dalla prima volta che ti ho visto!

Scialoja si voltò. Lei sorrideva, ora, indifesa.

– Come? Dove? Quando? – le chiese, incredulo.

– Da quel regista, come si chiama, Trevi...

– Trebbi.

– Sí, proprio da lui. Ti ho gironzolato intorno tutta la sera ma tu non ti sei accorto di me!

– E che ci facevi da Trebbi?

– Lavoro.

– Che tipo di lavoro?

– Interviste, cose cosí… insomma, è stato amore a prima vista!

La ragazza, ora, era alle sue spalle. Lasciava scivolare una mano sul sesso. Scialoja si ritrasse. Lei scoppiò a ridere.

– Sensi di colpa? – insinuò. – Guarda che io sono molto, molto discreta! Anche perché, alla fine, tornerai da me…

Scialoja si sentí soffocare. Ma chi era, questa Brin? Una dannunziana fuori tempo? Tornerai da me… via, via! Non solo non gli chiedeva niente, ma parlava addirittura di amore! Via, via! Scialoja la baciò sulle guance, si rivestí resistendo al richiamo di un'ultima performance, e poté respirare di sollievo solo quando piazza Navona e una mattinata uggiosa e gravida di gas di scarico fu alle sue spalle, ben asserragliate dietro la massiccia scrivania di noce.

Amore! Amore a prima vista!

In questo cazzo di ambiente dominato dalla convenienza!

I casi erano tre. Primo: la ragazza era molto furba e la mazzata sarebbe arrivata dopo, col tempo. Secondo: era una di quelle che si innamoravano, guarda caso, sempre della persona giusta. Di quella che poteva spianare la strada, dare, come si diceva nel gergo della televisione, un «aiutino». Terza, ultima e piú inquietante ipotesi: la ragazza era sincera.

In tal caso, si trattava di una psicopatica.

In definitiva, la Brin non era che una mediocre metafora della sua mediocre esistenza. Ormai viveva in stato di allarme permanente. Mediocrità. Miseria. E Patrizia lontana, Patrizia perduta per la sua follia! La follia di avere sospettato di lei.

Patrizia, quella mattina, era andata a registrare una puntata del suo programma di fitness.

Al momento di rincasare, dopo un sandwich e una centrifuga mela & carota, se lo trovò davanti al portone di casa. Lei non poteva saperlo, ma lui l'aspettava da due ore.

Era dimagrito. Aveva l'aria colpevole. Era tornato, dopo tutto. Era tornato, come Stalin aveva previsto.

Lei rise, rise del suo riso profondo.

– Com'era?

– Chi?

– Quella che ti sei fatta stanotte.

– Ma che dici...

– Andiamo, ho una certa esperienza nel campo... Vieni, ti preparo un caffè.

2.

Maya si fermò con un elegante spazzaneve e risalí con lo sguardo la pista blu. Le era parso che Raffaella la chiamasse. Quel disperato «Mamma, mamma» che scandiva come un leitmotiv ossessivo la sua giornata. Saranno cento, no, duecento volte, come minimo. In questo, almeno, lei era uguale a tante altre mamme. E la piccola simile a tante altre piccole. Maestri che assecondavano pazienti lo sforzo di minuscoli principianti. Sfolgorio di tutine griffate. Sulla pista nera, accanto ma bene in vista, i volteggi con cui Ilio e Ramino Rampoldi, in smagliante completo verdissimo padano, si tagliavano la strada, impegnati nell'antico gioco maschile della supremazia. Ma di Raffaella nessuna traccia. Che fosse caduta poco piú su, poco prima della curva? E se avesse abbandonato per errore, o per sfida, la pista blu imboccando, Dio non voglia, quella nera?

– Mamma, mamma! Che c'è, mamma? Non stai bene?

Ma no, ma no. Eccola qua la tutina rossa. Addirittura qualche passo sotto di lei. Raffaella doveva esserle passata accanto proprio mentre lei aveva iniziato la frenata. Maya provò una fitta improvvisa al costato. Forse era un effetto della stanchezza. Sciava contro il parere dei medici. Sciava perché il concetto di convalescenza urtava il suo senso profondo della vita. Quell'ossessione del *fare* che aveva ereditato dal Fondatore. Sciava perché non si sarebbe persa per niente al mondo lo spettacolo di Raffaella che risaliva quei pochi passi che la separavano da lei con l'espressione trionfante del giovane che finalmente ha sorpassato il vecchio. I suoi occhi che scintillavano sotto gli occhialoni da neve. Il moto frenetico dei bastoncini, il sorriso che rivelava le struggenti finestrelle fra canini e incisivi...

La strinse a sé. Prese a coprirla di baci. Raffaella per un po' lasciò fare, poi cominciò a divincolarsi. Maya le chiese perdono. Perché non aveva mantenuto la promessa di portarla in Kenya a vedere gli animali, o in Messico e Guatemala a scalare le montagne di quegli antichi indiani che portavano il suo stesso nome...

– Ma non me ne importa niente del *Guatelama*, mamma! Io qua ci sto bene. Mi diverto tanto!

Be', lei no. Ci pensava ore dopo, davanti al camino, mentre Jimmy e Shona si affaccendavano intorno alla tavola, e tutti gli altri, la *comitiva*, per intenderci, già cambiati per cena, si torturavano in cerca di *qualcosa di divertente* per il dopo.

Mancava pochissimo a Natale, che diamine!

Qualcosa bisognava pure inventarsi!

Ma nessuno era in grado di inventarsi niente di nuovo.

Non quella sera.

Non a Cortina.

Il viaggio era ufficialmente saltato per via del suo occhio. Ma sia lei che Ilio sapevano che con un po' di buona volontà il divieto del professore si sarebbe potuto aggirare. Ilio, però, aveva sospirato di sollievo. Lei non aveva insistito. Ilio le aveva confidato di essere stanco. Ma anche questa era una verità ufficiale. Ilio era strano. Nuovamente strano. Questa, in un certo senso, la verità vera.

E quindi, Cortina, *of course*.

Questi ricchi cosí prevedibili. Cosí abitudinari. Cosí bisognosi di essere rassicurati dalla tradizione di facce e di luoghi.

Questa tribú insopportabile.

La sua tribú.

Una tribú *apartheid*.

Maya fissò Jimmy e Shona. I volti nerissimi, le movenze eleganti. Loro sí che lo sapevano cosa significa *apartheid*.

Quanto a lei, era solo una signora ricca, viziata e annoiata. Prima o poi se ne sarebbe tirata fuori. Prima o poi. Ma non quella sera. Non a Cortina.

Intorno allo spezzatino di cervo – ma a Raffaella si parlava piú genericamente di pollo: non si può pretendere che una creaturina di nemmeno otto anni accetti tranquillamente l'idea di ingurgitare bocconcini di Bambi – Ramino Rampoldi, con un entusiasmo che sfiorava l'estasi, relazionava sul suo recente incontro al vertice con il professor Gianfranco Miglio, l'ideologo della Lega Nord. Definizione: un vecchio, gagliardo giacobino padano. Sogni: un meraviglioso Nord finalmente restituito ai padani.

– Senza professori terroni. Senza operai terroni. Senza magistrati terroni!

Ramino attraversava la comitiva con uno sguardo pano-
ramico, quasi a valutare l'impatto del suo entusiasmo da
neofita. C'era chi annuiva, e persino con una certa convinzione. Chi distoglieva lo sguardo, come Ilio. Maya non seppe resistere alla tentazione di un colpo basso.

– Anche i magistrati? Ma come? Non eravate tutti en-
tusiasti di Di Pietro e compagnia?

– Stanno esagerando.

Le braccia allargate di Ramino. Il consenso diffuso, una-
nime, questa volta. Maya incrociò lo sguardo vagamente teso di Ilio.

– Ma se proprio tu, Ramino, quando hanno spedito l'avviso di garanzia a Craxi, ti sei presentato con una magnum
di champagne!

– Prosecco padano, mia cara, per la precisione.

Risate. Ilio con la testa nel piatto. Non piaceva neanche
a lui. Faceva buon viso a cattivo gioco. Ma perché? C'era
un'unità che non doveva essere infranta? A nessun costo?
Maya abbandonò la tavolata e andò a sprofondarsi in poltrona con un romanzo giallo. Cortina o Saint-Moritz, e mettiamoci pure Davos. Visto che avevano deciso di apparte-
nere a una comunità *apartheid*, si sarebbe quanto meno *ap-
partata*. La voglia di essere altrove cresceva. Altrove, e in
un'altra vita.

– Tutto bene?

La carezza di Ilio. Il suo sguardo carico di affetto e di
preoccupazione.

– Tutto bene.

E poi andarsene non sarebbe bastato. Bisognava portarsi dietro anche lui. Far saltare in aria un ponte. Fare terra
bruciata. E ricominciare da qualche altra parte. Ilio si trat-
tenne qualche secondo, le sfiorò i capelli con un bacio tene-
ro ma guardingo.

C'era qualcosa di sospeso, quella sera. Una tensione che serpeggiava, indecifrabile. Un sospetto, forse.

L'incidente avvenne piú tardi, quando, come al solito, tutti i progetti per una mirabolante serata erano saltati, la comitiva si preparava a sciogliersi, qualcuno degli ospiti che si sarebbero trattenuti per la notte nella *meravigliosa* storica dimora del Fondatore era già salito in stanza.

Ramino Rampoldi se ne stava a parlottare fitto fitto con Ilio e Giulio Gioioso, che nel frattempo si era unito alla comitiva. Era stato Jimmy a combinare il guaio. Nel ritirare un vassoio aveva sbadatamente urtato un bicchiere di whisky. Il liquido si era rovesciato. Una macchia enorme si allargava sul maglione, ovviamente verde, di Ramino Rampoldi.

– E sta' attento, *negher de l'ostia!*

A pensarci bene, nemmeno un insulto troppo veemente. Una constatazione, piú che altro. Una constatazione dell'appartenenza a due classi distinte e incompatibili: di qua Ramino, di là il negro. Che non fosse stato esplicitamente definito *negro di merda* dipendeva, forse, da una certa forma di automatico riguardo verso i padroni di casa.

Maya, che aveva assistito all'incidente, colse il furore represso nell'occhiata di Jimmy. Si piantò davanti a Ramino Rampoldi, maschera di virtú oltraggiata, mentre Giulio Gioioso sembrava non aver ben compreso le implicazioni del fatto, e Ilio, che invece presentiva la tempesta, le faceva cenni disperati di lasciar perdere.

– Le chiedo scusa, signore, – mormorò infine Jimmy, chinando il capo, – se vorrà essere cosí cortese da lasciarmi il suo maglione...

– No! – disse Maya, piano, poi, fissando Ramino, aggiunse con un sorriso tirato: – Ramino, vorrei che tu chiedessi scusa a Jimmy per averlo offeso!

Ora la guardavano come una pazza. Stava succedendo troppo di frequente, negli ultimi tempi. Già immaginava le chiacchiere. Ma che le prende alla Maya? C'è forse aria di crisi fra lei e Ilio? Lo sai che ha fatto fare una figuraccia al povero Ramino che si era giustamente lamentato della sbadataggine di un servo negro? Gli ha ordinato di chiedere scusa! A chi? Al servo? Ma no, sennò dove sarebbe lo scandalo? Al Ramino!

– Scusa, Maya, era un maglione nuovissimo! M'è costato quasi un milione e ora è da buttare! Francamente non credo…

– Ti ho pregato gentilmente di chiedere scusa a Jimmy. Non l'hai fatto. Ora, per cortesia, esci dalla mia casa!

Gli voltò le spalle. Abbandonò la stanza. Ciò che piú le faceva male era lo sgomento di Ilio. O non capiva, o non accettava. Delle due, l'una. E nessuna, nessuna delle due era, per lei, quella giusta. Jimmy la raggiunse in cima alle scale che portavano alla cameretta di Raffaella.

– Grazie, signora. Ma non era il caso!

Temeva forse di essere punito in seguito. O forse pensava che Ramino Rampoldi avrebbe montato un casino per indurre lei, o Ilio, o tutti e due, a licenziare lui e la moglie.

– Era il caso, – rispose, tagliente, orgogliosa, – e non ci saranno conseguenze!

Jimmy chinò il capo. Neanche lui capiva. E neanche lui accettava. Se Jimmy e Shona erano al suo servizio era grazie al Fondatore che, nei lunghi e duri anni dell'*apartheid*, non aveva lesinato fondi al partito di Nelson Mandela. Non perché la causa dei neri l'avesse folgorato sulla via di Damasco. Anzi. Trovava i vecchi sudafricani bianchi onesti negli affari, corretti nelle relazioni private, affascinanti conversatori, gente giusta, insomma. Il problema era un altro.

Si trattava di calcolo e di convenienza. Quanti erano i neri, e quanti figli facevano? E quanto poteva resistere il fortino dei bianchi? Quindi, il Fondatore faceva affari con il governo razzista e pagava sottobanco il movimento di liberazione.

Lei era figlia del calcolo e della convenienza.

Tutti loro lo erano.

Con Ilio ne riparlarono il giorno dopo. A sentir lui, tutto si era risolto nel migliore dei modi. Non è che proprio Ramino si fosse scusato, ma insomma, alla fine si era tenuto il maglione con la macchia e aveva allungato a Jimmy un cinquantamila risarcitorio.

Maya si figurò la scena. Ramino che con un sorriso tirato ficcava in tasca al nero la banconota e Jimmy che l'accettava. L'accettava! Maya si figurò la scena e il suo disgusto esplose.

– Che cosa ci sta succedendo, Ilio? Che cosa sta succedendo a tutti noi?

Ilio non rispose. Non c'era risposta.

Tutti loro erano figli del calcolo e della convenienza.

Lei non lo sarebbe più stata.

Il crepuscolo degli dèi

C'era il rappresentante della provincia di Trapani e c'era il rappresentante della provincia di Caltanissetta. C'erano quelli di Catania e di Agrigento. C'era il capomandamento della Guadagna-Santa Maria del Gesú e c'era il capomandamento di San Giuseppe Jato. E c'erano i capimandamento di Ganci e di Passo Rigano, di Caccamo, Partinico e Resuttana. E c'era il capomandamento di Ciaculli, che però adesso, per la precisione, si chiama Brancaccio. Da Villabate era venuto il reggente, e cosí da Pagliarelli, Belmonte Mezzagno, dalla Noce e da San Lorenzo. Dalle famiglie di Capaci, San Cipirello e Mistretta erano stati inviati, causa legittimo impedimento penitenziario di titolari e titolati, sostituti e semplici uomini d'onore, cosí come da Altofonte.

Tutti. Tutti c'erano. I mafiosi c'erano tutti.

Dove i picciotti di guardia sorvegliavano le blindate, la strada e la trazzera erano i mafiosi.

Dove la neve s'ispessiva nell'inverno crudo di Enna erano i mafiosi.

Certo, mancava Provenzano. E nessuno sapeva chi portava la sua parola. Poteva essere chiunque. E poteva essere nessuno.

'U zu' Cosimo, invece, lui si sapeva che parola portava. Portava l'ultima parola di Riina. Perché Riina, il 15 gennaio, Riina era caduto. Per mano di tragediatore, per mano di infame e di sbirro era caduto. Ma era caduto. E l'avevano portato a qualche speciale che finanche le bestie si trattano con piú umanità.

E solo una era la parola: sangue.

E solo una poteva essere quella parola: strage.

I mafiosi facevano a gara a lanciare le proposte piú estreme. Metterci il cianuro nelle fognature. Abbruciarli vivi con tutte le famiglie, giudici e politici fitusazzi. Buttare i missili sulla casa del papa, che non muove un dito mentre i cristiani sono massacrati peggio che al Colosseo.

'U zu' Cosimo li stava a sentire, con il sorriso sulle labbra.

'U zu' Cosimo li lasciava sfogare, perché alla fine avrebbe dato gli ordini e tutti si sarebbero inchinati alla parola, che era la parola di Riina. La parola di Riina che Provenzano approvava, questo doveva essere chiaro.

Angelino Lo Mastro se ne stava muto in un angolo. Masticava un mozzicone di sigaro e pensava che cominciavano a circolare i verbali con il suo nome. La libertà era finita. Iniziava la latitanza. Angelino si domandava se ne era valsa la pena. Se quello che stavano celebrando non fosse, in fondo, il funerale di tutti loro.

Dopo, quando era stato deciso che era finito il tempo dell'asino che mangia da due pagliare, dopo, quando 'u zu' Cosimo ebbe spiegato quali erano i primi bersagli e come e quando si dovevano colpire, dopo che la sala si fu svuotata, 'u zu' Cosimo si avvicinò sorridendo ad Angelino e gli disse: – Acchiana. Ti devo parlare.

Fuori era già notte. Fuori faceva un freddo cane, un freddo che solo chi non conosce la Sicilia d'inverno può ancora parlare dell'Isola del Sole. 'U zu' Cosimo si era portato Angelino sullo strapiombo che dominava la valle, e con il dito secco ma fermo indicava le luminarie dei paesini arrampicati sul costone. E rievocava il passato, il glorioso passato di tutti loro.

– Là ci fu l'ammazzatina del '69... là facemmo giustizia di quei pastori che tu sai... e là, proprio sulla piazza del Duomo, prendemmo a quell'infame di Totuccio Lopiparo... eravamo in tre... come tre fratelli eravamo... è cosa triste, Angelino, quando i giovani voltano le spalle ai vecchi...

Angelino si sentiva rabbrividire. E non era solo il freddo. Era la capacità del suo antico mentore di leggergli nelle pieghe piú nascoste dell'animo. Era questo che lo spaventava.

– Che c'è, Angelino? Che cosa ti rode?

– Niente, zu' Cosimo, niente.

– Tutto quello che abbiamo costruito, Angelino, noi non lo dobbiamo perdere. Non ce lo possiamo permettere. Per questo dobbiamo andare avanti. Io lo so che tu sei giovane e ambizioso. E lo so che ai giovani la galera ci dispiace piú che a noialtri che la nostra vita l'abbiamo vissuta. Ma è proprio per questo che dobbiamo andare avanti! È il momento di restare uniti, Angelino, uniti come le dita di una mano... se ci fermiamo adesso, tanto vale sciogliere la Cosa nostra e cunsignarici tutti! Girano voci...

Angelino si accese il sigaro. 'U zu' Cosimo disapprovò, corrugando la fronte. Il fumo fa male. Le donne fanno male. Solo la Cosa nostra non ha mai fatto, non fa, né mai farà male. Se non ai suoi nemici. Angelino ne aveva di cose da dire allo zio. Anche sulle «voci». E che voci, poi? Quelle che vi eravate messi d'accordo con gli americani e noi non ne sapevamo niente? E adesso? Adesso con chi vi siete messi d'accordo? E chi li decide, gli accordi? E perché nessuno da mesi parla piú con Provenzano? Uniti, sí, come le dita della mano! Ma quale mano!

Non era il momento. Ma sarebbe venuto mai, questo momento? O era il coraggio che veniva meno?

– Che voci, zio?

– Certi tragediatori vanno dicendo in giro che Riina cadde per mano amica...

Le voci sul dissenso di Provenzano si rincorrevano, volavano di bocca in bocca, si ingigantivano sino a sfiorare la bestemmia. Gli uomini d'onore non si fidavano piú l'uno dell'altro. Il fratello aveva paura del fratello. Le famiglie si stavano sfasciando. Qualcuno accusava il triumviro di tradimento. 'U zu' Cosimo, alla fine, aveva preparato la lista dei soggetti a rischio: vuoi perché scoperti a formulare aperti propositi di insubordinazione, vuoi perché reticenti sull'adesione alle direttive impartite dalla Commissione centrale. Vi figuravano parecchi uomini d'onore vicini a Provenzano.

'U zu' Cosimo porse il documento ad Angelino e gli domandò: chi vuoi salvare di questi? Angelino dette una rapida scorsa all'elenco di nomi. Il suo era in cima. Angelino sospirò.

– Si salvano tutti quelli che meritano di vivere, e si condannano tutti quelli che meritano di morire.

'U zu' Cosimo annuí. Si fece prestare l'accendino e bruciò la lista. Poi, con un colpo di tosse e un sorriso, si ritirò.

Mentre l'ultimo tizzone annerito si disperdeva nella gelida valle, Angelino capí che non c'era scampo, e non c'era rimedio. Angelino capí che non c'era via d'uscita dalla Cosa nostra, se non la morte.

E Angelino si sentiva troppo giovane per pensare alla morte.

L'illuminazione di Carú

Le idee. I miti. Sta tutto lí. Spargi le idee. Governa i miti. E controllerai la gente.

Parola di Emanuele Carú.

Già. Ma come diavolo farcela entrare, questa elementare verità che continuava a ronzargli in testa, in un editoriale che avrebbe dovuto celebrare il trionfo dello Stato *versus* Riina Salvatore? Carú sudava, Carú si versava un'altra dose di bourbon e stracciava l'ennesima versione del pezzo che, di lí a poco, avrebbe dovuto leggere davanti alle telecamere di una delle tante emittenti con le quali collaborava.

Le idee. I miti.

E sei finito «collaboratore di cartello», povero vecchio Carú. Un modo come un altro per dire avventizio, sorpassato, esposto al capriccio di un qualunque direttore d'accatto grato al cuore dell'azionista di maggioranza.

Carú sognava di diventare lui, l'azionista di maggioranza.

L'azionista di maggioranza di se stesso.

Carú sognava un giornale. Il suo giornale.

I giornali seminano idee. I giornali creano miti. I giornali controllano le coscienze.

Aveva già tutto chiaro.

Costi redazionali bassissimi, garantiti da un drappello di frustrati da scatenare contro quei soloni dell'*intelligen-*

tija rossa che li avevano condannati a un rassegnato silenzio. Grandi campagne all'insegna del Nuovo ordine morale e dell'abbattimento dei tabú di una società resa molle, flaccida e femminea dal permissivismo della Sinistra. Qualche apertura sul sociale, per non dichiararsi da subito brutalmente fascisti: gli italiani non erano ancora pronti. Ci sarebbe voluto un po' di tempo. La mutazione del comune sentire doveva passare, almeno nelle prime fasi, attraverso una linea sapientemente morbida. Un'apoteosi del suggerire attraverso il dire e non dire. Una capillare opera di rivalutazione dei luoghi comuni che i suoi algidi ex amici intellettuali liquidavano con una sprezzante alzata di spalle. Proposizioni antistoriche? L'avremmo visto alla fine. Quando, un bel giorno, gli italiani si sarebbero svegliati con in testa un mucchietto di idee ben precise sul loro presente e sul loro Paese. Gli zingari rompono i coglioni. I negri puzzano. Le donne sono tutte troie, e quelle che abortiscono sono le piú troie di tutte. I carcerati devono starsene in galera. Tutti hanno diritto di armarsi per difendere la proprietà privata. Quel mattino gli italiani si sarebbero svegliati con lo stupore di scoprire che queste cose le pensavano tutti.

Non si trattava che di estrarre, attraverso un paziente lavorio maieutico, il peggio che gli italiani si portano dentro da sempre.

In passato l'impresa era riuscita al fascismo. Mussolini non sarebbe caduto se non si fosse illuso di poter fare sul serio il fascista. Mussolini non sarebbe caduto se non si fosse preso troppo sul serio.

Prima o poi gli italiani si stancano di quelli che si prendono sul serio.

Carú non si prendeva mai sul serio.

Carú non prendeva nessuna idea sul serio.

Carú considerava spazzatura il pensiero di destra.

Carú considerava spazzatura il pensiero di sinistra.

Carú considerava spazzatura ogni forma di pensiero.

Carú pensava che l'uomo intelligente non si vende mai a un'idea.

Carú pensava che l'uomo intelligente si concede in locazione a un'idea per il tempo necessario a trarne il massimo profitto. Non un minuto di piú, non uno di meno.

C'era un unico, serio problema. I soldi. Un giornale costa. Un giornale è un'impresa. Carú si era guardato intorno e aveva rischiato la crisi depressiva.

A chi chiederli, 'sti benedetti soldi?

Ai vecchi democristiani che sarebbero stati spazzati via?

Ai suoi nuovi amici socialisti, che pure avevano i giorni contati?

Ai missini? Pare si fossero finalmente decisi a seppellire il lugubre labaro del passato. Ma quanto tempo ci sarebbe voluto per rendere i loro voti spendibili?

Ai *barbari* della Lega, con quel loro buffo apparato di ampolle e carrocci e il conclamato stato di erezione permanente?

Bussarono al camerino. Carú decise che avrebbe improvvisato. Elogiare lo Stato gli ripugnava. Ma era quello che la committenza pretendeva. Ed era quello che il popolo voleva sentirsi dire. Avrebbe cercato quanto meno di inserire qualche noterella velenosa. Come complimentarsi per il paziente lavoro degli oscuri magistrati che non finiscono sulle prime pagine, ma compiono in silenzio e discretamente il proprio dovere. Sí, questo si poteva dire. Ma con moderazione. Per non correre il rischio che l'elogio degli uni suonasse a critica degli altri. La memoria delle stragi era ancora troppo fresca. Il Paese pullulava di prefiche di Falcone e Borsellino. Era ancora lontano da venire il tempo in cui un uomo libero avrebbe potuto liberamente professare le proprie idee!

Le idee... i miti...

Carú assolse diligentemente il compitino, e se ne andò a svernare dal regista Trebbi.

E fu proprio quella sera, davanti a una mediocre mousse al cioccolato – da un po' di tempo la qualità di casa Trebbi scadeva pericolosamente –, che Carú fece l'incontro che gli avrebbe cambiato la vita.

Accadde quando un fratello massone, dopo il convenzionale scambio di saluti, gli chiese se fosse al corrente di quanto stava succedendo a Milano.

– E cioè?

– Piú che Milano dovrei dire Arcore...

– Continuo a non capire.

– Gira voce che Berlusconi intenda scendere in campo...

– Scendere in campo?

– Non ti vedo molto lucido, Carú! Scendere in campo... entrare in politica... fare un partito, insomma!

– E con chi lo farà, 'sto partito? Con Mike Bongiorno e quelli di *Drive In*?

Il confratello aveva bruscamente posto fine al dialogo, seccato dalla sua mancanza di tatto. Carú era poi venuto a sapere, da Trebbi, che si trattava di un quadro intermedio di Publitalia, la società incaricata di rastrellare la pubblicità per conto delle reti televisive di Berlusconi.

Se la sua prima reazione era stata di incredulità assistita da un certo divertimento – Berlusconi in politica? Va bene che Reagan era stato presidente degli Stati Uniti, ma insomma... – nei giorni successivi aveva cominciato a vedere le cose da un diverso punto di vista.

Carú fece telefonate.

Tutti quelli che potevano sapere negavano. Tutti quelli

che negavano lo facevano in modo troppo convinto. Troppo assertivo.

Carú capí che la notizia era vera e si chiese se dietro il tono salottiero del confratello non si celasse una sorta di proposta di reclutamento. O un sondaggio.

Carú si sentí fremere.

Carú fece un suo sondaggio personale.

Carú incontrò gente. Raccolse giudizi.

Berlusconi aveva fascino. Carisma. Spregiudicatezza. Chi lo conosceva ne vantava la simpatia umana irresistibile. Era un anticomunista tenace. Era convinto che la Sinistra gliel'avesse giurata. La vittoria dei rossi per lui poteva significare la rovina. Berlusconi era anche pieno di debiti, e una soluzione politica poteva rivelarsi provvidenziale per la sua azienda. Berlusconi era un uomo amato dal popolo. Qualche anno prima, quando i pretori avevano spento le sue reti, c'era stata un'autentica rivolta. I bambini piangevano e le mamme inveivano contro i mostri che avevano ucciso i Puffi.

Ma bastava questo a farne un leader politico?

Fu una collega giornalista della stampa estera a illuminarlo. Una sera, dopo un noiosissimo dibattito sulla legalità alla luce delle inchieste di Milano, con Pm superstar e politici scodinzolanti.

Fu quando lui le chiese di Berlusconi e lei, con un bel sorriso nordico che le spianò miracolosamente le rughe severe all'angolo di una bocca larga e ben formata, rispose:

– Oh, Berlusconi! È cosí... cosí perfettamente italiano!

Ecco. Era quella la chiave di tutto.

L'Italia.

L'Italia cercava un padrone.

L'Italia cercava un padrone italiano.

Berlusconi era il piú italiano di tutti.

Berlusconi sarebbe diventato il padrone dell'Italia.

Carú accantonò ogni esitazione e ogni paura.

Carú scrisse un pezzo che nascose in un file periferico del suo elaboratore. Lo chiamò *Linee per il futuro* e giurò a se stesso che un giorno quel pezzo avrebbe fatto storia. La storia d'Italia.

Nel pezzo auspicava, per il suo, per il nostro travagliato Paese, la meritata pace che segue all'anarchia.

Augurava il sorgere di una Nuova Alba Italiana.

Profetizzava l'avvento di un Uomo.

Carú annullò tutte le collaborazioni e volò a Milano.

Voleva trovarsi al posto giusto al momento giusto, e, per Dio, ci si sarebbe trovato!

Gli inesorabili

1.

Tanto per fargli capire immediatamente l'aria che tirava, sin dal primo mattino Scialoja aveva piazzato due uomini alle costole di Giulio Gioioso.

– Non fate niente per passare inosservati. Deve sentire la pressione!

Ligi alla consegna, i ragazzi avevano seguito a sirene spiegate la Mercedes dal centro di Milano all'elegante villa padronale nel cuore della verde Brianza. E adesso, l'aria strafottente, le barbe lunghe e mozziconi agli angoli della bocca, se ne stavano a controllare con pignoleria le credenziali di tutti gli illustri ospiti che affluivano al «rinfresco» per il compleanno della piccola Raffaella Donatoni.

– È per la vostra sicurezza, – rispondevano, scorbutici e inflessibili, alle proteste, sempre piú vibrate, di sconcertatissime famiglie altolocate con annesso codazzo di bambini, tate di colore piú o meno nero o grigio, autisti con l'auricolare bene in vista. Liquidando con un'indifferente alzata di spalle le minacce di trasferimento e i franchi insulti che quella congrega di intoccabili si sentiva in dovere di rivolgere loro.

Maya li aveva affrontati dopo una scenata con Ilio. Ne sai niente, tu? Siamo sotto controllo? Che diavolo sta succedendo? Ma anche con lei i ragazzi di Scialoja si erano appellati agli ordini superiori per troncare ogni disputa sul nascere.

Scialoja, informato via radio dell'evolversi della situazione, lasciò trascorrere una buona mezz'ora di quell'ammuina prima di digitare il numero del portatile di Giulio Gioioso.

– Gioioso? Sono Nicola Scialoja. Le devo parlare.

– Ci conosciamo, signor… Scialoja?

– Abbiamo un amico in comune.

– Non credo di ricordare, mi perdoni.

– Angelino Lo Mastro. Sarò da lei fra venti minuti.

Al suo arrivo, dopo aver appreso che il tonno era ancora nella tonnara, ordinò ai ragazzi di levare il blocco, e nel cortile della residenza andò incontro con un largo sorriso alla signora che lo attendeva furente accanto a una fontana con stucchevoli amorini tardottocenteschi coperti di muschio. Si presentò e le tese la mano, ma lei se ne restò a braccia conserte, torva, glaciale. Una bellissima donna. Doveva avere almeno quindici, forse vent'anni meno del marito.

– È stato lei a ordinare quella pagliacciata, là fuori?

– Mi dispiace. Ci erano stati segnalati movimenti sospetti in zona…

– E li cerca qui, i suoi movimenti sospetti? I bambini sono terrorizzati!

– È stata un'iniziativa dei miei uomini. Sono stati adeguatamente redarguiti. Mi permetta di presentarle le mie scuse e i miei omaggi, signora Donatoni.

Baciamano vagamente gaglioffo e inchino sicuramente ironico. Ma tu guarda questo! Prima ti invade casa con il Settimo cavalleggeri, poi si mette a giocare all'ufficiale e gentiluomo! Maya ritirò la mano con un gesto infastidito.

– Mi ha preso per una vecchia carampana?

Scialoja si raddrizzò, piuttosto imbarazzato. C'erano

momenti in cui invidiava a Camporesi la sicurezza sociale che gli derivava dalla tradizione di famiglia.

– La conosco da pochi minuti e sono già costretto a chiederle nuovamente scusa!

– Chiedere non basta. Venga con me!

Maya lo trascinò nel vivo della festa, in un coro di sguardi corrucciati di genitori e occhiate ansiose di bimbetti.

– Questo signore è il capo della Polizia. È un capo buono e saggio. Ha cacciato via quei suoi uomini cattivi che stavano oltre il cancello. È vero?

Scialoja annuí. Maya sorrise. Qualche mamma, dapprima timidamente, poi in modo piú convinto, lo ringraziò. Un paio di padri gli strinsero la mano. La piccola Raffaella gli chiese se era davvero un poliziotto.

– Una specie.

– Ah, ecco perché non porti la divisa!

Poi Raffaella passò a occuparsi di qualcosa o di qualcuno di piú interessante, Maya lo presentò a destra e a manca, e mentre tutti si domandavano chi fosse quel misterioso pezzo grosso, Scialoja, disimpegnatosi con un pretesto qualsiasi, si mise alla ricerca di quelli che, invece, sapevano. Giulio Gioioso e Ilio Donatoni se ne stavano asserragliati in una sorta di taverna dai soffitti altissimi, davanti al camino spento. Non ci fu bisogno di presentazioni. Era atteso. Con una sola battuta rese chiaro a Ilio che l'oggetto della sua visita non erano i loro affari in comune, affari sui quali, pure, molto si sarebbe potuto dire, ma la persona di Giulio Gioioso. Donatoni si ritirò, sollevato. Giulio Gioioso giunse le mani come in preghiera e cercò di sondare il terreno con un sorriso mellifluo.

– Francamente, dottor Scialoja, non c'era bisogno di tutta questa messinscena. Se voleva incontrarmi, sarebbe bastato passare dal mio ufficio…

– Va bene, Gioioso. Saltiamo i convenevoli. Ho bisogno che lei porti un messaggio da parte mia al nostro comune amico.

Una smorfia tirata sostituí il sorriso mellifluo. Gioioso chiese il permesso di fumare. Prendeva tempo. Angelino Lo Mastro era scomparso. Il telefono dedicato era disattivo. I suoi tecnici gli avevano spiegato che era possibile localizzare un apparecchio, anche se questo era spento, dalla traccia rilasciata dalla batteria. Protocollo *riservato*, gli era stato garantito. Ma si sa: in Italia la riservatezza è una chimera. Angelino, quando aveva deciso di sottrarsi al confronto, aveva fatto scomparire anche la batteria.

Scialoja era venuto a sapere che pendevano su di lui due ordinanze di custodia cautelare per associazione mafiosa e concorso in estorsione. Ma il vero motivo della sparizione era un altro. La cattura di Riina. Angelino non voleva parlare con lui perché la cattura di Riina era stata interpretata in Sicilia come un tradimento. Ma se tradimento c'era stato, non aveva riguardato lui, Scialoja. Il canale non poteva saltare cosí all'improvviso per colpa della sporca dozzina del capitano Ultimo. Ma come rintracciare Angelino? Scialoja aveva rivoltato le carte del Vecchio. Vedi alla voce Cosa nostra/contatti/incensurati. Era saltato fuori il nome di Giulio Gioioso. Di una generazione piú anziano di Lo Mastro, laureato in Medicina, mai abilitato all'esercizio della professione. Emigrato da Palermo a Milano nei primi anni Settanta. Anche lui incensurato, anche lui imprenditore, ma con alterne fortune: amministratore dimissionario di un paio di società, condannato in primo grado e poi assolto in appello per bancarotta fraudolenta, figurava, da ultimo, come consulente del Gruppo Donatoni. Il Vecchio aveva annotato a margine, con la sua irritante grafia da scolaretto diligente: «Gio. porta Don. in Sicilia. Contropartita?» Prove certe dell'appartenenza di Giulio Gioioso alla mafia non ce n'erano. O almeno, non negli appunti del Vecchio. Gioioso e Lo Mastro. Un uomo d'affari e un mafioso conclamato. E Donatoni, l'uomo della bella signora, Donatoni *portato in Sicilia*...

– Ammettiamo pure che io abbia conosciuto, in passato, il signor Lo Mastro... Nella sua attuale condizione... lei è al corrente dei suoi problemi giudiziari, vero? Nella sua attuale condizione mi pare difficile che...

– Mettiamola cosí, Gioioso. Il nostro comune amico è il ministro degli Esteri della mafia. Io rappresento lo Stato. Dobbiamo organizzare un incontro. Lei mi aiuterà a farlo, e io dimenticherò certe informazioni riservate sul suo conto che, se divulgate, potrebbero costarle un bel soggiorno a spese dello Stato...

Gioioso rise nervosamente.

– Informazioni riservate? Io non ho niente da nascondere!

– I giudici di Milano non la penserebbero cosí, Gioioso.

– Quando si fanno certe accuse bisognerebbe essere in grado di provarle!

– Le garantisco che se decidessi di occuparmi seriamente di lei, le prove sarebbero l'ultimo problema. Per sua fortuna, però, lei non mi interessa, né mi interessano i suoi affari con Donatoni. Ciò che le chiedo è solo di riferire un messaggio. Dica al nostro comune amico che garantisco di persona per la sua sicurezza. Lui sa come contattarmi. La saluto, dottor Gioioso!

Fuori, la festa era entrata nel vivo. C'erano maghi, giocolieri e saltimbanchi che intrattenevano i bambini in un delirio di urla, canti, inseguimenti. Maya stava allacciando a un filo teso fra due piante una grossa pentolaccia. Scialoja le sfiorò una spalla. Lei si voltò. Il sorriso sulle sue belle labbra si spense.

– È venuto qui per mio marito, vero? Ilio mi ha detto che lei è...

Scialoja considerò la sua espressione tirata, l'ansia che traspariva dal tono della voce, il desiderio di protezione che la domanda cosí diretta lasciava intendere. Doveva essere davvero innamorata, Maya Donatoni. Innamorata dell'uomo sbagliato. Scialoja fu tentato di dirle: se lo porti via, signora, qualunque cosa stia facendo, gli impedisca di portarla a termine. Andatevene, per l'amor di Dio!

– Ma cosa dice, signora! Suo marito può stare assolutamente tranquillo!

– Grazie, – disse Maya, e di slancio lo baciò su una guancia.

Mentre si avviava alla sua auto, quel bacio Scialoja se lo sentiva pulsare come un marchio d'infamia.

Angelino Lo Mastro si fece vivo due giorni dopo il colloquio di Scialoja con Giulio Gioioso. Si incontrarono la prima settimana di marzo, a Villa Celimontana. Scialoja aveva riempito la villa di suoi uomini: nel caso qualche poliziotto o carabiniere zelante si fosse fatto venire la bella pensata di mettere le mani su un ghiotto ricercato. Angelino era vestito con la consueta eleganza, ma aveva gli occhi penosamente arrossati e tirava in continuazione su col naso. Cocaina, decise Scialoja.

Date le circostanze, i saluti si limitarono a un freddo cenno. Scialoja entrò *in medias res*: con l'arresto di Riina non c'entrava niente. L'accordo, per quanto lo riguardava, era ancora valido.

– Giú in Sicilia non sanno che ci siamo visti, – lo gelò Angelino.

– Vuol dire che avete già deciso? – chiese cupo Scialoja.

Angelino annuí. Scialoja strinse i pugni, in un gesto rabbioso.

– Mi stia a sentire. Fra un mese ci sarà il referendum elettorale. Vinceranno i sí. I vecchi partiti sono destinati a scomparire. Presto ci saranno nuove elezioni. Chi vincerà avrà una maggioranza stabile e sicura. E allora si potrà trattare!

– È una canzone che ho già sentito, dottor Scialoja! Noi chiedevamo solo un segnale. Ma non quello che ci avete dato! Ormai è troppo tardi!

– Potrei far revocare i suoi ordini di cattura, Lo Mastro!

Il giovane mafioso lo fissò, interdetto.

– Ho già detto che in Sicilia non sanno niente!

– Glielo dirà lei. Quando sarà tornato un uomo libero.

Naturalmente, Stalin Rossetti sapeva che si sarebbero incontrati. Il famoso «servizio informazioni» aveva riferito circa il viaggio di Scialoja a Milano e l'incontro con Giulio Gioioso. Tirare le somme era stato elementare, per Stalin. Tuttavia, con lui Angelino si mantenne sul vago, limitandosi a dirgli che lo sbirro parlava a vanvera e che loro ne avevano le tasche piene delle sue promesse. I preparativi per le azioni fervevano, giú nell'isola, e presto, molto presto, gli effetti sarebbero stati sotto gli occhi di tutti.

– Ma pure tu, Rossetti, alla fin fine… che ci guadagniamo, noi?

– Aspetta e vedrai, Angelino. Dammi tempo.

Stalin, a fine serata, gli offrí della cocaina. Angelino rifiutò sdegnato. Di quella schifezza, lui, non ne aveva mai voluto provare! Quella è roba da balordi, gli uomini ci fanno i piccioli, non ci si rovinano la vita. Stalin gli chiese scusa, piuttosto sorpreso. Angelino capí che l'offerta aveva a che fare con gli occhi arrossati, il colanaso e quant'altro, e scoppiò in una grassa risata.

– Ah, ho capito… ma la cocaina non c'entra, amico mio. Sono questi maledetti pollini che mi dànno il tormento. Tutti gli anni la stessa storia!

2.

Ai funerali dell'onorevole Corazza c'erano solo pochi intimi. E Argenti. Corazza gli aveva scritto due righe nel suo stile prima di tirare le cuoia: «Arge', nun te fa' 'ncula' dalli compagnucci tua. Famo 'n accordo o finiremo tutti nella merda». A suo modo nobile. Tempo per incontrarsi non ce n'era stato, il cancro era stato troppo veloce. E cosí non restava che rendere omaggio al vecchio bastardo. L'odore penetrante dei fiori appestava l'anonima chiesa della Balduina. Un prete distratto magnificava le virtú morali e civili del defunto, uomo dedito alla famiglia, alla religione, alla patria. Se avesse potuto assistere alle sue esequie, Corazza se sarebbe fatta 'na bella risata. Scialoja e Patrizia stavano due banchi dietro Argenti e Beatrice. Dopo l'incontro con Angelino, Scialoja si era appellato a tutti i suoi santi, protetti e protettori, pur di strappare un misero provvedimento favorevole al mafioso. Camporesi, sguinzagliato presso le Procure interessate, era tornato con la coda fra le gambe. Era bastato un accenno alla cosa per far partire una minaccia d'arresto. Stessa canzone dai politici. A parole, tutti disponibili, tutti consapevoli del grave momento. In realtà, nessuno si assumeva la responsabilità di un gesto, un'iniziativa. Tutti timorosi di mettersi contro i giudici. I quali giudici ormai erano fuori controllo. Agivano come governanti. Ci stanno facendo le scarpe, gli aveva confessato un vecchio attrezzo della Prima Repubblica, siamo stati troppo buoni con loro. Ci stanno facendo le scarpe perché sanno che vinceranno i comunisti. E sono tutti comunisti. Scialoja, che di giudici ne aveva conosciuti a dozzine nella sua carriera, a cominciare dal pavido dottor Borgia che gli aveva impedito, una volta, di sbattere il Vecchio all'«hotel Regina», Scialoja sapeva che i giudici non erano di colpo diventati comunisti. Si erano forse buttati a sinistra, questo sí, ma per lo piú inconsapevolmente. Disgustati dallo schifo che continuavano a disseppellire giorno dopo giorno, nauseati dal lento, inesorabile processo di decomposizione dello Stato. Il che li rendeva, in quanto protagonisti autonomi, estremamente pericolosi. Ragione di piú per limitare al massimo i contatti. Ma il vero tarlo (inginocchiati, gli disse Patrizia, una gomitata nella costola, visto che era rimasto il solo impalato davanti all'elevazione del calice)... il vero tarlo era Argenti. Non c'era misura *umanitaria* che non si infrangesse contro il suo rigore calvinista. Non c'era compagno che non ne temesse le sfuriate. Argenti si stava mettendo di traverso a tutti i suoi progetti. «Compagni» abili e spregiudicati, compagni che se ne fottevano del rispetto e della tradizione legalitaria non mancavano, nella premiata ditta Botteghe oscure & co. Ma tutti chinavano il capo davanti ad Argenti. Almeno per il momento. E cosí Scialoja doveva nuovamente affrontare l'orso. Cosa che avrebbe fatto appena terminata la mesta, e tediosa, cerimonia.

Patrizia, che in chiesa si trovava sempre a disagio, era uscita a fumarsi una sigaretta sul sagrato.

– Mi fa accendere?

La donna di Argenti, Beatrice. Patrizia le tese l'accendino. Lei la ringraziò con un sorriso appena accennato. Mario, le spiegò, Mario Argenti, detestava il fumo. Come tutti i neoconvertiti, la sua intolleranza metteva a nudo certi tratti ossessivi del carattere. Come definire, se non ossessivo, uno che si mette ad annusare il tailleur come un cane in cerca di tracce dell'orrida nicotina?

Scialoja e Argenti uscivano insieme dalla chiesa. Il senatore aveva l'aria sorpresa, ma anche vagamente diverti-

ta. Scialoja aveva approfittato del saluto al feretro per av-
vicinarlo.

– Come ha fatto a sapere che sarei venuto qui, Scialoja?
Mi tiene sotto controllo?

– Certo, – rise Scialoja, – ma purtroppo non sono riuscito a scovare niente d'interessante sul suo conto. Per questo
mi sono deciso ad affrontarla di persona...

– Sentiamo, – concesse Argenti con un sospiro.

Piú tardi, mentre, diretto al Senato per una riunione della Commissione giustizia, accompagnava Beatrice in reda-
zione, Argenti si sfogò.

– Scialoja ha passato il segno. Chiederò che sia rimosso da tutti gli incarichi!

– Esagerato!

– Quell'uomo è fuori di testa, Bea! Mi ha chiesto di
aiutarlo a far revocare l'ordine di cattura per un mafioso!

– A te?

– A me! A quanto pare, è convinto che i pubblici mini-
steri siano alle mie dipendenze, o qualcosa di simile!

– Non è il solo a pensarla cosí.

– Se fosse vero non saremmo al punto in cui siamo.

– Be', comunque è un bel riconoscimento... vuol dire
che ti stima e ti teme...

– Vuol dire che è marcio sino al midollo, ecco che cosa
vuol dire!

– Peccato. La sua compagna mi fa molta simpatia. Mi
piacerebbe conoscerla meglio.

– Non mi pare opportuno.

– Siamo a questo punto, senatore? Siamo al controllo
della vita privata?

– Potrebbe essere un trucco per agganciarmi.

– Stai diventando paranoico. È solo una donna complicata, e un po' triste...

– E tu che ne sai?

– Stiamo leggendo lo stesso libro. Quei racconti della Bachmann…

– È un'ex prostituta, Beatrice.

– E tu sei un *attuale* irrecuperabile maschilista, Mario!

Resurrezione

Valeria aveva chiesto al suo tutore se almeno il giorno del suo compleanno le sarebbe stato concesso di vedere un amico. Era in comunità da tre mesi, rigava dritto e meritava una piccola ricompensa.

– Un amico? Quando?

– Stasera.

– È presto. E poi... siamo noi i tuoi amici, Valeria!

– Si dà il caso che io abbia anche altri amici, oltre a... a noi!

– Si dà il caso che tu non sia ancora pronta!

Le regole erano la base del recupero. Le regole. E i passi. Alcune erano stupide. Come la limitazione delle sigarette o il razionamento delle saponette o il divieto di indossare magliette con certi simboli, da Pace, Amore & Musica alle rockstar in odore di tossicodipendenza.

Altre erano crudeli.

Perché non poteva decidere da sola?

Lei si sentiva pronta. Lo era.

Chiese di telefonare. Permesso negato.

Si chiuse in bagno. L'unica stanza dove non l'avrebbero disturbata con le loro fisse comunitarie.

Immaginò lo sguardo acceso di Pino Marino mentre si affacciava in guardiola e chiedeva di vederla.

Immaginò la risposta fintamente desolata del sorve-

gliante di turno. Del sadico di turno. Solo ai sadici si affi-
dano certi compiti.

Immaginò la delusione del ragazzo, lo vide ripiegare sotto il braccio la cartellina con il suo ritratto in forma di Madonna, quello che le aveva promesso nell'ultima lettera.

Le lettere si potevano ricevere, i ritratti e le fotografie
no. Un'altra regola. Stupida, crudele e assurda.

Ma anche dal bagno la tirarono fuori a forza.

In fondo era la sua festa, dunque si doveva festeggiare.

Tutti uniti intorno al tabernacolo. Preghiera facoltati-
va, ma raccomandata. Poi autocoscienza di Didi, Dodi e
Dadi, o come diavolo si chiamavano. Gli ultimi tre che *ce
l'avevano fatta*.

Poi il discorsetto del Patriarca (chiamavano cosí l'uomo barbuto e ispirato che aveva consacrato la sua esistenza al recupero eccetera…)

Il suo *incipit* ipocrita: so che molti di voi non vorrebbero essere qui adesso con noi, so che alcuni di voi ancora sognano la vita che si sono lasciata alle spalle, quella che
chiamate la libera vita della strada…

Ipocrita. Mentre si sforzava di assumere un'aria com-
punta, al solo scopo di evitare interrogatori e rotture ulteriori, Valeria si accorse che il Patriarca, in qualche modo,
rassomigliava a B.G.

Il *nuovo* B.G. B.G. che era cambiato. B.G. che lodava
la sua scelta. B.G. che aveva capito che la strada della ri-
salita era lenta e faticosa e le mandava la sua benedizione.
B.G. che per disintossicarsi non aveva bisogno di aiuto perché lui non c'era mai veramente *cascato*. B.G. che aveva
visto la Luce e stava preparando un nuovo disco di canzo-
ni d'ispirazione religiosa. B.G. che scriveva un'autobiogra-
fia che avrebbe destato sensazione. B.G. che si proponeva

come nuovo modello per i giovani in cerca di una strada. B.G. che si firmava «tuo come sempre».

Mente, le disse Lady Ero, materializzandosi accanto al suo lettino, quando finalmente la lasciarono andare.

Mente. Lui non cambierà mai. Tu non cambierai mai.

Perché non vai da lui?

Sarebbe cosí facile!

Conosci tutte le uscite e tutti i passaggi.

Dopo tutto, non è una prigione.

Dopo tutto, non possono fermarti.

Devi solo volerlo.

Devi solo deciderlo.

Muovi il primo passo, amica mia, e tutto sarà cosí semplice!

Lui è a Milano, adesso.

Lui ti terrà con sé!

Non penserai mica che ti lasci andare con quell'esaltato e le sue Madonne da due soldi!

Non sono brutte, d'accordo. Ma un po' d'impressione la fanno, non ti pare?

Su, andiamo!

È la tua festa!

Hai diritto a qualcosa di meglio che una banda di lagnosi ex tossici!

Ma te lo ricordi il flash?

Ma te lo ricordi lo sballo?

Ma ti ricordi...

Mandarla via era stato duro, questa volta. Alla fine c'era riuscita. E senza l'aiuto di nessuno.

Nel mese che seguí tutti gli operatori si complimentarono con lei per i passi da gigante che stava compiendo sulla via del recupero.

Un giorno le dissero che c'era una visita.

Poteva cambiarsi, se voleva.

Poteva mettere su qualche goccia di profumo.

Quando vide che gli veniva incontro con il maglioncino rosso e i larghi jeans, quasi sformati, Pino Marino ebbe voglia di abbracciarla.

Ma aveva paura di toccarla.

E comprese in quel preciso istante che cosa significa sentirsi perdutamente, disperatamente innamorati.

Quando il gioco si fa duro...

Nel salottino riservato del regista Trebbi, Scialoja e il confratello P. commentavano i recenti sviluppi della situazione italiana. Il referendum sulla legge elettorale, stravinto dai fan del maggioritario, cancellava di colpo la vecchia politica. Si voltava pagina. Le elezioni erano praticamente obbligate. Scialoja non riusciva a rassegnarsi all'inerzia dei suoi interlocutori. Aveva fatto il pazzo per strappare un minimo segnale. Aveva messo sotto controllo i magistrati, ma anche loro, come Argenti, sembravano puliti.

Argenti! Argenti era la sua dannazione. Argenti aveva mosso tutte le leve a sua disposizione per neutralizzarlo. Senza risolvere nulla. Finché le carte del Vecchio restavano in suo possesso, era intoccabile. E tuttavia, il solo fatto che un comunista, o pidiessino, o come diavolo si chiamavano adesso, avesse osato soltanto *provarci* era un chiaro indice dei tempi. «I buoni» si erano messi sul serio a fare i buoni. E questo, ai tempi del Vecchio, sarebbe stato impensabile. E impensabile sarebbe stata quella vittoria delle Sinistre che ormai tutti davano per scontata. C'era qualcosa che gli sfuggiva, in quella rassegnazione diffusa. Si erano dunque tutti già arresi ai rossi?

Il confratello P., uno dei piú influenti membri della loggia Sirena, era preoccupato. Incupito e confuso, gli rivelò che «stavano accadendo cose incredibili».

Correva voce che il gran maestro si fosse dimesso. Si diceva che fosse sua intenzione presentarsi al duca di Kent, il capo supremo dell'Obbedienza, per denunciare altri confratelli.

– E che avrebbero fatto questi confratelli? – sussurrò, scettico, Scialoja.

– Se te lo dico non mi credi.

– Provaci.

– Si dice... si parla di mafiosi e massoni che, insieme, starebbero organizzando delle stragi... ma ti pare possibile? È incredibile, no?

– Già. È proprio incredibile.

O folle. Ecco, folle. Non sai piú a che santo votarti, eh, fratello G.? La sola idea che un uomo d'onore possa anche essere massone ti manda a rotoli il credo di una vita... forse qualche volta hai pensato che quel tipo strano che hai incontrato a quella riunione... quel vecchio gentiluomo dall'accento siciliano, o forse, chissà, americano... forse hai pensato che non te la contavano giusta... ma hai voltato la testa dall'altra parte... folle. Incredibile, vero, confratello G.?

Scialoja troncò la conversazione con parole di affetto e di rassicurazione per l'ingenuo confratello.

La voce sulle «logge deviate» si diffondeva. Qualcosa era nell'aria. Il silenzio delle istituzioni si faceva assordante. E sospetto. Ebbe', che si rassegnassero pure gli altri. Lui, questa volta, si sarebbe discostato dagli insegnamenti del Vecchio. Avrebbe agito in prima persona, questa volta.

Camporesi approvò entusiasticamente il piano. Il ragazzo aveva voglia di menare le mani. L'idea di impadronirsi di un pezzo del calibro di Angelino Lo Mastro lo esaltava. Scialoja, ovviamente, si guardò bene dall'illustrargli la seconda parte del piano. Prendere Angelino, sí, ma non per consegnarlo alla giustizia. Scialoja pensava a una specie di scambio. Fuga, passaporto e un po' di soldi contro la rivelazione dei prossimi obiettivi della Cosa nostra. Camporesi ci sarebbe rimasto male. Ma non era un suo problema. Per la prima volta dopo tanto tempo, Scialoja si era scoperto inorridito dalla possibilità, anzi, dalla certezza, che alla fine del gioco, sul campo, sarebbero rimaste troppe vittime innocenti. Forse era una concessione al sentimentalismo che il Vecchio avrebbe disapprovato, ma sentiva di dover tentare. Il vagabondare degli ultimi tempi ritrovava un senso. Aveva Patrizia, dopo tutto, e aveva un progetto non privo di una sua tortuosa nobiltà.

Cosí tornò a sfrucugliare Giulio Gioioso, e concordò con Angelino un incontro ultrariservato. Un faccia-a-faccia definitivo e sotto la sua personale responsabilità. Angelino, tramite lo stesso canale, fece pervenire la sua accettazione.

I giorni che precedettero l'appuntamento furono interamente occupati dai preparativi. Squadrette strategicamente disposte presidiavano Villa Celimontana. Niente era stato lasciato al caso. Scialoja, solo e disarmato, si avventurò per un sopralluogo un'ora prima di quella fissata per l'incontro. Tutto sembrava a posto. Sotto un lampione, un ragazzo dall'aria vagamente spiritata si sbaciucchiava con un'esile biondina. Nel passare loro accanto, Scialoja provò un brivido d'invidia. Ora che aveva la passione, una passione cosí faticosamente conquistata, rimpiangeva qualcosa che si sarebbe potuto definire *il cammino verso la passione*. I lunghi corteggiamenti, il tenersi mano nella mano, il dolore del momentaneo abbandono che ti appare irrevocabile e ti scava dentro, il sollievo del ritrovarsi... Tutto questo a lui e a Patrizia era stato negato. Loro due erano sempre stati, e per sempre

sarebbero stati, qualcosa di diverso. La loro storia era iniziata direttamente dal terzo atto.

Pino Marino, nel riprendere fiato dal bacio appassionato di Valeria, seguí lo sbirro finché le ombre della sera non
lo ebbero inghiottito. Altre ombre seguivano passo passo
l'incedere di Scialoja. Come Stalin Rossetti aveva immaginato, era una trappola.

– Dobbiamo andare, – gli ricordò Valeria.

Pino annuí. Aveva visto abbastanza. Era la prima libera uscita di Valeria da quando era stata ricoverata in comunità. Aveva immaginato un tempo diverso, per quel loro primo incontro da persone libere. Ma Stalin, con il consueto
pragmatismo, gli aveva spiegato che due giovani innamorati avrebbero costituito una copertura eccellente. Stalin aveva ragione, come sempre. E Pino aveva accumulato l'ennesimo credito verso l'uomo che amava farsi definire «padre».
Un credito che sarebbe stato molto utile al momento del ri-
tiro. Perché presto, molto presto, non appena Valeria fosse
davvero guarita, lui si sarebbe ritirato.

– Scusami, Valeria, devo fare una telefonata. Mi aspetti in macchina?

Stalin Rossetti accolse la comunicazione con un sorriso
consapevole, e ne informò Angelino Lo Mastro. Il mafioso
diventò rosso dalla rabbia.

– Ma si è fottuto il cervello? Ma che cosa voleva dimostrare?

– Che è piú forte di te. Forse voleva barattare la tua libertà con qualche rivelazione… costringerti a far venire i
capi allo scoperto… È la mossa di un uomo disperato, Angelino!

– Minchia, io lo ammazzo, a quel bastardo!

– Non ne vale la pena, Angelo. Abbiamo altro da fare.

Ma Angelino ci mise un po' a calmarsi. Pensava al pericolo terribile che aveva corso e si sentiva sconquassare dall'ira. Era stato sul punto di perdere tutto. In un colpo solo. La libertà, il potere, l'onore, il rispetto... perché un mafioso che si fa fottere cosí da un migna è peggio di una merda di cane.

– Ti devo un favore, Stalin. Un favore grosso.

Piú tardi, con Patrizia, Stalin si sforzò di apparire gentile, affettuoso, ma la collera e l'impazienza trasparivano da ogni suo piccolo gesto, ogni frase. Se Angelino non lo avesse informato della richiesta di Scialoja, avrebbe perso il suo unico alleato. Perché Patrizia, questa volta, aveva fallito?

– Due settimane fa lui è andato a Milano.

– Sí. Non te l'avevo detto?

– No.

– Mi sarà passato di mente.

– Non deve succedere.

– Forse non era una cosa cosí importante...

Patrizia era troppo sulla difensiva. Situazione problematica. Si profilava una nuova crisi. La *défaillance* informativa era il sintomo di una crepa ben piú profonda. Patrizia stava crollando. Le aveva imposto un gioco troppo duro. Patrizia stava perdendo il contatto con la realtà. Se non interveniva rapidamente, c'era il rischio che cominciasse a fare confusione fra i buoni e i cattivi. Era accaduto a un paio di infiltrati, ai tempi della Catena. Si erano lasciati coinvolgere. Si erano involontariamente traditi. E il piano era andato a monte. Davanti a una crisi di questa portata, c'erano solo tre possibilità. Un energico richiamo all'ordine. Una pausa di riflessione. La soluzione finale. Stalin scartò la prima opzione: un eccesso di violenza poteva dare il colpo definitivo alla sua fragile sposina. Restava da scegliere fra il rilancio e quella che, una volta, il Vecchio aveva pudicamente definito «l'interruzione del rapporto di lavoro». Ma alla soluzione finale si accedeva di rado. Contrariamente a quanto si crede, nella zona grigia (e la Catena non aveva fatto eccezione) vige un ferreo principio di economia della violenza. Ogni soluzione finale lascia dietro di sé una scia di tracce. E le tracce significano pericolo. Perciò, solo quando ogni altro rimedio sia stato vanamente esperito, soltanto allora si «interrompe il rapporto di lavoro». Aveva passato giorni a spiegare alle reclute che il delitto per il delitto è un'arma controproducente. Solo gli psicopatici amano uccidere. Va da sé che, in determinate circostanze, anche gli psicopatici possono rivelarsi di una certa utilità. Ma questo è un altro discorso, concluse Stalin. E non riguarda Patrizia. Finché la sua presa su di lei fosse rimasta salda, non ci sarebbe stato nessun licenziamento. Avrebbe corso un certo rischio, ovvio. Ma non poteva rinunciare alle sue informazioni. Non adesso. Con un sospiro, le carezzò i capelli.

– Va bene, non è successo niente di irreparabile, in fondo. Siamo tutti e due un po' stressati. Prenditi una pausa, Patrizia. Negati per due, tre giorni. Inventa scuse plausibili. Hai bisogno di ricaricarti. Poi, quando ti sentirai pronta, potrai riprendere il lavoro. Conto su di te, tesoro!

In quello stesso momento – era quasi mezzanotte – Scialoja e Camporesi si arresero all'evidenza. Angelino non sarebbe venuto. Qualcosa era andato storto. Angelino aveva capito tutto. Scialoja, con un gesto stanco, richiamò i ragazzi.

Angelino si fece vivo con Stalin la prima settimana di maggio.

Il Guercio li portò su un terreno incolto lungo la via Ostiense e restò in attesa nella Mercedes.

Angelino trascinò Stalin verso una piccola baracca se-
midistrutta e ingombra di calcinacci.

– Là dentro ci stanno i parmigiani.

Stalin gli scoccò un'occhiata interrogativa. Angelino rise, e gli spiegò che giú in Sicilia avevano preparato qualche centinaio di chili di esplosivi vari.

– Per fare una miscela che i tecnici dei Carabinieri poi
non ci capiscono niente, trituriamo un bel po' di roba e la
compattiamo. Quando ha la faccia di una forma di parmigiano, la mettiamo sul camion e la facciamo venire qua in
continente...

– Allora si comincia, finalmente!

– Cosí pare. Nei prossimi giorni stai lontano dai Parioli, amico mio!

– Perché? Che succede ai Parioli?

– Con questo parmigiano ci stiamo preparando una bella pastasciutta al signor Maurizio Costanzo!

– Ma che cazzo vai dicendo?

Angelino si disse d'accordo con lui su tutta la linea. L'attentato era assurdo. Premesso che il destino di Costanzo li
lasciava del tutto indifferenti, il problema era di diverso genere.

Ancora un bersaglio umano!

La strategia che avevano ipotizzato a Riofreddo si allontanava.

Tutto era stato inutile.

Angelino cercò di rassicurarlo. Era già previsto un doppio colpo. Costanzo era un atto dovuto, secondo gli sche-
mi di quelli di giú.

L'attacco era già stato programmato da tempo.

Costanzo aveva parlato contro la mafia. Costanzo aveva
augurato atroci sofferenze ai mafiosi. Costanzo era un uo-

mo ascoltato e rispettato. Costanzo creava un sentimento ostile alla mafia. Costanzo incitava all'odio contro la mafia. Girava voce che volesse fondare un partito con quell'altra testa gloriosa di Michele Santoro. Il Partito della migneria. Un bel partito di migne cornuti per andare in culo all'onorata società!

Erano cose che andavano punite.

Cosí ragionavano a Palermo. E cosí si sarebbe fatto.

Effetti collaterali

I.

ROMA, VIA FAURO, 14 MAGGIO 1993

Il 14-5-93, verso le 21,35, vi fu, in via Ruggero Fauro di Roma, a circa 15 metri dall'incrocio con la via Boccioni, una violentissima esplosione, che sconvolse la zona. Rimasero gravemente danneggiati i palazzi siti sulla destra della strada, per chi guarda verso la parte bassa della stessa (via Fauro è in discesa verso via Boccioni).

Subirono gravi danni, in particolare, gli edifici (di 6-7 piani) posti ai civici 60-62-64 di via R. Fauro e quello posto al n. 5 di via Boccioni, dei quali furono divelti gli infissi, abbattuti gli aggetti (cornicioni, balconi, ecc.), distaccati gli intonaci e alcuni muri divisori.

Furono divelti gli infissi degli immobili per un raggio di circa 100 metri; in un raggio ancora maggiore si verificarono rotture di vetri. Sul lato opposto della strada, in prossimità dell'epicentro dell'esplosione, andò parzialmente abbattuto un lungo tratto del muro di recinzione dell'istituto scolastico *C. Cattaneo* e gravi danni subirono la scuola elementare e l'asilo (facenti parte del complesso scolastico sopra indicato).

Circa sessanta autovetture parcheggiate nella zona rimasero danneggiate, alcune anche gravemente; sei andarono distrutte.

Almeno una trentina di persone dovette ricorrere alle cure dei sanitari, anche se nessuno subí, fortunatamente, conseguenze fisiche importanti. Parecchi, però, rimasero traumatizzati dall'evento e non si sono mai piú ripresi.

Al momento dell'esplosione erano in transito sulla via R. Fauro due autovetture: una Mercedes condotta da D.S. e dove sedevano Costanzo Maurizio, noto presentatore televisivo, e De Filippi Maria, convivente di quest'ultimo; nonché una Lancia Thema con a bordo D.P.D. e R.A., guardie del corpo private del Costanzo, che seguiva a brevissima distanza.

Nell'attimo stesso in cui vi fu la detonazione l'auto del Costanzo, proveniente dalla parte alta di via Fauro, s'era appena immessa nella via Boccioni; la Lancia di scorta stava svoltando nella via Boccioni, o aveva effettuato la svolta da qualche istante. Le due vetture rimasero gravemente danneggiate; il D.P., autista della Lancia, subì ferite da taglio guarite in circa 20 giorni; R.A. riportò lesioni che gli hanno lasciato, come residuato, crampi alla testa; gli altri rimasero miracolosamente illesi. L'esplosione provocò la formazione di un «cratere» sulla via Fauro e sul marciapiede attiguo al civico 41. Tale cratere aveva forma ovoidale. Il diametro massimo era di metri 2,90; quello minimo di metri 2,10; la profondità di cm 40,4.

Senza alcun ragionevole dubbio l'esplosione fu determinata da una miscela di esplosivo ad alto potenziale collocata all'interno dell'autovettura Fiat Uno tg ROMA...
Furono identificati, nei reperti:
1. Nitroglicerina (Ng);
2. Etilenglicoledinitrato (Egdn);
3. isomeri del Dinitrotoluene (Dnt);
4. Ammonio nitrato (An);
5. 2, 4, 6, Trinitrotoluene (Tnt. È il Tritolo);
6. T4;
7. Pentrite.
L'ordigno era collocato sicuramente nel bagagliaio o sul sedile posteriore della Fiat Uno.

In via Fauro non vi furono morti, né feriti gravi, ma ciò dipese unicamente da un fortunoso concorso di circostanze, che evitarono la tragedia.

Infatti, tra quelli che sembrarono, già a prima vista, le vittime designate (Costanzo e il suo seguito), solo D.P.D. riportò una ferita da taglio guarita in circa 20 giorni; gli altri, a parte lo shock, rimasero praticamente illesi.

Ma tutta la parte posteriore della Lancia Thema fu attinta da una grande quantità di schegge che danneggiarono gravemente la parte posteriore del veicolo: una sola di quelle schegge, diversamente proiettata, poteva essere letale per gli occupanti.

L'auto del Costanzo, invece, pur rimanendo danneggiata, non venne investita alla stessa maniera.

Ma le persone sopra dette non furono le sole a scansare, per puro miracolo, l'incontro con la morte in quella sera. L'istruttoria espletata ha messo in evidenza, infatti, che proprio intorno alla Fiat Uno avevano gravitato, fino a pochi attimi prima dell'esplosione, per i motivi piú diversi, una molteplicità di persone, che se ne erano poi allontanate.

D'altra parte, non poteva essere che cosí, posto che l'autobomba fu fatta esplodere in una zona intensamente abitata, in un'ora di svago delle persone (quella successiva alla cena), nei pressi di un teatro (il teatro *Parioli*, sito nella attigua via Borsi) e proprio alla fine dello «show» del Costanzo.

FIRENZE, VIA DEI GEORGOFILI, 27 MAGGIO 1993

Il 27-5-93, qualche minuto dopo le ore 01,00, ci fu, in via dei Georgofili di Firenze, nel punto di confluenza con via Lambertesca, una violentissima esplosione, che sconvolse il centro storico della città. Persero la vita cinque persone; parecchie altre rimasero ferite.

Andò completamente distrutta la Torre dei Pulci, sede dell'Accademia dei Georgofili, che seppellí, nella sua rovina, i quattro membri della famiglia Nencioni, custode dell'Accademia (morirono Nencioni Fabrizio; la moglie Fiume Angela; i figli Nencioni Nadia e Nencioni Caterina); prese fuoco l'edificio sito al n. 3 di via dei Georgofili e nel rogo trovò la morte Capolicchio Davide, che occupava un appartamento sito al primo piano dello stabile; subirono gravi danni gli edifici posti sulla via dei Georgofili e la via Lambertesca, con crollo degli infissi e di tramezzi interni, devastazione del mobilio e delle suppellettili (in particolare, quelli posti ai civici 1 e 3 di via dei Georgofili; quelli siti ai nn. 1-2-4-6 della via Lambertesca); molti altri edifici riportarono danni minori (distacco di intonaci e rottura di vetri).

In sintesi, l'esplosione interessò un'area di circa 12 ettari, con forma circolare e diametro di circa 400 metri.

Furono censiti 35 feriti, tra cui alcuni gravemente. Molte persone sentite hanno riferito che riportarono lesioni meno gravi, ma pur sempre significative (guarite in 20-30 giorni). Quasi tutte rimasero traumatizzate dall'evento e alcune non hanno mai piú recuperato la tranquillità di prima.

Per quanto riguarda i beni storico-artistici, gravi danni subí la Chiesa di S. Stefano e Cecilia, sita a circa 30 metri dall'epicentro dell'esplosione, sul lato che guarda piazza del Pesce. Qui l'onda d'urto ebbe a scardinare la «macchina architettonica» dell'edificio per effetto del sollevamento della cupola, che fuoriuscí dalle geometrie normali.

Gravissimi danni subí anche il complesso artistico-monumentale degli Uffizi, separato dal focolaio dell'esplosione dalla sola Torre dei Pulci. Rimasero gravemente danneggiate le strutture murarie della Galleria, i collegamenti verticali, le scale, i lucernari, i soffitti, i tetti, anche se non fu compromessa, fortunatamente, la statica dell'edificio. Tra le scale, rimase particolarmente danneggiato lo Scalone del Buontalenti, di discesa al piano terra.

Tra le opere pittoriche e scultoree andarono completamente distrutti tre dipinti (due di Bartolomeo Manfredi e uno di Gherardo delle Notti, il cui valore commerciale era stimato, complessivamente, in circa 15 miliardi di lire). Rimasero danneggiati 173 dipinti, tra cui alcuni in modo grave (in particolare, la celeberrima *Morte di Adone*, di Sebastiano Del Piombo); 42 busti archeologici e 16 statue di grandi dimensioni (tra cui il celebre *Discobolo*, spezzato in piú parti). Complessivamente, andò danneggiato circa il 25 per cento delle opere presenti in Galleria.

Pure distrutte o danneggiate, per effetto dell'esplosione, furono alcune opere presenti presso l'Accademia dei Georgofili e altre esistenti presso il Museo della Scienza e della Tecnica.

I danni economici sopportati dalla città e dallo Stato furono enormi. Infatti, piú di 30 miliardi furono spesi per ricostruire la Torre dei Pulci, riparare la Chiesa di S. Stefano e Cecilia e il complesso degli Uffizi, restaurare le opere danneggiate.

Altre ingenti spese furono sostenute per ristorare i (molti) cittadini che avevano perso tutto ed erano stati evacuati dalla zona.

Le indagini svolte dagli organi investigativi hanno consentito di accertare, senza alcun ragionevole dubbio, che l'esplosione fu causata da una miscela di esplosivi ad alto potenziale collocata all'interno del Fiorino Fiat tg FI...

Proprio di fronte alla Torre dei Pulci fu individuato un cratere tipico, per forma e dimensioni, delle esplosioni.

Inoltre, tutti gli edifici al contorno erano stati «mitragliati» da una enorme quantità di schegge provenienti, a raggiera, dal cratere; gli effetti sulle cose e sulle persone erano quelli provocati, tipicamente, dall'onda pressoria di una detonazione di esplosivi ad alto potenziale e dalla successiva depressione (frantumazione delle strutture prossime al punto dell'esplosione; disarticolazione delle strutture circostanti; danneggiamenti in largo raggio, sia sulle cose che sulle persone – in particolare, sugli organi dell'udito.

Per quanto attiene al tipo di esplosivo utilizzato, fu utilizzata una miscela di esplosivo composta di Pentrite, Tritolo, T-4, Nitroglicerina, Nitroglicol e Dinitrotoluene.

Per quanto attiene, poi, al quantitativo di esplosivo impiegato, i consulenti hanno determinato, con sufficiente approssimazione, il peso di carica, calcolato in circa 250 kg.

Nel caso di via dei Georgofili l'enorme potenzialità offensiva della condotta è testimoniata, oltre che dalla morte effettiva di cinque persone, dal fatto che l'ordigno fu collocato in una zona fittamente abitata, dove il bilancio conclusivo poteva essere sicuramente piú pesante.

Infatti, furono numerosi anche i feriti.

L'esplosione interessò un'area di circa 12 ettari, il «cuore antico» di Firenze; un intero edificio si sbriciolò (la Torre dei Pulci); un altro prese fuoco (quello sito al n. 3 di via dei Georgofili); molti appartamenti siti nella zona dovettero essere evacuati e sottoposti a intensi lavori di recupero; furono gravemente danneggiati edifici monumentali e opere d'arte d'inestimabile valore; andarono distrutti mobili e suppellettili di molti appartamenti.

2.

Un-duè. I mafiosi erano stati di parola. Un uomo, un monumento. Qualche effetto collaterale, ma di quelli nessuno si preoccupava.

Angelino e Stalin festeggiarono a champagne al *Café de*

Paris: un posto che Stalin trovava un po' degradato, ma che si adattava a meraviglia all'immagine un po' *démodée* che della città eterna il mafioso coltivava.

Costanzo era scampato, e anche questa era una buona notizia. Lunga vita a Costanzo! Di martiri ne avevano avuti sin troppi. Ecco un caso in cui l'errore in fase esecutiva si rivela provvidenziale ai fini di una piú complessa strategia. Alle maestranze era stato riferito che si era trattato di un attentato a scopo dimostrativo.

– 'U ficimu scantari. Cosí la smette di scassarci la minchia con la cultura dell'antimafia!

Angelino Lo Mastro si accese una sigaretta e disse che Scialoja stava facendo il pazzo per mettersi in contatto con loro.

– Al povero Giulio Gioioso lo fa sorvegliare ventiquattr'ore su ventiquattro...

– E tu?

– Io non ci parlo piú con quel pezzo di merda. E anche i compari giú la pensano come me!

Stalin chiamò il cameriere e si fece portare un Martini cocktail.

– Pure io mi mossi, Angelo.

Stalin gli disse che aveva lanciato messaggi, firmato minacce con una vecchia sigla, Falange armata, buona per mille usi. Che aveva *arato il terreno*. Che è cosí che funzionano le cose: per accumulo di tanti piccoli segnali in apparenza insignificanti che poi trovano nel *gesto* il loro senso ultimo.

– E quale sarebbe questo gesto?

Per quanto si sforzasse di seguire la sua logica; per quanto intelligente potesse essere – e Angelino era un ragazzo intelligente – pure il mafioso stentava a comprendere sino in fondo l'argomentare dell'amico. Stalin provò un moto di orgoglio: qui si sta parlando di alta scuola. Qui si sta parlando del Vecchio!

– Il gesto piú conveniente. Vedrai!

Angelino lo lasciò ai suoi pensieri con una stretta di mano e una mancia esagerata. Tipico. C'era nel fondo del suo animo mafioso un che di irredimibile che avrebbe retto a qualunque cambiamento.

Stalin ordinò l'ennesimo drink e si guardò intorno. Il progresso delle cose lo aveva messo di buon umore. E gli aveva stimolato una certa fame di sesso. Con Patrizia, neanche a parlarne. Lei aveva ricominciato a informarlo con regolarità, e questo era già un risultato. La presa teneva, se non altro. Ma quando si incontravano lei era come fosse sempre da un'altra parte. Sbrigativa, talora scontrosa. Presto avrebbe dovuto prendere decisioni definitive. Era solo una questione di tempo. L'intera faccenda non era che una corsa contro il tempo. Sarebbe stato il vincitore a decidere di tutto. Anche della sorte di Patrizia.

A un paio di tavolini dal suo notò una ragazza dal vestito rosso. Unghie laccate. Inguaribile aura puttanesca. Chissà se con un'offerta adeguata… Ma proprio in quel momento lei si alzò, e con un tono vezzoso e la voce sorprendentemente sbarazzina disse: – Scusami un attimo, papà, vado in bagno.

Stalin si sentí improvvisamente vecchio e inadeguato.

Ma che stava succedendo?

Non era piú in grado di distinguere una professionista da una brava ragazza?

La sincerità

1.

Ilio baciò Maya sul collo e le si sdraiò accanto. La piccola gli montò a cavalcioni sul petto. Ilio la lanciò in aria e la riafferrò al volo. La bambina rise.

– Il principe di Galles mi ha offerto un pacco di quattrini per la barca.

– Sul serio? Lui è qui?

– È alla fonda fra le due isole. Dice che corrisponde al suo ideale estetico di natante. E lo dice in italiano!

– Il principe Carlo parla italiano? – chiese Raffaella.

– Be', è sempre un inglese. Ma ama l'Italia e ci tiene a mostrarlo.

– E c'è anche Lady D.? – si informò Maya.

– Certo. E vuoi sapere una cosa?

– Dimmi.

– È sopravvalutata.

– Se lo dici tu…

– Per me è facile dirlo. Sto con la donna piú bella del mondo!

– Stupido! Ma tu… vendi?

– Ma quando mai! E sai perché?

– Perché?

– Perché un giorno tu, Raffaella e io saliremo sul *No-*

stromo e ce ne andremo via per sempre da questo Paese di merda...

– Ilio!

– Papà ha detto una parolaccia! Papà ha detto una parolaccia!

– Scusami, piccola! Ma vi giuro che lo faccio. E sapete un'altra cosa? Quel giorno saliremo sulla barca e non scenderemo mai piú. Vivremo girando di porto in porto. Ci nutriremo di pesci e frutti di mare e berremo l'acqua salata filtrata dai potenti desalinatori di bordo... Ah, e poi mi faccio anche un cannoncino, cosí quando mi gira punto tutti quelli che mi stanno antipatici e... *pam!* Li faccio secchi!

– Bravo papà! – urlò Raffaella. Poi si sciolse dall'abbraccio e si mise a correre verso il mare.

Un marinaio gesticolava sul ponte del *Nostromo*, cercando di attirare l'attenzione di Ilio. Ilio rispose con un cenno di saluto. Il marinaio portò una mano all'orecchio nell'inequivocabile segno del telefono. Ilio si avviò sbuffando.

Maya cercò la piccola.

Minuscola, con le braccine tese e i pugni stretti, lo sforzo di una volontà estrema che rendeva corrucciato il suo viso gentile, Raffaella, i piedini a distanza di sicurezza dall'onda, sembrava sfidare il mare: vieni avanti, mare, prendimi, se ti riesce, e se non ce la fai vuol dire che sono io la piú forte...

Maya osservava la sua bambina con un misto di tenerezza e struggimento. Lei cosí minuta e quel mare cosí immenso, pericoloso, il nervoso Mediterraneo di sassi bianchi e rocce a strapiombo... solo una bambina, ma che forza in quel suo gesto di sfida! A mano a mano che la piccola cresceva, a Maya pareva sempre piú lontana dalla sua quieta rassegnazione, ma anche dal dinamismo imprevedibile, a

volte eccessivo di Ilio. Era come se nell'ostinata determina-
zione di Raffaella si stesse riattizzando una scintilla del Fondatore. Anche il taglio obliquo degli occhi e certi sorrisi ap-
parentemente insensati, ma in realtà gravi del carico di un
giudizio senza appello (quando lei era troppo nervosa, o lui
troppo distratto, e tutti e due cercavano frettolosamente di
smarcarsi da un gioco che durava troppo a lungo, da un'attenzione rivendicata con estrema decisione)... persino quei
sorrisi venivano da lui, dal Fondatore. Come se una generazione fosse stata ironicamente saltata. E lo spirito indo-
mabile del Fondatore avesse deciso di reincarnarsi in qualcuno piú degno di accoglierlo. Una bambina che sarebbe diventata una donna, forse migliore di lei.

Antipaxos rigurgitava di barche. Predominanti gli italiani. Maya identificò lo yacht del principe di Galles. Nessun
confronto con il *Nostromo*. Certe volte si domandava che ne
sarebbe stato della loro vita se Ilio avesse lasciato perdere
tutto per dedicarsi alla sua unica vera passione: il mare. Chissà se poco prima aveva parlato sul serio. Chissà. L'occhio
migliorava, ma era costretta a indossare sempre lenti neris-
sime: il riverbero del sole di Grecia sull'acciottolato bianco
era insostenibile per la sua povera retina provata. Certe volte pensava di non essere stata capace di approfittare dell'occasione che l'incidente le aveva offerto. Era ripiombata nella solita vita dopo un brevissimo tentativo di resistenza. Una
vita dorata che chiunque le avrebbe invidiato. E l'invidia
non mancava, infatti. Ma era una vita stupida. Una vita sterile. A parte Ilio e la piccola, beninteso. Che poi erano tutta la sua vita. Circolo ozioso, dunque. Lamentazione vana.
Perché né al marito-toro né alla principessina-regnante avrebbe mai potuto rinunciare. E allora, di che stiamo parlando?
Di un *incipit* di nevrosi da casalinga benestante? O c'era del-
l'altro? Qualcosa intorno a lei, qualcosa di poco chiaro che

si muoveva nell'aria e che un residuo dell'antico intuito del Fondatore le permetteva di percepire, ma in forma indistinta, superficiale... come superficiale era la sua stessa esistenza? Una volta, il Fondatore le aveva raccontato di come, un giorno del '66 o del '67, gli era improvvisamente stato chiaro che, di lí a poco, sarebbe scoppiata la rivoluzione. Per come la raccontava il Fondatore, era una storia di sguardi. Era accaduto una mattina di gennaio. Freddo e vento, in un cantiere su in Val Brembana. Durante un'ispezione il suo sguardo aveva incrociato decine di sguardi rassegnati o incazzati di capomastri, sorveglianti, carpentieri e avventizi. Ma a destare l'intuizione era stato lo sguardo di uno che con il lavoro non c'entrava niente. Un ragazzo, poco piú che adolescente. Portava in tutta fretta un involto con il pranzo a un operaio che se ne stava sulla travatura traballante di un ponteggio precario, lassú in cima, sotto densi strati di nubi che sembravano pregustare l'imminente acquazzone. L'operaio aveva dimenticato la colazione a casa. Il ragazzo aveva saltato un giorno di scuola per rimediare. Il capocantiere non intendeva consentire all'operaio di scendere a raccattare il suo misero involto. Il ragazzo insisteva, cocciuto. Il Fondatore aveva ordinato di chiamare l'operaio. L'operaio era sceso, aveva afferrato il pacco senza nemmeno salutare il figlio e si era scusato per l'incidente. Il Fondatore gli aveva accordato una giornata di permesso.

«Va' a pranzo con tuo figlio. Non ti trattengo la paga. E buon appetito!»

L'operaio aveva ringraziato. Era stato allora che il ragazzo l'aveva fissato. In quegli occhi piccoli e scuri, nei quali si era aspettato di leggere riconoscenza, aveva letto invece l'odio. Un odio antico e mortale. Il Fondatore capí che doveva assolutamente spegnere quell'odio.

Il Fondatore non era stato un uomo buono. A volte si

era comportato in maniera equa, altre volte da vero bastardo. Il Fondatore era, sopra ogni altra cosa, un uomo intelligente. Aveva capito che sarebbe successo qualcosa, e non
voleva farsi trovare impreparato. Quando aveva esposto il
progetto, in consiglio d'amministrazione l'avevano guardato come un pazzo. Le teste d'uovo avevano sentenziato: non
se ne fa niente. Le teste d'uovo avevano pontificato: costi
insostenibili nell'attuale situazione di mercato. Il Fondatore aveva tirato dritto per la sua strada. Dopo tutto, deteme-
va la maggioranza del pacchetto azionario. E dunque la sua
parola era legge.

In breve tempo l'azienda era diventata un modello di integrazione sociale. Asili nido. Permessi retribuiti. Un intero quartiere ricco di servizi e aree verdi sorto dal niente con
annessa cessione di alloggi alle maestranze a prezzi concor-
renziali. Il Fondatore aveva anticipato lo Statuto dei lavo-
ratori e il '68. E quando il '68 era scoppiato, il Fondatore
lo aveva attraversato, indenne. E tutti avevano capito, una
volta di piú, che cosa significava essere il Fondatore. Significava saper leggere nell'animo degli uomini. Significava
muoversi in tempo per impedire l'incendio, non aspettare
che la fiamma divampi e poi piangere sulla lentezza dei pompieri.

Il Fondatore amava raccontare questa storia. Anche se
il finale era amaro. L'operaio era caduto da un'impalcatura
una settimana prima di occupare l'alloggio che gli era destinato. Il figlio era diventato uno dei piú spietati sicari delle
Brigate rosse. L'avevano catturato mentre stava preparando l'agguato mortale al Fondatore. Quando l'aveva saputo,
il Fondatore si era offerto di pagare le spese legali: doveva
molto a quel ragazzo. Erano un po' tutti e due della stessa
pasta. Ma i compagni del brigatista la vedevano in modo di-

verso. E dopo un processo sommario l'avevano accoltellato a morte nello *speciale* di Novara.

Una tragedia italiana, diceva il Fondatore. E la morale è che, col passare del tempo, tutti perdiamo qualcosa.

E Maya era sicura, confusamente ma assolutamente sicura, che qualcosa era nell'aria. Le mancava, però, del Fondatore la capacità di capire che cosa. Di cogliere i segni sospesi nel vuoto del presente. Il suo e quello di tutti.

– Papà! Papà è tornato!

Ilio incedeva scuro in volto.

– Scusami. Una grana improvvisa. Devo essere a Milano per stanotte.

– Ma è domenica!

– Vi rimando il *Nostromo*. Ho un volo alle 19 da Atene. Scusami. Scusami tanto!

Maya si aggrappò al suo braccio. Un gesto vagamente teatrale, del quale si pentí subito.

– Ilio? Che cosa sta succedendo?

– Ma niente, niente… poi ti dico… scusami, ti voglio bene!

Giulio Gioioso era stato categorico. Per nessun motivo al mondo dovevano saltare fuori i conti siciliani. Che i giudici mettessero pure il naso dove gli pareva, ma non nei conti siciliani. E per nessun motivo al mondo Ilio doveva parlare con anima viva di quei conti. Anima viva. Dunque anche Maya.

«Falli sparire immediatamente. Per un po' io cambio aria!»

Giulio Gioioso era stato categorico con Ilio Donatoni. Ma ancor piú categorico doveva essere con se stesso. Scialoja gli stava addosso. Minacciava di rovinarlo se non gli avesse consegnato Angelino. Il che significava: morte sicu-

ra. Giulio Gioioso doveva sparire. Giulio Gioioso sapeva
che era solo questione di tempo. Le cose si sarebbero messe a posto. Il sangue avrebbe smesso di scorrere. Giulio
Gioioso sognava una vita senza sangue. Ma se nasci a Palermo e devi la tua preziosa esistenza a una catena di favori,
prima o poi ti chiederanno di pagare il conto. Giulio Gioioso invidiava quelli che non avevano avuto necessità di ricorrere ai favori per ottenere una vita preziosa. Giulio Gioioso invidiava Ilio. E amava Maya. Giulio Gioioso odiava il
suo passato e odiava la sua terra. Ma non c'era niente da fare. Era andata cosí e cosí sarebbe andata per sempre. Perciò Giulio Gioioso chiamò Angelino Lo Mastro e gli disse
che tutto era sotto controllo. Angelino Lo Mastro lo ringraziò e gli suggerí di tenere d'occhio la televisione, nei prossimi giorni se non nelle prossime ore, perché qualche cosa sarebbe successa.

2.

I ragazzi della comunità stavano preparando il palco per
la Festa della Repubblica.

Aspettavano un ministro, o quanto meno un sottosegretario.

Aspettavano un cardinale, o quanto meno un prete.

I ragazzi della comunità erano orgogliosi dei progressi
fatti, della condizione raggiunta.

I ragazzi della comunità salutavano Pino Marino come
uno di loro.

Pino Marino distribuiva sorrisi timidi e parole di circostanza.

Tutti sapevano che Pino Marino non era uno di loro.

Pino Marino era il ragazzo di Valeria.

Valeria che avrebbe letto il saluto al ministro o al sottosegretario. Valeria che avrebbe baciato l'anello al cardinale o la mano al prete.

Valeria che avrebbe suonato un suo pezzo al clarinetto, accompagnata dall'orchestrina degli altri *liberandi*.

Valeria che era pronta. Valeria che alla fine dell'estate sarebbe andata via da lí.

Era una bella sera fresca. Volavano i rondoni. Nell'aria c'era già profumo di estate.

Valeria e Pino Marino si tenevano per mano.

– Sul serio. Fra due mesi sarò fuori di qui. Mi hanno offerto un lavoro. Dovrei andare a coordinare il centro di Roma. Dicono che sono molto brava con... con i ragazzi in crisi...

– Accetterai?

– Dipende da te.

– È la tua vita, Valeria.

– Troppo comodo, Mister! Tu mi hai salvata e ora sei responsabile del mio futuro... hai presente la storia di Mosè?

– Io voglio solo andarmene via con te e ricominciare da un'altra parte.

Non si erano mai baciati cosí. Non con tanta passione e con tanta disperazione. Fu un bacio lungo.

L'applauso dei ragazzi, che avevano smesso per un istante di inchiodare le assi del palco, li costrinse a rossori e sorrisi imbarazzati.

Sí. Andare via. Ricominciare da un'altra parte. Con i quadri e con la musica.

Verso un'altra vita.

Valeria gli chiese se sarebbe rimasto per la cerimonia.

Pino Marino le spiegò che aveva un lavoro urgente a Roma.

Lei lo lasciò andare con una smorfia triste.

Quello strano ragazzo le era entrato nel sangue.

La mattina seguente, alle 11, Pino Marino ritirò da un garage sulla Prenestina la Cinquecento blu che il Guercio aveva rubato due sere prima sul lungotevere degli Artisti.

Alle 11,30 parcheggiò la Cinquecento in via dei Sabini, una stradina alle spalle di piazza Colonna, e se ne andò tranquillo.

Pochi minuti dopo mezzogiorno, Yanez fece una telefonata al 112.

Gli artificieri giunsero sul posto a tempo di record e si misero all'opera con il robot antibomba.

Sul sedile posteriore della Cinquecento furono rinvenuti un telecomando e una scatola con una bottiglia contenente una miscela esplosiva a base di Nitrato di ammonio e Anfo.

Alle 13,45 Yanez telefonò all'Ansa di Napoli rivendicando il fallito attentato a nome della Falange armata.

Nel pomeriggio, Stalin Rossetti cercò di spiegare ad Angelino Lo Mastro, che aveva liquidato la faccenda con un sorriso sprezzante – e questo sarebbe il gesto? Questa minchiata? –, che il fatto aveva comunque una *grande valenza simbolica*.

– Voi non siete stati. E loro lo capiranno subito. E si domanderanno: chi? Chi l'ha fatto? E questo accrescerà la confusione. Non ci capiranno piú niente, ammesso che sinora ci abbiano capito qualcosa. In questo senso è un messaggio anche per Scialoja: fatti da parte, non conti un cazzo, ora ci siamo noi!

– E tu dici che c'è convenienza?

– Io dico che siamo vicini alla meta, amico mio, vicinissimi!

Era stato convincente. Angelino gli aveva creduto. Era il suo terreno questo. Disinformazione, Inquinamento. Confusione. Sinergie. Un piccolo ma importante contributo alla causa. E, alla fine, il bottino.

Avrebbe potuto trarre con notevole ottimismo il bilancio di una giornata memorabile, non fosse stato per Pino Marino.

Il ragazzo gliel'aveva detto con aria decisa, fissandolo negli occhi.

– A fine estate me ne vado. Non ci rivedremo piú.

Poi aveva aggiunto frasi come «Sei stato un padre per me», «Ti ringrazio, ma è la mia vita»...

Pino, Pino!

Pino, perché mi deludi cosí?

Stalin lo aveva fissato a sua volta.

– C'entra quella ragazza, vero?

Pino Marino aveva chinato il capo.

– Be', è la tua vita, figliolo. Auguri, e figli maschi!

Ma da qui alla fine dell'estate ce n'era di tempo.

3.

Camporesi era tornato in lacrime da Firenze. La sua città devastata. I brandelli di corpi umani. Le statue sbriciolate. L'odore della carne carbonizzata. Era troppo, troppo per lui. Chi poteva resistere a tanto strazio?

Esaurita l'ovvia e inevitabile fase del cordoglio di circostanza, Scialoja aveva cercato di spiegargli, come nei giorni precedenti aveva fatto con una pletora di *interlocutori istituzionali*, che il vero fatto inquietante era l'attentato dimostrativo di via dei Sabini.

Aveva insistito su questa espressione, *attentato dimostrativo*, per scuotere il suo uditorio. I Carabinieri avevano
prontamente rettificato la versione originaria, che parlava
di una telefonata anonima. Erano stati i fili che uscivano
dall'ordigno a consentirne la scoperta. Senza il pronto intervento degli artificieri sarebbe stata una carneficina.

Ma le cose non stavano cosí.

La telefonata della Falange armata era il chiaro segnale che bisognava guardare in un'altra direzione.

Qui qualcuno sta mandando a dire alla mafia: andate
avanti, che qualcosa di buono ne verrà.

Qualcuno che ha le idee molto chiare.

Questo attentato puzza di complicità interne. Puzza di
apparati. Puzza di Stato. Puzza di voi. Di noi, aveva urlato agli attoniti astanti.

Le sue parole erano state accolte con freddezza, scetti-
cismo, malcelata sufficienza.

Dove sono le prove, Scialoja?

Chi sarebbero questi misteriosi traditori?

Ne conosce i nomi?

Può farceli?

Ha almeno qualche abbozzo di idea in merito?

E poi tutti a rinnovare la litania: sia chiaro che con la
mafia non si tratta. La mafia si distrugge. Manderemo l'E-
sercito, anzi, visto che l'abbiamo già mandato, ne rafforze-
remo la presenza. E tutti poi, in privato, nei crocicchi a due,
a tre, a quattro, a incalzarlo con ben altra disperazione: ma
li ha trovati questi benedetti canali? Ma riesce davvero a
fare qualcosa per porre fine a questa mattanza?

Ma vuole fare *qualcosa*, in nome del Signore, lei che ha
preso il posto del Vecchio?

E tutti con una muta accusa nello sguardo: sí, hai preso il posto del Vecchio, ma non vali una sua unghia.

E Argenti, il giacobino Argenti, l'inflessibile Argenti, tuonava!

E adesso il pianto di Camporesi. Era troppo.

Con mossa stizzosa Scialoja porse al ragazzo un fazzoletto di carta.

– Ne ho le palle piene, Camporesi. Se non si sente tagliato per questo mestiere, se ne vada! Le scriverò due righe di raccomandazione, ma si tolga dai piedi!

Fu in quel preciso momento che Camporesi levò su di lui uno sguardo afflitto, da intenerire un cuore di pietra.

– Non posso, – mormorò, – non me lo consentiranno.

E Scialoja comprese. Comprese che la vergine riottosa era una scaltra prostituta. Come aveva sempre immaginato.

E dunque si era fatto ingannare ancora una volta. Quanto ci avrebbe messo il Vecchio a scoprire l'infiltrazione?

– Dottore...

– Che c'è ancora?

– Un modo ci sarebbe. Lei potrebbe mandarmi via come... persona non gradita.

Scialoja fu tentato dall'idea. Poi ripensò agli insegnamenti del Vecchio.

– No. Lei resta con me. Anzi, le dò subito una missione della massima riservatezza.

– Comandi!

– Riferisca a quelle zucche vuote dei suoi superiori che si decidano: se vogliono 'sta benedetta trattativa, che mi autorizzino a offrire qualcosa di concreto. Chessò... la liberazione di un boss... la chiusura dell'Asinara... la revisione di un processo... una cosa qualunque. Me lo mettano per iscritto, e io li porterò a dama. Glielo dica, e cerchi di essere convincente!

Lo vide andar via, sconcertato, persino offeso. Il Vecchio gli aveva insegnato che quelli come Camporesi, proprio perché sleali, possono rivelarsi eccellenti alleati. Se lo avesse allontanato, al suo posto ne avrebbero mandato un altro simile a lui. Perché perdere tempo? Cosí almeno le cose erano chiare.

Desiderò Patrizia. La sua bocca. Le sue mani nervose. Il suo odore che aveva nuovamente imparato a riconoscere fra mille.

Patrizia. Lei era l'unica che conoscesse il valore della parola piú bistrattata: la sincerità.

Family life

1.

Il senatore Argenti era stato felice per buona parte della mattinata.

Beatrice, alla fine, si era imposta. Il bilocale in area uni-
versità era stato sprangato. Cantine e soppalchi avevano vo-
mitato lacostine ciavatte e mutandoni della precedente stagione. Una borsa con ricami floreali era stata inzeppata di
asciugamani e accappatoi fuori moda. Il computer era stato
spento. Il monumentale saggio del Berti sui democratici meridionali e la cospirazione sostituito da un paio di raccolte
degli amati poeti e da un robusto pacchetto di romanzi di
spionaggio. Su tutti, il fascistissimo De Villiers, che Argenti trovava irresistibile nelle scene di sesso, caratterizzate da
signore dalla bellezza esagerata che, nell'arco di quindici
righe dall'apparizione di Sua Altezza Serenissima, venivano colte dall'irrefrenabile impulso di procurare all'aristo-
cratico agente irregolare dell'Occidente cristiano inauditi
piaceri sodomitici.

Beatrice l'aveva spuntata perché nessun testo sacro imponeva che: a) l'unica vittima della guerra personale che il
senatore Argenti aveva dichiarato all'ambiguo dottor Scialoja dovesse essere la compagna del predetto senatore; b) il
compito di salvare il mondo spettasse al senatore Argenti;
c) ammesso e non concesso che il mondo fosse disponibile

a lasciarsi salvare, lo si dovesse salvare proprio durante quel week-end. Che, guarda caso, cadeva nel terzo anniversario del loro... insomma, del giorno in cui si erano messi insieme. Con quel sole complice che invitava a ben altri passi-a-due. Con quel mare che, poverino, se n'era stato a muggire triste e solitario per tutto il lungo inverno e invocava un po' di compagnia...

Sí. Era stata una mattinata decisamente felice.

Erano sbarcati nell'alberghetto perché per un politico di estrazione universitaria e una giornalista/scrittrice freelance il sogno di una casetta nel triangolo d'oro Ansedonia-Capalbio-Porto Ercole era, appunto, un sogno e niente piú.

E perché era lí che s'erano scoperti e svelati l'uno all'altra la prima volta, e sempre lí che avevano solennemente deciso di ufficializzare con i rispettivi ex l'annuncio di una rottura che era già nell'aria.

Erano sbarcati all'alberghetto perché venivano da mesi duri. Argenti considerava inaudito che non si potesse, che non si dovesse rimuovere da ogni incarico un mascalzone che proclamava ai quattro venti la sua volontà di scendere a patti con la mafia. Che proponeva patti ignominiosi. Che godeva di protezioni innominabili. Le famigerate carte del Vecchio! Ma era mai possibile che lo Stato fosse destinato a restare per sempre ostaggio di veti, ricatti, marciume? Scialoja era diventato la sua ossessione personale. Il partito era inerte. Il partito era ufficialmente fuori da un governo che pure, nei fatti, sosteneva. Il partito gli diceva: pazienta, verrà il momento. E intanto i mesi passavano, e l'ossessione cresceva. Nella sfera pubblica, il senatore riusciva ancora a proteggersi sotto la maschera della fredda, tagliente ironia.

Ma c'erano due persone a cui non si poteva mentire. Uno

era il suo consulente personale nella base. Bruno, il macellaio del mercato coperto di via Catania. Un pezzo de core rosso de Roma. L'amarezza era trapelata davanti a certe esternazioni del segretario, che era volato a Wall Street per rassicurare i mercati sull'ormai provata fede democratica dei postcomunisti italiani. Sempre a rassicurare. Sempre a remare controcorrente per cancellarsi dalla faccia e dai vestiti quel tanfo di sinistra. Come maggiordomi ammessi al pranzo di gala che devono passare lo scrupoloso esame-galateo di arcigni diplomatici con la puzza sotto il naso. Eccheppalle! Bruno l'aveva guardato. Bruno aveva scosso il testone.

– 'A Ma', basta che mo' che sète diventati 'mportanti nun ve mettete a fa' li zozzoni come quell'artri!

Cioè, come quelli di sempre. L'Italia del magnamagna, l'Italia del viva la Franza viva la Spagna purché se magna. L'Italia che tanto so' tutti uguali, è tutto 'no schifo. L'Italia della società degli àpoti, quelli che io non la bevo. L'Italia de sempre. L'Italia degli Scialoja. Con una mano sugli archivi che ufficialmente non esistono e l'altra sulla spoletta della prossima bomba...

E l'altra voce della coscienza, l'altra a cui non si poteva mentire, naturalmente, era Beatrice.

Beatrice delusa e Beatrice pericolosamente vicina a un qualche colpo di testa.

Perché quando la donna che ami comincia ad avere troppo spesso l'emicrania. Perché quando la donna che ami ti dice «Non ti riconosco più». Perché quando la donna che ami ti dice «Datti una regolata».

Allora bisogna fare qualcosa.

E furono il mare. Il sesso, prima dell'amore. Come per una fame urgente, da saziare a qualunque costo. Dopo, un amore più meditato. E finalmente il sesso senza urgenza. Il sesso lento. Il sesso e basta.

Poi, un po' di spettacolo, che non guasta mai.

Argenti non amava sbandierarlo ai quattro venti, ma sotto il plumbeo corsetto dell'accademico prestato alla politica palpitavano due cuori sorprendenti. Il cuore sensibile di un amante della poesia e il cuore anarchico di un vecchio goliardo innamorato del *vaudeville*, dell'avanspettacolo, delle soubrettine, della macchietta napoletana, della sceneggiata. Una volta, un'unica volta gli era capitato di perdere il controllo in sede, per cosí dire, sociale. Si era autodefinito «un incrocio fra un dandy sentimentale e un cazzarone che cova una passione indicibile per il nostro autentico e sgangherato trash». Era stato il suo lato rimosso, in realtà, a sedurre Beatrice. Ciò che lei aveva capito era che Mario non aveva bisogno di fingere di essere un tipo complesso e un po' matto. Mario *era* un tipo complesso e un po' matto. Solo che di tanto in tanto se ne dimenticava.

Ma quella mattina indimenticabile. Indimenticabile per loro come per tutta l'Italia, come avrebbero fra qualche ora tragicamente intuito, quella mattina Argenti era scatenato.

Declamò per Beatrice l'amato Cardarelli e certe strofe incommensurabili di Pound: *and thus came the ship... o moon, my pin-up...* Pound, vecchio sublime fascio sciamano...

E la fece piegare in due dalle risate quando, nudo, con una paglietta in testa, cantò alla maniera di Fanfulla «Era nata a Novi però non era una novizia...»

Argenti era tornato. Argenti era felice. Beatrice aveva gli occhi scintillanti. Era stata una gran bella mattinata.

Poi arrivarono Valente e Morales. Due giovani speranze del pensiero progressista. Con relative compagne. La compagna Ce-l'ho-solo-io e la compagna Dio-quanto-la-puzza-orribile-del-mondo-offende-il-mio-delicato-nasino.

E la festa era finita. La felicità guastata. La pace devastata.

In un profluvio di dittongare pariolino, le suddette compagne discettavano su quale scuola puntare al fine di meglio
instradare verso i piú luminosi destini i rampolli parcheggia-
ti presso le filippine di prammatica (*Chateaubriand*? Il francese è passato di moda. Almeno credo. Gesuiti irlandesi?
Un po' troppo severi. O no? *Merrymounth*? Scuola tedesca?
Purché fra dieci anni si possa mandarli almeno a Los Angeles!) L'osservazione a mezza voce di Beatrice (ma la nostra
scuola pubblica...) fu sottolineata da sospiri e scuotimenti
di capocce bionde (ma, tesoro, la nostra scuola è un disastro,
lo sanno tutti, purtroppo è andata cosí, non si recupera piú).

Valente attaccò a parlare dell'invito che aveva ricevuto a un popolare talk-show. Il primo politico comunista a
cui si chiedeva di cantare in pubblico *la canzone del cuore*.
Valente aveva optato per *Questo piccolo grande amore* di
Claudio Baglioni. Per dimostrare una volta per tutte, si
sentí in dovere di motivare, infervorato, che anche i rossi hanno un cuore e non mangiano i bambini.

Quanto a Morales, interloquiva unicamente per dimostrare la sua recente competenza in fatto di gergo marina-
resco. Morales veniva da un paesino sperduto nel cuore del-
l'Umbria, e anche se il suo rapporto con il mare si poteva
definire quanto meno problematico, si era appena iscritto a
un corso di vela. Cosí avrebbe potuto scodinzolare meglio
ai piedi di D'Alema, ed essere pronto nel felice momento
in cui, come ognun sapeva, l'erede designato da Togliatti
sarebbe finalmente diventato il capo.

Argenti sentí un'ondata di risentimento anarco-plebeo
montargli lungo l'esofago e premere con violenza contro il
velopendulo, in cerca di uno sfogo che, se concesso, non durava fatica intuirlo, sarebbe stato acre, sgradevole, altamen-

te compromettente sotto il profilo del *cursus honorum* partitico. Lo ricacciò in gola con un suono che si collocò a metà
fra un rutto involontario e un *rictus* isterico. Tutti si volta-
rono a guardarlo. Si salvò dalla riprovazione generale con
un opportuno accesso di tosse. Si levò con fare indolente,
annunciando che, arrostito dal suo primo sole dell'anno, ne-
cessitava di qualche bracciata ristoratrice. Beatrice lo seguí
con un mezzo sorriso. In mare aperto lo baciò con furia, poi,
di colpo, gli cacciò la testa sott'acqua e ce la tenne finché
lui non invocò pietà con larghi colpi di braccia.

– Stai attento a non diventarmi vecchio prima del tempo! – lo ammoní dopo, mentre lui si riprendeva ansimando
dallo scherzo. – O la prossima volta qua ci torno con il tuo
amico Scialoja!

2.

Ilio passeggiava nervosamente nella sala riunioni.

Maya si teneva aggrappata con una mano al busto del
Fondatore, quasi come se dal bronzeo convitato di pietra
potesse venirle l'energia necessaria ad affrontare la tempesta che lei stessa aveva scatenato.

Con l'altra mano sventolava un'esile carpetta, e con la voce che si sforzava di moderare ripeteva, per l'ennesima volta: – Che cosa significa tutto questo?

Ilio aveva voglia di fumare. Ma aveva smesso da anni.
Ilio avrebbe voluto trovarsi mille miglia lontano da lí. In mare aperto, sulla tolda del *Nostromo*. Libero e solitario, come
un tempo.

– Che cosa significa tutto questo?
– Come hai avuto quelle carte?
– Me le ha date Mariani.

– Chi?

– Il dottor Mariani dello studio Mariani e Tursi. Dovresti conoscerli, no?

– Ma che c'entrano loro con...

– Hanno eseguito una perizia contabile...

– E chi li ha...

– Io.

– Tu?

– Stai tranquillo, Ilio. Mariani è vincolato al segreto professionale. Non una sola di queste carte uscirà da questa impresa. Non avevo altra via d'uscita. Tu non mi hai lasciato altra via d'uscita...

– Ma Viggianò...

– Viggianò ha dato le dimissioni. E ora, se non ti dispiace, spiegami che cosa significano queste carte!

– Faresti meglio a non occuparti di questa storia.

– Questa è anche roba mia, non dimenticarlo! Io sono la figlia del Fondatore!

Ilio si prese la testa fra le mani. Dove aveva sbagliato con lei? Che cosa le aveva fatto mancare? Di che cosa lo poteva accusare? Non l'aveva mai tradita, non l'aveva mai... non aveva mai smesso di amarla, di desiderarla. Lei e Raffaella erano le uniche cose riuscite della sua vita. E adesso... adesso... Cercò di ricordare quando quella follia era cominciata. Ah, sí, dopo il Natale a Cortina e l'*exploit* di quell'idiota di Ramino Rampoldi. Era stato allora che Maya aveva deciso di imbarcarsi nell'avventura della scuola. Ricordava perfettamente la sera in cui gliene aveva accennato. Una scuola per i figli degli immigrati. Una scuola laica e gratuita, con i migliori insegnanti. Una scuola per l'integrazione e la società multietnica contro il razzismo dei vari Rampoldi & co. Lui aveva annuito distratto, convinto che si trattasse di una delle consuete passioncelle passeggere della gaia

mogliettina. E questo era stato l'errore. Aveva dimenticato di chi era figlia, Maya. Aveva ancora una volta sottovalutato il retaggio del Fondatore. Maya era andata avanti.
Maya sarebbe andata sino in fondo. Viggianò aveva cercato
di farglielo capire, con garbo, a suo modo. Quando lei gli
aveva chiesto di sbloccare certi suoi fondi personali e l'ingegnere era corso a riferirglielo. Lui gli aveva ordinato di ter-
giversare, certo che prima o poi sarebbe passata. Ma non era
passata, e adesso… adesso era con le spalle al muro. E il sorriso beffardo sulle labbra sottili della statua del Fondatore
sembrava apprezzare molto la situazione.

– Abbiamo una crisi di liquidità, – disse, piano, con un
sospiro.

– Lo vedo. Sono state intaccate persino le mie riserve
personali. Ma quello che proprio non riesco a spiegarmi è
questa voce… hai capito quale… Si direbbe che tu abbia
pagato una somma sproporzionata a queste società sicilia-
ne… e a Giulio Gioioso…

– La sua è solo una normale intermediazione.

– Conosco la differenza fra un'intermediazione e un'e-
largizione a fondo perduto, Ilio.

– Non c'è nessun fondo perduto, Maya. Quei soldi sono investiti e… in qualche modo ritornano…

– In quale modo, Ilio?

– Ci sono molti modi per…

– Quali?

– Favori… sicurezza… la Sicilia è una terra difficile, e
noi ne abbiamo bisogno per la tenuta dell'azienda…

– Mi stai dicendo che paghiamo la mafia?

– Non… non sarei cosí brutale…

– E Giulio Gioioso è coinvolto?

– Ma che dici! Lui è un imprenditore come tanti…

– Ah, sí? E dove sono le sue fabbriche? I capannoni, le

stigliature? I materiali finiti? Gli oggetti? Le cose? Dove sono le cose, Ilio? Dov'è la roba che si può toccare con le mani? Dove? Che cosa fa esattamente Giulio Gioioso? Chi è Giulio Gioioso? E dov'è, Giulio Gioioso? Eravate inseparabili, e sono settimane che non si fa piú vivo! È scappato, Ilio? Ti ha mollato con questa bella grana ed è fuggito come un coniglio?

Una segretaria si affacciò alla porta. C'era una telefonata dagli Stati Uniti. Poteva il dottore... Ilio la congedò con un cenno stanco. La donna si ritirò. Maya era crollata su una delle poltroncine che circondavano il grande tavolo rettangolare.

– Avrai la tua scuola. Te lo giuro, – sussurrò Ilio. – Ci sono ancora fondi che...

– Non m'interessa. Non a queste condizioni, Ilio. Non voglio piú andare avanti cosí!

Maya gli andò vicino, si rannicchiò fra le sua braccia. Aveva una gran voglia di piangere. Come una bambina fra le braccia di un papà affettuoso e... di un papà normale. Non grande, non invidiato, non terribile come Giove in terra. Non come quel Fondatore che Ilio si era sforzato in tutti i modi di imitare.

– Vendiamo tutto. Adesso. Subito. Prendiamo il *Nostromo* e andiamocene per mare. Lo hai detto tu, quella volta, in Grecia, ricordi? Andiamocene liberi per mare, tu, io e la piccola, lontano da questo schifo... Facciamolo, Ilio, andiamocene per sempre...

Ilio non sapeva che rispondere. Erano a un punto morto. La sua vita era a un punto morto.

Il poema delle bombe

1.

DALLA SENTENZA DELLA II CORTE D'ASSISE DI FIRENZE
6 GIUGNO 1998

MILANO, VIA PALESTRO, 27 LUGLIO 1993

Il 27-7-93 una pattuglia automontata dei Vigili urbani di Milano si trovò a transitare, intorno alle 23,00, in via Palestro, con direzione corso Venezia-piazza Cavour. A un certo punto la pattuglia, composta dai vigili Cucchi Katia e Ferrari Alessandro, fu avvicinata da un gruppo di persone, che segnalarono la presenza, sulla stessa strada, di un'auto fumante.

In effetti, dopo pochi metri, i vigili scorgevano, sul lato sinistro della strada (avendo mente alla loro direzione di marcia), proprio di fronte al Padiglione di arte contemporanea (Pac) 28, una Fiat Uno di colore grigio parcheggiata col muso rivolto verso piazza Cavour (quindi, contromano). Notarono subito, all'interno dell'abitacolo, del fumo biancastro, che fuoriusciva da uno dei finestrini anteriori, lasciato leggermente aperto.

Richiesero immediatamente l'intervento dei pompieri, che giunsero infatti in pochi minuti (dal brogliaccio dei vv.ff. risulta che ricevettero la chiamata alle ore 23,04 e che giunsero sul posto alle 23,08). Erano in sette, e precisamente:

Picerno Stefano (capopartenza), La Catena Carlo, Pasotto Sergio, Abbamonte Antonio, Mandelli Paolo, Maimone Antonio, Salsano Massimo.

I vigili aprirono le portiere della vettura e il fumo si dileguò rapidamente. Non avvertirono processi di combustione in atto.

Il capopartenza Picerno e il vigile Pasotto aprirono il portellone posteriore e videro, nel cofano, un involucro di grosse dimensioni, che occupava buona parte della bauliera. Era nastrato accuratamente con dello scotch da pacchi color avana, del tipo largo; sulla parte sinistra (per l'osservatore) fuoriuscivano uno o due fili, che scomparivano nell'abitacolo.

Il Pasotto ebbe l'impressione che si trattasse di un ordigno esplosivo e comunicò questa impressione al Picerno. Il Picerno ordinò di evacuare la zona. In effetti, i vv.uu. Cucchi e Ferrari si allontanarono verso corso Venezia, arrestandosi all'incrocio tra via Palestro e via Marina; i vv.ff. si allontanarono verso piazza Cavour di una ventina di metri circa, scesero dal mezzo su cui si trovavano e presero a svolgere il naspo.

Senonché, dopo qualche minuto, il v.u. Ferrari, su sollecitazione della centrale operativa del suo Comando, si riavvicinò all'auto per rilevarne il numero di targa; lo stesso fecero alcuni vv.ff., forse con l'intenzione di passare dall'altro lato della strada (dove si trovavano i vv.uu.).

Proprio in quel momento l'auto esplose.

Morirono il v.u. Ferrari Alessandro; i vv.ff. Picerno Stefano, Pasotto Sergio e La Catena Carlo. Successivamente, sul lato opposto della strada, nei giardini pubblici antistanti alla Villa Reale, fu rinvenuto il cittadino marocchino Driss Moussafir, agonizzante (morirà durante il trasporto all'ospedale).

Parecchi rimasero feriti.

L'esplosione sconquassò la strada, un vicino distributore di benzina, il sistema di illuminazione pubblica e molte autovetture parcheggiate in zona; frantumò i vetri delle abitazioni in un raggio di circa 200-300 metri e danneggiò il mobilio esistente all'interno delle stesse 39; lesionò, senza demolirlo, il muro esterno del Pac.

Ma l'esplosione raggiunse la condotta del gas sottostante alla sede stradale, che prese fuoco. Per ore fiamme altissime si levarono al cielo senza che i vv.ff., intervenuti in forze, riuscissero a domare l'incendio; finché, alle 4,30 circa del 28-5-93, esplose anche una sacca di gas formatasi proprio sotto il Pac.

La seconda esplosione ebbe, sul padiglione, effetti molto piú dirompenti della prima, in quanto lo sventrò completamente. In quel periodo era in preparazione una mostra di pittura che avrebbe avuto inizio nel settembre '93: l'esplosione danneggiò una trentina di opere presenti per l'occasione; alcune andarono completamente distrutte.

Danni si ebbero altresí, per effetto sia della prima che della seconda esplosione, alla Villa Reale, al cui interno aveva sede la Galleria d'arte moderna, ricca di una significativa rappresentanza pittorica e scultorea dell'800 italiano (Hayez, Pellizza da Volpedo, Segantini, Mosè Bianchi ecc.). Qui andarono divelti gli infissi e si frantumarono i vetri; danni vi furono anche alle strutture del sottotetto.

Tra i beni culturali vanno menzionati, infine, il Museo di scienze naturali, sito in corso Venezia, e la chiesa di S. Bartolomeo, sita in via Moscova: entrambi rimasero danneggiati, anche se in maniera non grave.

L'esplosione fu dovuta a una miscela di esplosivo ad alto potenziale collocata all'interno della Fiat Uno tg MI...

L'esplosivo utilizzato risultò essere dello stesso tipo di quello rinvenuto in via Fauro (a Roma) e in via dei Georgofili (a Firenze). Fu utilizzata una carica di circa 90-100 kg di esplosivo.

ROMA, PIAZZA SAN GIOVANNI IN LATERANO, 28 LUGLIO 1993

Il 28-7-93, alle ore 0,03, vi fu, in piazza S. Giovanni in Laterano di Roma, un'altra esplosione, nell'angolo formato tra il Palazzo del Vicariato e la Basilica di S. Giovanni.

L'esplosione determinò l'apertura di un cratere di forma leggermente ovoidale, del diametro massimo di mt. 3,80 e minimo di mt. 3,20.

L'esplosione ebbe gravi conseguenze sugli edifici della piazza e sulla piazza stessa. Infatti, andarono completamente distrutti arredi e suppellettili del piano terra del Palazzo del Vicariato. Al primo e secondo piano i danni furono meno evidenti, ma piú gravi (rimase gravemente danneggiato il soffitto ligneo).

Danni irreparabili si ebbero agli affreschi che decoravano il nartece della Basilica, molti dei quali si polverizzarono; lo stesso dicasi per gli affreschi che decoravano il loggiato soprastante al nartece.

Danni gravi si ebbero all'interno della Basilica (alle pitture, ai preziosi confessionali, ai marmi del pavimento e delle pareti).

Distrutti o gravemente danneggiati rimasero gli infissi della Basilica e del Palazzo.

Danni minori, ma pur sempre significativi (rottura di vetri, distacchi di pareti, cedimento di controsoffittature), si verificarono in un raggio di almeno 100 metri. Ne furono segnalati, infatti, al policlinico militare del Celio, all'ospedale di S. Giovanni e in via Labicana.

Fortunosamente, non ci furono vittime; ma varie persone rimasero ferite, piú o meno gravemente.

Anche in S. Giovanni l'esplosione fu provocata da una miscela di esplosivi ad alto potenziale collocata all'interno di una Fiat Uno.

L'autobomba fu sicuramente collocata nell'angolo tra il Palazzo del Vicariato e la Basilica di S. Giovanni, sopra il cratere, con la parte anteriore rivolta verso il Palazzo del Vicariato e leggermente inclinata verso la Basilica.

Le indagini qualitative sugli esplosivi rivelarono la presenza, anche in questo caso, nei reperti di Egdn-Ng-Dnt-Tnt-Petn e T-4 60.

Con un'approssimazione leggermente maggiore che negli altri casi il peso fu stimato, comunque, in circa 120 kg di esplosivo.

Non c'è dubbio che al Laterano solo un fortunoso concorso di circostanze evitò che, oltre ai beni materiali, fosse compromessa anche la vita di molte persone.

ROMA, VIA DEL VELABRO, 28 LUGLIO 1993, ORE 0,08

Alle ore 0,08 del 28-7-93 vi fu in Roma, in via del Velabro, l'ultimo attentato dinamitardo dell'anno.

L'esplosione generò sul selciato della strada un cratere di forma leggermente ovoidale, col diametro massimo di cm 280, quello minimo di cm 230 e la profondità di cm 110,63.

Gravissimi furono, come sempre, i danni al contorno. La chiesa del Velabro, interessata in forma primaria dagli effetti dell'esplosione, subí il crollo del portico antistante alla strada, lo sfondamento del portale d'ingresso, il crollo dell'intonaco della facciata, l'abbattimento di alcune pareti interne, il crollo di una parte delle capriate del tetto e del controsoffitto della sagrestia, l'abbattimento di vari infissi.

Accanto alla chiesa v'era un istituto (*Casa Kolbe*) in cui alloggiavano sette religiosi dell'ordine dei Padri crocigeri. Qui l'onda d'urto e le schegge prodotte dall'esplosione sconvolsero la faccia-

ta dell'edificio; scardinarono le imposte e gli infissi esterni, nonché le porte di comunicazione tra il corridoio e la sagrestia e la fi-
nestratura rivolta verso il giardino; determinarono crolli parziali
di tramezzi e di soffitti.

Gravi danni subirono pure l'edificio sito in fondo a via del Velabro (civico 4) e quello antistante (civico 5): entrambi riportarono danni alle coperture (parzialmente crollate) e agli infissi.

Di fronte alla chiesa v'era l'autoparco del Comune di Roma.
Qui, oltre ai soliti danni relativi alle imposte esterne, si produsse-
ro crepe profonde nei controsoffitti; ai piani superiori vi furono
crolli parziali dei soffitti.

Distrutti o danneggiati furono gli arredi e le suppellettili della chiesa e di numerose abitazioni.

Circa 15 automobili parcheggiate in zona subirono danni piú
o meno gravi alla carrozzeria, ai fari e ai vetri. Infine, alcuni religiosi della *Casa Kolbe* e alcuni abitanti della zona rimasero feriti,
in maniera non grave.

Fu impiegato anche in questo caso esplosivo ad alto potenziale collocato all'interno di una Fiat Uno.

2.

Tre, quattro e cinque! Sei, se si voleva calcolare anche
«la minchiata» di via dei Sabini, che, in effetti, nella con-
tabilità ci stava a pieno diritto.

Alla notte dei fuochi Stalin Rossetti aveva dato il suo
piccolo contributo spedendo Yanez a oscurare i centralini
della Presidenza del Consiglio. Un grande graffio stilisti-
co che Angelino aveva apprezzato.

– Ma ai paesani inutile parlarne. Non capirebbero la
sottigliezza, – aveva suggerito Stalin.

Angelino aveva concordato. Nel sentir definire «paesani» i vecchi capi della Cosa nostra non aveva battuto ci-
glio. Si stava lentamente, ma inesorabilmente, distaccan-
do da una mentalità, meglio, da una cultura. Stalin Rosset-

ti provava lo stesso orgoglio di quando, ai tempi della Catena, riusciva a trasformare un sincero idealista in un tru-
ce figlio di puttana. Il gusto del reclutatore. Il piacere del
demiurgo.

In Sicilia scalpitavano. Cinque *colpetti* e ancora non succedeva niente.

Cinque *colpetti* e chi doveva farsi avanti ancora non dava segno di vita.

– E allora vuol dire che ce ne daremo un altro! – aveva
riso Stalin.

– Un altro colpetto? Un altro bagno di sangue?

Stalin decise che era venuto il momento di mettere le carte in tavola. Stalin spiegò al mafioso che pensava a un bagno di tipo diverso. Un bagno... ecco, sí, un bagno «intelligente». Intelligente come le bombe di tecnologia avanzata che il suo amico Billy Goat si vantava di aver venduto in
gran copia all'amministrazione Bush ai tempi della Guerra
del Golfo. Bombe selettive per bersagli selettivi. In questo
caso, confidò Stalin, dovremmo coniare l'espressione «bomba sòla», alla romana, cioè bomba fasulla, bomba specchiet-
to-per-le-allodole.

Insomma: ciò di cui si aveva bisogno per raccogliere i
frutti di un cosí duro lavoro era un deciso cambio di strategia.

Flessibilità: ecco quello che occorreva.

Flessibilità. Strategie che mutano col mutare dei tempi.

Flessibilità. I mafiosi erano troppo rigidi. Lo Stato era
troppo rigido.

Flessibilità.

I tempi ormai erano maturi.

Toccava a loro offrire qualcosa in cambio di qualcos-
s'altro.

Le bombe non erano bastate a piegarli. Avevano preparato il terreno, d'accordo, ma di per sé si erano rivelate insufficiente strumento di pressione.

Quando sei andato troppo oltre, quello che serve è un passo indietro.

A volte un passo indietro è meglio di un'avanzata impetuosa.

C'è piú convenienza.

Specie se il terreno è stato sapientemente cosparso di mine.

E tu sei il solo che ne conosce l'esatta disposizione.

Bisognava passare all'annuncio delle bombe.

Presentarsi una bella mattina a chi di dovere e fargli una bella orazione: signori, sinora avete avuto soltanto una piccola dimostrazione di ciò che sappiamo fare. Diciamo che vi abbiamo servito l'antipasto. Ora è venuto il momento di passare al piatto forte.

Avete presente Milano, Firenze, Roma? Be', provate a immaginare qualcosa di immensamente piú atroce. Di terribilmente piú devastante. Cento morti? Cinquecento? Mille? Forse anche qualcuno di piú, unità piú, unità meno.

Un capolavoro assoluto.

Un'opera d'arte senza precedenti nella Storia.

Ed eccoci all'oggetto di questo incontro. Io posso impedire che tutto questo accada.

Solo che voi dovete darmi qualcosa in cambio.

Avrebbero accettato. Stalin ne era sicuro come della sua stessa esistenza in vita.

– E dovremmo riuscire con la truffa dove non siamo riusciti con il sangue vivo?

– Il sangue era la semina, la truffa è il raccolto.

– Mi pare complicato.

– Cosí va il mondo, Angelino.

– Ne devo parlare giú…

Angelino non sembrava convinto. Aveva forse fatto un passo esagerato? L'emancipazione del ragazzo non era ancora giunta a uno stadio cosí avanzato? E se non fosse riuscito a convincere i mafiosi della validità del piano? Se quelli avessero insistito per l'ennesima strage? Angelino poteva decidere di fare di testa sua. Disattendere gli ordini. Nel qual caso, nessun problema. Ma se Angelino avesse, nonostante tutto, scelto l'obbedienza?

Be', in questa disgraziata ipotesi avrebbe sempre potuto contare su Pino Marino.

Il ragazzo si era perso la fase finale dei fuochi d'artificio. Era stato lo stesso Stalin a spedirlo nelle Marche per riorganizzare lo spaccio, dopo l'infausto arresto del cugino catanese che aveva preso il posto del povero Vitorchiano.

Stalin aveva deliberatamente allontanato il ragazzo.

Il ragazzo che continuava a ripetere: me ne andrò, me ne andrò.

Sarebbe stato una follia rinunciare a un simile collaboratore.

Una follia e un'ingiustizia. Aveva fatto molto per quel ragazzo, e non meritava di essere ripagato con una cosí palese ingratitudine.

– Yanez ha rilevato qualche strano contatto, – gli aveva detto nel consegnargli un nuovo portatile, – potremmo essere sotto controllo. Meglio essere piú prudenti… Ah, e non telefonare in comunità, non lasciare questo numero a nessuno… nessuno, Pino, mi capisci?

A nessuno. Tanto meno a quella Valeria. Perché era lei il problema, ovviamente.

E Stalin aveva già provveduto.

Tutto, tutto doveva procedere in perfetta sintonia sino al gran finale.

Chissà che ne avrebbe pensato il Vecchio.

Chissà se dal suo buco nel profondo dell'Inferno lo stava osservando e approvava con un parco cenno del capo.

Chissà se si era pentito di avergli preferito quell'idiota di Scialoja!

Considerando il puritanesimo di fondo del suo antico mentore e l'accanimento con cui Michelle cercava di farglielo venire duro, c'era piuttosto da scommettere che il Vecchio avrebbe distolto lo sguardo.

Michelle. Cioè Michelina Catinari, da Ferrandina. Michelle suonava piú esotico e intrigante, non c'è dubbio. Michelle. La ragazza dal vestito rosso. Che era, sí, figlia dell'uomo maturo, ma anche decisamente attratta dalla compagnia di un altro tipo di uomo maturo. L'affascinante, gentile, misterioso dottor Stalin Rossetti. Cosí bravo a letto e cosí *generoso* con una studentessa part-time che muoveva i primi passi nel rutilante e rischioso mondo dello spettacolo.

Michelle, con il tatuaggio a forma di rosa che partiva dal centro delle cosce e quel delizioso appartamentino in via della Scala, cosí anonimo, cosí insospettabile, cosí utile.

Michelle. Qualcosa finalmente si smuoveva là sotto, e lo costringeva ad accantonare il flusso dei pensieri.

Grazie, Michelle. In fondo, quella sera a via Veneto, non ero poi cosí lontano dalla verità.

La perdizione

1.

Di ritorno dalla missione nelle Marche, Pino Marino si precipitò in comunità su una Renault presa a nolo.

Uno dei ragazzi, quello con cui aveva piú confidenza, lo prese sottobraccio e lo costrinse a mettersi seduto.

Sembrava quasi che si aspettasse quella visita.

– Valeria è sparita, – disse il ragazzo, poi voltò la testa, perché quello che stava passando negli occhi di Pino gli aveva messo paura.

Stalin se lo vide comparire davanti nel cuore della notte. Lo spettacolo penoso del ragazzo in lacrime lo indusse, una volta di piú, a riflettere sulla potenza devastante del *fattore umano*. Stalin fu comprensivo, affettuoso, paterno. Esattamente ciò che ci si aspetta da un padre al cospetto del figliol prodigo. Evitò persino di ricordare i saggi ammonimenti che non aveva mancato di elargire – i drogati! Ragazzo mio, i drogati ti fregano sempre, alla fine. Stai prendendo la strada sbagliata! – e quando Pino gli disse che se non l'avesse trovata sarebbe impazzito di dolore, morto di dolore, Stalin promise che l'avrebbero cercata insieme.

– Ma intanto, sei tornato. Questa è la tua casa. E io sarò sempre come un padre per te!

Piú tardi, dopo averlo imbottito di sonnifero, telefonò

a Sonila, per accertarsi che la situazione fosse sotto controllo.

– Tutto a posto, Stalin.

– Ancora mille volte grazie, piccola!

Sí. Sonila aveva davvero fatto un ottimo lavoro.

Quando lui e la ragazza si erano conosciuti, Stalin Rossetti stava litigando con uno dei tanti luogotenenti dello Chef di Valona.

Erano nella masseria salentina che Stalin, all'epoca, aveva usato come base operativa. Era un pigro, afoso pomeriggio di estate jonica. Lo scagnozzo continuava a tormentare il calcio del kalashnikov e a giurare sulla buona fede sua e del suo capo. Con loro c'era una ragazza addormentata. Una tossica. Era sbarcata già in crisi d'astinenza. Alla masseria c'era arrivata peggio di uno straccio. Stalin Rossetti le aveva dato un po' di roba e aveva ordinato di rispedirla in Albania quella notte stessa. Lo scagnozzo dello Chef scuoteva la testa. Perché rinunciare a un profitto certo? Era una bella ragazza, forse appena appena sciupata. Si poteva rivenderla a qualche clan su al Nord. Oppure ai greci.

Stalin Rossetti era irremovibile. Lo Chef di Valona non era stato ai patti. Lui non prendeva tossiche. La questione era chiusa.

L'albanese insisteva. Era autorizzato ad aggiungere un ulteriore dieci per cento alla provvigione di Stalin Rossetti. La famiglia della ragazza aveva già pagato. Rimpatriarla avrebbe significato perdere la faccia. E lo Chef di Valona non poteva perdere la faccia!

Stalin Rossetti si era acceso una sigaretta.

«Se non vuoi che il tuo capo perda la faccia... allora ammazzala!»

L'albanese si era grattato la testa. Lo Chef gli aveva det-

to che l'italiano era un bastardo. Ma non un cosí gran bastardo. L'albanese aveva già eliminato due puttane nei mesi precedenti. Ma quella era un'altra storia. Una se l'era cantata,
consegnando ai Carabinieri due cugini dello Chef di stanza
a Brescia. L'altra aveva invaso il territorio. Quelle erano condanne meritate. Questa ragazza qua, per contro, era in regola. La sua famiglia era in regola. Ucciderla significava vio-
lare il codice delle montagne. L'albanese aveva allargato le
braccia.

«La tengo io».

«Fa' come ti pare. Ma ci vuole un risarcimento».

«Che risarcimento?»

«Mi accontento di poco. Un paio di chili d'erba. E di'
al tuo capo che non voglio roba taroccata. Niente ammo-
niaca e nemmeno amfetamine».

«Due chili... tu sei pazzo, italiano! Mi scopo tua sorella!»

«E io la tua. Ci vediamo al prossimo carico».

Alla fine, Stalin Rossetti aveva deciso di tenersela comunque. Per quanto strafatta di eroina, la ragazza aveva
un indubbio fondo di intelligenza e di avidità che sarebbe potuto tornare utile. Il *fattore umano*, una volta di piú.
Cosí l'aveva riscattata, pagando di tasca propria il prezzo
allo Chef di Valona, le aveva procurato il permesso di soggiorno, si era accertato che non fosse sieropositiva, se l'e-
ra portata a letto e infine l'aveva spedita da uno di quei
preti che si guadagnano il Paradiso occupandosi delle ani-
me perse.

E lei gli aveva praticamente restituito Pino Marino.

2.

Sonila era arrivata in comunità ai primi di giugno, appena qualche giorno prima della partenza di Pino.

L'avevano mandata da Vicenza per un tirocinio mirato. In pratica, Valeria doveva farle da maestra per qualche settimana, o forse un mese, poi lei sarebbe stata pronta a tornare e salvare la pelle ai disgraziati che bussavano alla porta della comunità.

Sonila era piccola e graziosa. Sonila aveva fatto una vita d'inferno. Era un miracolo che ne fosse venuta fuori. Gli operatori di Vicenza dicevano che quella ragazza aveva una volontà d'acciaio e una forza contagiosa.

Sin da quando gliel'avevano affidata, Sonila aveva fatto di tutto per diventare sua amica. In principio, non avevano avuto molto da dirsi. Gli argomenti preferiti di Sonila erano i vestiti, le discoteche, i divi della televisione. Certo, i ragazzi da recuperare, come no. Ma quello è il lavoro, no, quello che ci dà da vivere e ci tiene lontano dalle tentazioni, come dicono i preti, qui. La vita è un'altra cosa. È lí che dobbiamo tornare, prima o poi!

Nonostante tutto, Sonila era un'ottima collaboratrice. Intelligente e pronta ad afferrare le situazioni. E ai nuovi arrivati, i piú difficili da gestire con la scimmia ancora nella testa e nel ventre, lei piaceva. La sua allegria un po' fatua fungeva da ottimo contraltare all'austerità degli altri operatori, alleviava il panico per la severità del trattamento.

A Pino non era piaciuta. Trovava la sua presenza invadente, le sue moine irritanti, la sua insistenza ossessiva. Valeria l'aveva giustificata perché comprendeva la sua condizione. Era la prima volta, dopo due anni, che lasciava il rifugio della sua comunità. Doveva adattarsi a facce nuove, riti diversi. Comprensibile che Sonila fosse un po' angosciata. Spaventata dal giudizio. E desiderosa di essere accettata senza riserve. Bisognava darle solo un po' di tempo. Tempo e fiducia.

– Sarà, ma a me non piace.

– L'uscita è la fase piú difficile, Pino. Dovrai essere molto paziente con me!

– Tu non sei come quella stupida, Valeria.

– E tu sei sempre cosí… ombroso!

– I pini sono alberi ombrosi!

– Lascia perdere, amore. L'umorismo non è il tuo forte!

Fatto sta che erano diventate inseparabili. E dopo la partenza di Pino per il suo viaggio di lavoro – l'ultimo viaggio, Vale, e perdonami se non potrò cercarti, praticamente vado in un eremo con certi artisti sloveni… – persino amiche. La tristezza cupa che la solitudine aveva scagliato su Valeria era stata il grimaldello. In quel frangente Sonila si era rivelata complice, affettuosa, discreta oltre ogni dire.

Una sera, dopo il giro di controllo ai nuovi ingressi, Valeria si era lasciata sfuggire un accenno alla sua storia con B.G.

Sonila era saltata in piedi, battendo le mani come una bambina entusiasta.

– B.G.! Il cantante! Ma è proprio lui!

Nei momenti di eccitazione, aveva notato Valeria, il suo italiano neutro e controllato perdeva qualità, e nelle finali affiorava una certa durezza gutturale tipica della sua lingua madre. Sonila poteva diventare sgradevole, in quei momenti. E veniva voglia di dare ragione a Pino Marino: suonava falsa.

Ma chi era poi lei per giudicare? E per condannare?

– Sí, proprio lui. B.G.

Sonila era in estasi. Le parlò del suo grande sogno. Lavorare in televisione. Sapeva ballare, aveva preso lezioni di canto, conosceva a memoria tutto il repertorio di Mina. Come fisico non era messa male. Agli uomini piaceva, e ci sapeva fare. Se solo le si fosse presentata un'occasione, una piccola, insignificante occasione...

– Sta bene. Vuol dire che quando usciamo di qui te lo presento.

L'aveva detto per levarsela di torno, perché il solo pensiero di B.G. le era insopportabile. Ma Sonila l'aveva presa sul serio. Tremendamente sul serio. L'ingenuità dell'entusiasmo di Sonila, il suo riso squillante, acceso... sí, l'avrebbe fatto. Le avrebbe presentato B.G. Era abbastanza forte per incontrarlo, dopo tutto. Era oltre la sua vecchia vita, ormai.

E poi con lei c'era Pino, no?

La lettera arrivò due giorni dopo. Sonila la lesse, sbiancò, si portò una mano al petto e andò a chiudersi in bagno. Valeria, temendo qualche disgrazia in famiglia, le andò dietro, premurosa. Sonila le urlò di andarsene. Che non voleva mai piú vederla né parlare con lei. Valeria cercò di farla ragionare. Accorsero alcuni ragazzi, attirati dalle urla di Sonila. Lei cambiò tono. Era soltanto un malessere passeggero. Si sarebbe ripresa. Voleva stare un po' da sola, tutto qui.

Si rividero a sera. Sonila era pallida, sciupata, sbattuta. Le chiese scusa e le porse la lettera. La lettera di Pino.

In seguito, Valeria avrebbe ricordato solo qualche mozzicone di frase. E il gelo che le era penetrato nel cuore mentre scorreva quelle righe fredde, ostili, incomprensibili.

Cara Sonila,
scusami se scrivo a te, ma non ho avuto il coraggio di... viaggio... tu puoi comprendere meglio di chiunque altro... Slovenia... l'ambiente degli artisti... ho conosciuto una persona... molto dolce... credo che resterò qui per un po' di tempo... so che le sto fa-

cendo del male ma ho capito che con lei non avrebbe mai funzionato... spero di non averle spezzato il cuore... con il tempo capirà... sarà meglio che lei non mi cerchi...

Valeria chiese il permesso di usare il telefono. Non se la sentirono di negarglielo. Il portatile di Pino risultava irraggiungibile. Lei provò e riprovò, finché Sonila non la strappò dall'apparecchio. Valeria si mise a letto. Ci restò due giorni interi. Sonila la coprí con la scusa della malattia. Per tutto il tempo le restò accanto, senza dire una parola. Il terzo giorno, le disse che si era fatta dare un permesso speciale per fare visita a certi suoi parenti di Milano.

– Ho pensato che sarebbe bello se ci andassimo insieme... cambiare ambiente ti farà bene... una settimana e poi torniamo e facciamo il punto della situazione... Dài, non dirmi di no!

Valeria annuí piano. Lei la sollevò dal letto. Sonila la portò in bagno e la ficcò sotto la doccia. La lavò e la vestí come una bambina. A sera uscirono di soppiatto dalla comunità (lo faccio per te, tesoro, per risparmiarti domande e spiegazioni, ma è tutto in regola, ho parlato con il responsabile in persona).

La fuga fu scoperta la mattina successiva. E tutti si chiesero che senso avesse. Due ragazze come loro, due gemme della comunità... cosí, d'improvviso... fu avviata un'inchiesta interna. Risultò che all'ingresso Sonila aveva fornito false generalità. Quanto a Pino Marino, nessuno, all'infuori di Valeria, conosceva i suoi recapiti. Uno degli anziani si ricordò che per un certo tempo B.G., il cantante, aveva scritto alla ragazza. Lo rintracciarono, ma quello disse che non si vedevano da mesi. E insomma, le ragazze si erano perse.

A Milano era poi risultato che i parenti di Sonila erano in vacanza in Albania. Cosí le due ragazze avevano preso in affitto una camera in una pensioncina vicino alla stazione centrale. Valeria era una presenza inerte, inebetita dal dolore. Non si muoveva dal letto, e Sonila era costretta a imboccarla per evitare che si lasciasse morire di fame. Sonila ne aveva le tasche piene. La cosa si stava trascinando per le lunghe. E quando aveva provato a introdurre l'argomento B.G., per tutta risposta aveva ottenuto un sospiro estenuato. Pagava tutto lei, e il portafogli si svuotava a vista d'occhio. Se Stalin Rossetti non le avesse promesso tutti quei soldi, l'avrebbe lasciata a marcire in quella pensione di merda e si sarebbe data da fare a modo suo. Ma non si poteva. Erano davvero un bel mucchio, quei quattrini. E lei ne aveva bisogno.

Poi, dopo qualche giorno di quell'agonia aggravata dal caldo opprimente dell'agosto milanese, sfogliando una rivista, Sonila era venuta a sapere di una certa festa in un locale sui Navigli alla quale avrebbe presenziato il noto cantante B.G. Aveva costretto Valeria ad accompagnarcela: senza di lei, le sarebbe stato impossibile persino mettere il naso di là dai vetri oscurati del *Nottiziario*. Agghindate secondo il gusto di Sonila (altri quattrini in fumo per rivestire quell'acciuga secca, e meno male che si era decisa a farsi mettere in ordine i capelli, almeno quello!), praticamente due battone da quartieri ai bordi del centro, si erano presentate all'ingresso principale qualche minuto dopo le otto. Il portiere non le aveva degnate di uno sguardo, limitandosi a sbarrare la porta con una smorfia. Sonila gli aveva piantato un gomito nella pancia.

– Questa signorina è amica di B.G.!

– Quanto amica? – aveva chiesto l'uomo, con aria di sufficienza.

– Molto amica, – aveva ribattuto Sonila, sfilando dalla microscopica borsetta due fogli da cento.

Il portiere si era fatto da parte. Sonila aveva sospinto Valeria sino al tavolo dove B.G. pontificava, circondato da mature signore levigate in abuso da psicofarmaci, distinti cinquantenni a rischio apoplessia, giovinette in avanzato stato anoressico. Da quando si era convertito al perbenismo, B.G. aveva dismesso le giacche sfrangiate e gli stivaloni country. Correva voce che avesse intenzione di entrare in politica.

Quando si era visto comparire davanti quel fantasma del suo passato, B.G. si era alzato di scatto, atteggiando il volto a un sorriso fasullo e porgendo educatamente la mano, come imponeva la sua attitudine di neoraffinato. Ma quando il suo sguardo aveva incrociato quello di Valeria, si era irrigidito, paralizzato da un moto di terrore.

Occhi spenti. Gli occhi di una morta.

Ramino Rampoldi, a capotavola, aveva intanto intrecciato un gioco di occhiate con Sonila.

– Non ci presenti le tue amiche, B.G.?

Lui si era ripreso, e con un sorriso incerto aveva balbettato: – Questa è Valeria. Siamo… cugini…

Era calato un educato silenzio, rotto dalla risatina repressa di Rampoldi. Valeria aveva sorriso. Era un sorriso, se possibile, ancora piú spaventoso dello sguardo. Poi aveva piantato ciò che restava delle sue unghie nel dorso della mano di B.G., affondandole con cattiveria.

– Ti vedo in gran forma, cuginetto!

E aveva fatto dietro-front. Sonila l'aveva raggiunta poco fuori dal portone. L'aveva afferrata per un braccio, costringendola a voltarsi.

– Ma sei pazza? Che ti ha preso? Stai rovinando tutto!

– Lasciami stare o ti ammazzo!

Sonila si era spaventata. Chissà di che cosa era capace, quella stronza! Aveva mollato la presa, arretrando di due passi. E si era ritrovata fra le braccia di Ramino Rampoldi.

– Un po' agitata la cuginetta, eh?

Sonila aveva lanciato un'occhiata distratta alla sagoma di Valeria in corsa, in equilibrio precario sui tacchi vertiginosi.

– Le passa. È un po' stressata, tutto qui!

– Senta, ma perché non ce ne andiamo a finire la serata da un'altra parte... noi due da soli?

– Perché no?

La mattina seguente, da casa Rampoldi (Ramino: amante grugnente, poco fantasioso e molto fiacco, ma decisamente generoso, almeno di promesse!) Sonila aveva messo al corrente Stalin Rossetti.

– Brava, buon lavoro.

– E con quella che devo fare?

– Lasciala andare. Ormai è persa.

Stalin Rossetti, come sempre, aveva la vista lunga.

Davanti al portone del *Nottiziario* era accaduto qualcosa di definitivo.

Valeria aveva riconosciuto Sonila.

Lei non era Sonila.

Lei era Lady Ero.

Lady Ero che la richiamava a sé.

Era deciso che si perdesse.

E cosí sarebbe stato.

I left my heart in Portofino

1.

Era stato Ramino Rampoldi, con il consueto *bon ton*, a informare la compagnia maschile che «la ragazza del romano, dice, era una che faceva la vita». Era seguito uno scoppio di risate e un profluvio di battute salaci alle quali si era unito persino Ilio, vincendo il malumore e la cupezza di quei giorni, per lui, per lei, per tutti loro, terribili. Quando si erano accorti che Maya li stava ascoltando, i maschi avevano cercato di darsi un contegno. Maya era passata oltre, senza degnarli di attenzione. Ilio aveva tentato di afferrarle una mano, ma lei si era scansata, con una mossa brusca del bacino. Ilio l'aveva seguita, risentito. Che figura gli faceva fare con gli ospiti?

– Io non so chi sia questa ragazza del romano. Ma so con chi se la fa il tuo amico Ramino!

– L'albanese, vuoi dire? Mica l'abbiamo invitata!

– Vorrei vedere!

Patrizia era arrivata un'ora dopo. Stravolta dall'aspra salita che, unica strada possibile, dalla piazzetta di Portofino portava a Villa *Tre orsi*, si era accasciata su una panchina all'ombra, e pareva godersi la vista del golfo incandescente nel sole del secondo venerdí di agosto. Sembrava ignorare la tempesta ormonale che la sua apparizione aveva scatenato. I maschi si agitavano come un branco di gorilla alle prese con una

femmina in calore. Ramino Rampoldi aveva subito cominciato a svolazzarle intorno, informandosi se «la signora» de-
siderasse qualcosa di fresco, o magari qualcosa di piú forte,
un drink, oppure un gelato, perché, è noto, i gelati hanno il
potere di alleviare il caldo opprimente dell'estate, e in fatto
di preparazione di gelati «la nostra adorabile Maya» è im-
battibile.

Scialoja e Maya si erano scambiati un saluto cordiale, rievocando con un po' d'ironia l'episodio della festa di Raffaella. Nel dirle che il poliziotto sarebbe stato della compagnia,
Ilio l'aveva ammonita. L'invito era una richiesta di Carú.
Non avrebbe potuto dirgli di no senza imbarcarsi in un'in-
terminabile discussione, o peggio, suscitare chissà quali sospetti.

– Ma guardati da lui, Maya. Scialoja è un nemico!
– Un nemico di chi, Ilio? Tuo, di Giulio, della mafia?
– Maya, per l'amor di Dio, fa' come ti dico!

Fresco e senza una macchia di sudore nel completo di li-
no bianco, gentile e vagamente distaccato, Scialoja era scomparso nelle latebre dell'edificio, condotto nel canonico pel-
legrinaggio proprio da Ilio, che manifestava una cortesia ai
confini dell'untuosità.

Il compassato Carú simulava educata indifferenza, ma le
occhiate che lanciava a ripetizione alla ragazza del romano
non erano sfuggite alla sua ultima compagna, una procace
giornalista che sfoderava la piú recente tenuta Via della Spi-
ga: short – *horribili visu!* –, maglietta perlinata Krizia e scarpe dal tacco vertiginoso (ma niente paura: la salita l'aveva
fatta con le Clarks e poi ci aveva messo una buona mezz'o-
ra per cambiarsi e rifare il trucco). Ora i due erano impegnati in una concitata conversazione/spiegazione. Ramino
Rampoldi ne aveva approfittato per sferrare un assalto piú
deciso alla bella ospite.

Bella, indubbiamente, anche se non proprio piú giova-
nissima. Alta, slanciata, ovale irregolare, zigomi di taglio
slavo, una sobria camicetta bianca sapientemente sbottona-
ta, jeans attillati e scarpe basse, una borsetta senza griffe
(Dio, ti ringrazio!) posata negligentemente accanto al fianco sinistro. Mani lunghe, nervose e ben curate. Maya decise di intervenire quando l'insofferenza di lei per le mano-
vre di Ramino apparve palese. Un gesto dettato dal dovere
dell'ospitalità, ma anche da una curiosità alla quale, nonostante tutto, sentiva di non potersi sottrarre. Come siamo
tutti perfidamente morbosi!

– Ramino, fammi un piacere, preparaci due Martini.

La ragazza del romano, l'ospite (non riusciva a ricordar-
ne il nome), accolse la soccorritrice con un sospiro venato
da vaga amarezza.

– Un tipo invadente, vero?

– Non sapevo piú che inventarmi per liberarmene! E
poi, Ramino, che razza di nome è?

– Suo padre era un giocatore. Vinse il suo primo capannone a ramino. Tipico umorismo padano.

– Be', grazie comunque, signora...

– Io sono Maya.

– Cinzia. O Patrizia, se preferisce.

– Se dovesse tornare alla carica... e fare strane mano-
vre, tipo piegarsi con una scusa qualunque e intanto sfio-
rarle *casualmente* le tette... me lo dica. Lo prendo e lo but-
to di sotto. Sono ottantasei metri di roccia viva, e in fondo il mare. È una vita che sogno di farlo!

– Ci ha provato anche con lei?

– Magari l'avesse fatto!

Maya si chiese se non avesse esagerato con la confidenza. In fondo, erano due perfette sconosciute. Ma Cinzia/Pa-
trizia le sorrise, divertita.

– Facciamo una cosa, signora. Adesso vado da quel tizio e comincio a lavorarmelo. Le garantisco che nel giro di un'ora al massimo sarà cotto a puntino. Poi lei arriva, e di sotto ce lo buttiamo insieme!

Maya rise. Poi le tese la mano.

– Ti va se ci diamo del tu?

– Affare fatto.

Ramino, che tornava trafelato reggendo i due Martini, fu accolto dalle due donne con una risata incomprensibile. Maya prese dalle sue mani le coppe, ne passò una a Patrizia (aveva deciso che Patrizia le piaceva decisamente piú di Cinzia) e si alzò con fare regale.

– Vieni. Ti faccio vedere il posto. Tu resta pure qui, Ramino, tanto lo conosci già!

Davanti all'imponente Noce Araucana che il Fondatore aveva importato dai terreni di famiglia in Argentina, Patrizia sgranò due occhi immensi, luminosi. Il suo sorriso, ora libero dall'amarezza di prima, era davvero incantevole. Maya si sorprese a considerarla con una punta di gelosia. Non c'era da stupirsi, se gli uomini perdevano la testa per una cosí! Ma, subito, si vergognò di quel piccolo pensiero carogna. Lei si era infervorata nella descrizione del viaggio in Liguria. Il suo compagno, cosí definí Scialoja, aveva trasformato l'invito di Carú in un viaggio sentimentale. Erano stati in barca, sul promontorio di Levanto, in un lussuosissimo albergo a non-so-piú-dove e adesso qui, a Portofino.

– E qui è… è magnifico! È… è Portofino, no? Portofino è…

– Adesso non dirmi che è il posto piú bello del mondo!

– Il secondo posto piú bello, per me!

– E il primo sarebbe?

– Le isole Fiji!

Maya scoppiò a ridere, attirandosi un'occhiata speranzosa di Ramino, che stava spiando l'occasione buona per tornare alla carica. Con un cenno brusco, la padrona di casa fece intendere che non era invitato. Il primate fece rapidamente dietro-front. Patrizia s'era di colpo rabbuiata.

– Cosa c'è che non va nelle isole Fiji?

– È un posto falso, ecco cosa c'è che non va.

Le sembrò che Patrizia ci mettesse un'eternità a rispondere.

E quando poi le disse «finto, forse, ma certo non falso», si chiese che senso avesse quel sottile gioco di aggettivi. E perché lei avesse usato quel tono cosí carico di un'appassionata... voglia di crederci? Di convincere se stessa che era davvero cosí? Era evidente che le Fiji avevano un significato particolare, per lei. Dunque, il suo sarcasmo doveva averla offesa. Maya stava cercando il modo corretto per rimediare, quando Patrizia le strinse forte una mano.

– Sei una donna fortunata, Maya!

E adesso era il suo turno di sentirsi colpita. No. Non era una donna fortunata. Non al presente. Ma lo era stata, certo. Fortunata e ignara della sua fortuna. E di tutto quello che le stava costando. E si era tradita. Con lo scatto violento della testa che le aveva scompigliato i capelli (aveva ripreso a farli crescere), togliendo e mettendo le inseparabili lenti a specchio, con il risolino nevrotico con il quale aveva confermato, sí, certo, certo. E Patrizia che la scrutava come se avesse intuito qualcosa. Una sconosciuta. Ma puoi decidere di aprire il tuo cuore a una sconosciuta. Se la senti vicina, anzi, vicinissima. Se intuisci un terreno comune... una di quelle folgorazioni che gli psicologi dei «femminili» avrebbero definito «tipicamente femminile»? L'eterna scusa ideata dagli uomini per evitare di addentrarsi nel labirinto della mente femminile, qualcosa di simile al «cara, hai i ner-

vi?» con cui la loro rozzezza di fondo si difende dalla nostra ansia di approfondire?

Ma non ci fu tempo per approfondire. Sopraggiungeva-
no Ilio e Ramino, vocianti, seguiti dalla giornalista che aveva inalberato il muso dell'invitata trascurata. C'era da occuparsi del catering. Bisognava impartire gli ordini alla servitú per la sistemazione degli ospiti. Il dovere chiamava la
padrona di casa. Per una volta Ramino ne aveva imbrocca-
ta una: non era mica giusto che Maya monopolizzasse cosí
la bella romanina!

2.

Carú, intanto, si era portato Scialoja in una specie di ta-
vernetta con tanto di bancone bar e impianto hi-fi. L'aria
condizionata faceva sembrare il locale, ingombro di piante,
una specie di paradossale serra fredda. Si erano scambiati il
saluto massonico. Fra una boccata di Cohiba e una sorsata
di Lagavulin, Carú profetizzò che, forse, loro due erano fra
gli ultimi a poter godere del privilegio di una vista cosí splen-
dida da un posto cosí unico.

– Perché? Secondo lei c'è pericolo che anche qui mettano una bomba? – chiese, provocatoriamente, Scialoja.

– È lei l'esperto in sicurezza, dottor Scialoja… no, non
penso a una bomba… È Donatoni che salta. Il padrone di
casa. Lei che cosa ne sa di lui?

– Che ha una bella moglie.

– Le piace Maya, eh? Be', a chi non piace! Anche se
ultimamente sta un po'…

– Dando i numeri? – completò Scialoja, allacciandosi
al gesto inequivocabile di Carú.

– Diciamo, – rise il giornalista, – che è un po' esaurita...
Capita alle belle donne, quando i mariti le trascurano...

– Lui ha un'altra? – chiese Scialoja, vagamente stizzito,
chiedendosi se Carú avesse organizzato tutto quell'ambara-
dan per metterlo al corrente del piú recente gossip mene-
ghino.

– Magari! Donatoni è solo un vanesio, cresciuto all'ombra dei soldi della bella signora... Si crede la reincarnazio-
ne del Fondatore e gli ha mandato a picco l'azienda... Pare che voglia vendere e svignarsela all'estero... sempre che
glielo permettano...

– Chi?

– I giudici. Gli stanno col fiato sul collo. Non mi stupirei se uno di questi giorni lo vedessimo al telegiornale
con gli schiavettoni ai polsi... I giudici stanno diventando i padroni d'Italia, non le pare?

Scialoja si limitò ad annuire. La domanda era retorica,
in perfetto stile Carú.

– Ma noi li lasceremo divertire ancora per poco. Poi, le
cose cambieranno!

– Cambieranno?

– È per questo che l'ho pregata di unirsi alla nostra piccola compagnia...

Carú si protese verso di lui. E cominciò a raccontare.

Berlusconi entra in politica.

Ha fondato un partito praticamente dal nulla.

Un miracolo di fantasia, scienza, inventiva e... politica.

Si chiamerà Forza Italia-Associazione per il buon governo.

Berlusconi si tiene in costante contatto con Craxi.

La notizia per il momento è riservata, anche se comincia a circolare, si sa come vanno le cose in Italia... presto
comunque usciremo allo scoperto.

Si profila un'alleanza strategica con la Lega e Fini, se finalmente i vecchi camerati si decideranno, come pare, a proclamarsi post-, se non anti-, fascisti.

Si stanno ponendo le premesse per un nuovo blocco moderato che darà vita alla Destra moderna.

Le cose cambieranno.

Guideremo il Paese per i prossimi cinquant'anni.

Scialoja aveva ascoltato come inebetito, mentre il suo cervello lavorava a mille. Nuovo partito... scenario impensabile... l'imprenditore che diventa manager di Stato, anzi, dello Stato... Un'idea affascinante, no, di piú, seducente... Berlusconi... cosí simpatico... cosí furbo... cosí *italiano*...

– Avremo bisogno di collaboratori fidati e intelligenti come lei, dottore...

Era un'offerta. Un invito. Una seria offerta. Un allettante invito.

Scialoja si versò anche lui un po' di whisky.

– Per principio io non prendo partito. Lei dovrebbe saperlo.

– E fa male. Un uomo con il suo talento...

– Diciamo pure con le mie carte, dottor Carú.

– E sia. Diciamolo. Siamo franchi. Giochiamo a carte scoperte, se mi passa il gioco di parole. Venga con noi. Non perda questa occasione.

Era cosí, e cosí sarebbe stato per sempre. Le carte. Le carte del Vecchio. Era condannato a essere per sempre una pallida copia del Vecchio. Un'emanazione sempre piú sbiadita, sempre piú lontana dal modello. Scialoja. Il custode delle carte.

– Allora?

– Che mi dice di Giulio Gioioso?

Un guizzo divertito lampeggiò negli occhi di Carú.

– Gioioso ha conservato profondi legami con la sua terra d'origine. Il che è un bene, in tempi cosí confusi. Guardi che cosa stiamo passando, dottor Scialoja! Succedono cose che nemmeno un uomo con il suo potere è in grado di prevenire. E sa perché? Perché questo Stato è fiacco. Rassegnato. Perché gli italiani hanno smesso di sognare. E questo è grave! Molto grave… D'altronde, immagino che lei, come me, come tutti, ne abbia abbastanza di tutta questa violenza… Ovviamente, non pretendo una risposta immediata. Ci pensi, ma non ci pensi troppo. Le cose cambieranno in fretta. Un giorno le sue famose carte potrebbero rivelarsi solo un mucchio di carta straccia.

Il brunch era di livello eccellente. Scialoja piluccava distrattamente l'ottimo cibo, troppo concentrato sulla rivelazione di Carú per apprezzarlo. Maya era assorbita dai doveri dell'ospitalità. Ma ogni volta che se ne presentava l'occasione, cercava con lo sguardo Patrizia. E lei ricambiava con un rapido cenno, con il suo sorriso luminoso e triste. Si era stabilita fra loro un'improvvisa, miracolosa intesa. Ma Ramino imperversava, con i suoi doppi sensi e le imitazioni di terroni e romani (senza offesa, eh, dottore, e niente di personale). Seguirono, poi, la passeggiata sociale a Santa Margherita con annesso aperitivo, una cena leggera a base di pesce, il gelato, altre battute e un gioco di società idiota proposto dall'ilare Ramino. Maya e Patrizia riuscirono a ritrovarsi da sole soltanto a notte fonda. Scialoja non la finiva piú di tormentarla con la storia di Berlusconi. Lei gli disse che il Cavaliere le stava simpatico, e cosí, a naso, d'istinto, l'avrebbe seguito. Quando Scialoja finalmente si addormentò, Patrizia raggiunse Maya in terrazza.

Maya le passò una canna. Patrizia aspirò e fu colta da un accesso di tosse.

– Un po' di roba non ha mai ucciso nessuno. E poi fa bene al mio occhio!

– Non sono piú abituata, scusami.

– Oggi mi hai detto che sono una donna fortunata, Patrizia.

– E tu stavi per rispondermi che non è vero. Che mi sbaglio.

– Sí. Ti sbagli…

Le raccontò di Ilio. Della crisi fra loro. Di Raffaella che si aggirava inquieta nelle stanze un tempo accoglienti e ora improvvisamente fredde e ostili della grande, austera dimora milanese chiedendosi perché mamma e papà non si parlavano piú. Le raccontò del progetto fallito della scuola, delle difficoltà crescenti dell'azienda, dei conti inquinati. Di come Ilio sfuggisse il suo sguardo. Della sua incapacità di prendere una decisione, la decisione, l'unica giusta. Della fiducia che fra loro si era spezzata.

Patrizia non aveva avuto che una sola amica. Palma, l'ex terrorista a cui aveva salvato la vita in prigione. Ora lei faceva la fotografa di moda e il suo carnet era sempre cosí pieno d'impegni. Facciamo la prossima settimana, Patrizia, tesoro, oh, no, scusami, la prossima settimana sono all'Expo di Barcellona…

Ora questa donna cosí diversa da lei, eppure in fondo cosí simile… le apriva il suo cuore… Patrizia provò una pena immensa per Maya. E per se stessa.

– Non mi sbagliavo. Tu sei una donna fortunata. Tu sai quello che vuoi. Vuoi Ilio. Vuoi la tua famiglia. Io… io sono come il tuo uomo… anch'io non so decidere… e finisco per prendere tutto. Ma quando prendi tutto, prima o poi perdi tutto.

– Ti va di parlarne, Patrizia?

– Mi va un altro tiro.

3.

Il sabato mattina, di comune accordo, Maya e Patrizia disertarono la gita sul *Nostromo* e, dopo aver nuotato a lungo nella piscina olimpionica di Villa *Tre orsi*, si distesero al sole, completamente nude. Bevevano vodka ghiacciata, rollavano canne, parlavano della vita. Maya rivelò a Patrizia certi suoi sogni osceni, diciamo da donna oggetto in balia di una squadretta di bruti... Sogni che l'avevano riempita di un desiderio sicuramente malsano. E della paura di ciò che quel desiderio poteva significare.

– È come in quel film, *Bella di giorno*, non so se lo ricordi...

– Anche quello era un sogno, Maya.

Patrizia la sfiorò, con una carezza affettuosa.

– Io ho fatto anche di peggio. E non nei sogni. Nella realtà.

– Me l'avevano detto.

– Non è un segreto.

– Sei mai stata in analisi, Patrizia?

– Mi fa paura l'analisi.

– Sapessi a me! Diciamo che non ci credo, va bene? E poi che potrebbe dirmi, l'analista? Problemi con la madre? Ma io, semmai, li ho avuti con mio padre...

– Parlami di lui.

– Era ingombrante. Sai perché questa villa si chiama *Tre orsi*? Perché quando avevo tre anni la mia fiaba preferita era *Riccioli d'oro e i tre orsi*. Perciò, quando il Fondatore...

– Il Fondatore?

– Mio padre. Lo chiamavamo cosí perché lui era al principio di ogni cosa, dentro ogni cosa, intorno a ogni cosa.

Il Fondatore, appunto. Insomma, quando il Fondatore decise di regalarmi questa *villetta*…

– Chiamala villetta!

– Riporto le sue parole, Patrizia. Quando decise di regalarmi tutto questo mi chiese: come vuoi che la chiamiamo, bambina? Tu che avresti risposto?

– A tre anni mio padre, al massimo, mi avrà regalato i biglietti del circo. Anzi, una volta l'ha davvero fatto. All'inizio non volevo andarci. Poi mi convinsi pensando ai pagliacci, ai loro capitomboli, alle pernacchie e a tutto il resto. Ma finii conquistata dagli animali. Ero letteralmente affascinata da quegli animali. Sai che possiedo almeno cinquecento peluche?

– Sí, ma tu come l'avresti chiamata la villa?

– Be'… *Riccioli d'oro*, no?

– È quello che gli dissi anch'io. Ma lui volle chiamarla *Tre orsi*. Perché in fondo, diceva, i protagonisti sono gli orsi, specialmente quello piccolino, l'orsetto che si lamenta in continuazione…

– Chi ha dormito nel mio lettino? Chi ha mangiato nel mio piattino? – le fece eco Patrizia.

– Proprio cosí. Capisci quello che voglio dire? Non ero nemmeno padrona di scegliere il nome della mia casa!

– Avevi solo tre anni!

– Ne avessi avuti trenta sarebbe stato uguale, credimi. E cosí ora sono una ricca signora che sogna di fuggire da questo posto di merda, da questa gente di merda, da questa vita di merda…

– Perché non lo fai, allora?

– Perché non posso farlo da sola! Non vado da nessuna parte senza Ilio e la bambina!

Patrizia si alzò di scatto.

– Allora rapiscili. Mettigli il sonnifero nella minestra e portateli via. Ma fallo subito, subito. Fallo prima che l'abitudine prenda il sopravvento. Fallo prima di ritrovarti come una schiava che non sa come spezzare la sua maledetta catena!

Maya la fissò interdetta. Patrizia si era trasfigurata. I lineamenti contratti in un'espressione rabbiosa. Pugni serrati, una luce folle nello sguardo. Maya le si fece accanto. Patrizia tornò in sé con un sospiro straziante.

– Ti chiedo scusa, Maya. Non so cosa mi ha preso!

– Che c'è, Patrizia? Che cosa ti tormenta?

– Non ho voglia di parlarne.

– Devi!

– Non ho il diritto di coinvolgerti.

– Io sono già coinvolta.

– Potrei raccontarti cose che non ti piaceranno.

– Non ti giudicherò. Siamo amiche, Patrizia.

La domenica mattina, mentre gli ospiti si preparavano a lasciare Villa *Tre orsi*, Maya provò un'improvvisa fitta di rimorso. Aveva promesso a Patrizia che avrebbe mantenuto il segreto, e certo la storia che le era stata raccontata meritava il segreto piú assoluto. Ma Scialoja era cosí appassionato! E, oltre l'amore, si coglieva nel suo modo di rivolgersi a lei, negli sguardi che le lanciava, negli sfioramenti furtivi che cercava di rubarle quando credeva di non essere osservato, in tutto questo si coglieva un disperato bisogno di lei, una necessità che era già divenuta dipendenza. Scialoja era drogato di lei. Patrizia doveva prendere una decisione. In un senso o nell'altro. Ne avrebbe avuto la forza? O si sarebbe lasciata andare, come aveva fatto per tutta la sua vita? Maya dovette dominarsi per non intervenire. La decisione era soltanto di Patrizia. Nessuno poteva interferire. Pur con tutti i suoi dubbi, Maya osservò la consegna del silenzio. Non avrebbe mai tradito un'amica. Ma mentre con Patrizia scambiava un bacio complice, non poté fare a meno di presentire, con oscura consapevolezza, che forse non si sarebbero mai piú riviste.

La forza del sentimento

Per due giorni, al ritorno da Portofino, Patrizia evitò di incontrare Scialoja. Il terzo giorno gli chiese di portarla al lago.

– Il lago? Ma è un posto cosí deprimente!

– Devo parlarti.

– A maggior ragione. Che ne diresti di una cena a lume di candela a Cannes?

– Portami al lago, ti prego.

Le parole di Maya le avevano scavato dentro. *Devi prendere una decisione. Non puoi piú rimandare il momento della verità.* Lí per lí aveva convenuto con la saggezza pacata dell'amica. Tornata a Roma, era caduta in preda a una sorda rabbia. Perché? Perché scegliere? Perché decidere? Sarebbe cosí semplice scomparire! Patrizia, persa per sempre per l'uno e per l'altro. Il fantasma di Patrizia. Scialoja si sarebbe rassegnato, prima o poi. Ma Stalin non l'avrebbe lasciata andare cosí facilmente. Patrizia aveva prosciugato i conti bancari. Al direttore della banca aveva spiegato che intendeva comprare una nuova casa. L'uomo era di sicuro sul libro paga di Stalin e avrebbe passato l'informazione. Che le credesse o meno non importava. Per lui ormai non provava che un sottile disgusto. E tutto ciò di cui aveva bisogno era un po' di vantaggio. Ma quando aveva già preparato il borsone da viaggio, quando tutto era pronto, si era sentita sopraffare da un'incomprensibile sensazione di spreco. Non puoi nasconderti per sempre, Patrizia. Non ti basta piú sopravvivere. C'è una luce che ti attende, da qualche parte. E ora, mentre si toglieva i sandali e immergeva i piedi nel lago, mentre rabbridiva al contatto con l'acqua fredda, ora non sapeva che cosa augurarsi da quell'incontro: se la conferma delle paure che l'avevano accompagnata lungo tutta la sua vita sbagliata o l'esplosione dell'irragionevole speranza che sentiva, giorno dopo giorno, ingigantirsi dentro di lei.

– Qui è dove sono stata con il mio primo ragazzo. Si chiamava Gerardo, per gli amici Gerry. Era un piccolo spacciatore. Coltivava l'erba e la spacciava nel cortile della scuola. Diceva che sarebbe emigrato in America. Diceva che avrebbe conquistato l'America. E diceva che dovevo andarci anch'io con lui, in America. Diceva che l'America mi avrebbe salvata da me stessa.

L'estate si era abbattuta inesorabile anche su Castelgandolfo. Una famigliola di filippini banchettava sulle panche allineate sulla terrazza di terra che sembrava sprofondare verso il fondo limaccioso del lago. Un Canadair rosso e giallo faceva il pieno a intervalli regolari. Due canoisti pagaiavano con furore lanciandosi urla scherzose di sfida.

Scialoja le prese una mano fra le sue. Stava per dire qualcosa. Lei gli fece cenno di tacere.

– Ma non era con quei quattro soldi che saremmo arrivati in America. Un giorno Gerry si accorse di come mi guardavano certi ragazzi piú grandi… ragazzi di buona famiglia… uno di loro gli fece la proposta. Lui gli disse che me ne avrebbe parlato. In pratica mi chiese di andare con loro. Per soldi. Io gli dissi di no. Lo mandai al diavolo. Piansi e strepitai. Lui si gettò in ginocchio, mi chiese perdono. Io risposi che non ci saremmo mai piú rivisti. La sera stessa telefonai a uno di quei ragazzi. Ci mettemmo d'accordo sul prezzo e trascorremmo insieme il week-end nella villa dei suoi, al Circeo. Poi lui mi presentò ai suoi amici...

– Patrizia...

– Tutto era preferibile alla mia famiglia di merda. Alla mia vita di merda. Tutto. Se era destino che mi vendessi, almeno l'avrei fatto per mio conto. Senza padroni. Dai ragazzi passai ai professori. La voce si sparse. Facevano la fila per stare con me. E pagavano. Quando un bidello ci sorprese nell'aula di Chimica, mi misi a urlare che ero stata violentata. Il professore cercò di difendersi. Raccontò a tutti come stavano le cose. Non gli credettero. Ero molto brava a fare l'innocente, allora. Convinsi mio padre a non sporgere querela. Il professore se ne andò a insegnare da un'altra parte. Io lasciai la scuola. Il resto non è un segreto. Ma voglio che tu sappia una cosa: non mi divertivo, ma non soffrivo. Ero indifferente a tutto. Dell'intera faccenda mi interessavano solo i soldi. Con quelli mi ero comperata la libertà. Questa sono io.

– Perché? Perché mi dici questo?

Lei sfuggí il suo sguardo.

– Il primo ragazzo per cui provavo un sentimento voleva usarmi. Tutti usano qualcuno, a questo mondo. Perciò devi dirmi la verità, dottor Scialoja: che cosa vuoi da me?

– Io ti amo, Patrizia.

– Non mentirmi. Io non valgo niente, niente, capisci?

Per un istante a Patrizia parve che Scialoja non la stesse piú ascoltando. Si era inginocchiato sulla riva e aveva preso a smuovere l'acqua con un lento moto semicircolare. Con lo sguardo sembrava seguire le evoluzioni del Canadair. Quando si rialzò, la fissò con un sorriso amaro.

– Io non ti ho amata a prima vista. Per molto tempo non ti ho amata, Patrizia. Ho desiderato il tuo corpo. La tua insensibilità mi sconvolgeva. Quell'indifferenza feroce che mettevi nel sesso. Avrei voluto essere tutti gli uomini con cui facevi l'amore. Tutti insieme, nello stesso momento. Mi eccitava saperti con loro. Mi eccitavano i fotogrammi del tuo corpo esibito. Quei rapporti senza passione. La volgarità della contrattazione. I soldi sul comodino. I profilattici gettati via. Il latex. Le manette. Tutti quegli oggetti che avresti potuto insegnarmi a usare... Su di te e su di me... Sognavo di irrompere nella tua stanza, sparare un colpo in testa a quello che ti stava sopra e mettermi al suo posto, lí, dentro di te... sognavo di rapirti e di tenerti mia prigioniera, giorno e notte, sino allo sfinimento... Di svegliarmi all'alba e di mettermi ad annusare come un cane l'odore della tua notte...

Patrizia inaspettatamente gli sorrise, come rinfrancata.

– Lo vedi? Questo non è amore. È la solita storia dello sbirro e della puttana...

Ritrasse i piedi dall'acqua, come infreddolita, e si chinò per riprendere i sandali.

Scialoja l'afferrò per un braccio.

– Hai ragione. L'amore è arrivato dopo. Quando ti ho sbattuta in galera. Non potrò mai dimenticare quella mattina in cui ti sei presentata all'interrogatorio sporca, spettinata, cattiva. C'era una luce nei tuoi occhi... una luce di sfida... dimostrami di che cosa sei capace, sbirro... ma non riuscirai a piegarmi... E quando hai salvato la pelle a quella terrorista... Ho scoperto un'altra Patrizia. Una donna generosa. Una regina. Passavi indenne nel mare di fango. Innocente... Il tuo corpo non mi bastava piú. Io volevo il possesso assoluto, totale, e fondermi con te, annullarmi in te...

se non è amore, questo... E ora tu mi chiedi: che cosa vuoi da me? Lo sai già, Patrizia. Sai già di essere la cosa piú importante della mia vita.

Patrizia si prese la testa tra le mani.

– No... no... – mormorò.

Scialoja l'abbracciò con tenerezza. Lei si abbandonò al pianto. Piangeva perché le parole di Scialoja, il suo tono appassionato, la facevano sentire una cosa sporca, un'orribile cosa sporca capace solo di mentire e di ingannare. Piangeva perché non trovava dentro di sé la forza per sostenere il torrente di quel sentimento che l'aveva investita. Piangeva perché si era innamorata di lui. E non sarebbe mai dovuto accadere.

D'improvviso lo respinse, e nei suoi occhi tornò a balenare quella luce cattiva che lui aveva imparato cosí bene a conoscere.

– Vai via! Non venirmi dietro! Io non valgo niente... niente, capisci? Niente!

2.

Angelino era risalito dalla Sicilia con notizie ferali. 'U zu' Cosimo era caduto per mano di infame. Provenzano aveva moltiplicato le cautele. Si spostava in continuazione e ogni contatto comportava settimane di attesa. I Brusca erano in fuga con un ragazzino in ostaggio, il figlio di un pentito che minacciavano di sciogliere nell'acido se il padre non avesse ritrattato, e molti dicevano che questo era contro le regole della Cosa nostra. Ma c'erano piú regole ormai?

In ogni caso, era stato deciso di andare avanti.

Il progetto dell'attentato-truffa era stato bocciato.

Stalin fece un blando tentativo per tirare dalla sua Angelino. Ma il mafioso aveva ricevuto ordini precisi. E dal tono perentorio e vagamente angosciato con cui gli si rivolgeva, Stalin capí che, in qualche modo, la sua stessa posizione in seno alla Cosa nostra non era piú sicura come un tempo. In fondo, i siciliani avevano le loro ragioni. Scialoja si era bruciato i contatti con l'improvvido tentativo di catturare Angelino. Ma lui, Stalin, di concreto, ancora non aveva offerto niente. Solo la promessa di un risultato. Ebbe', i mafiosi avevano le loro ragioni, e Angelino non era pronto al grande salto. La forza del vincolo rimaneva troppo forte.

Quindi, ci si doveva affidare al piano di riserva.

– Sta bene. Si farà come hanno deciso giú. Ho saputo una cosa, Angelino…

Stalin gli parlò della «discesa in campo» di Berlusconi. Il mafioso restò impassibile.

– Pensi che possa farcela? – provocò Stalin.

– E chi può dirlo?

– Meglio lui dei comunisti, no?

– Tutti sono meglio dei comunisti. Per noi, lui o un altro non fa differenza!

Per voi, forse, amici miei, pensò Stalin. Ma per me fa differenza, eccome. Io devo sapere chi vincerà e mettermi al suo servizio un minuto prima di Scialoja.

Non posso accettare di essere messo da parte.

Quindi, i tempi supplementari si giocheranno a modo mio. E subito!

– Abbiamo già una data, un obiettivo?

– Ci stiamo pensando.

– Dobbiamo fare presto. Battere il ferro finché è caldo. Se ci dovessero essere problemi di uomini, possiamo darti una mano io e Pino.

– Il picciotto? Ma non vi eravate dati il bacio della buonanotte?

Fu allora che Stalin, cedendo a un infantile impulso di vanità, gli raccontò di come si era sbarazzato di Valeria.

Piú tardi Stalin telefonò a Michelle e le disse che per un paio di giorni non si sarebbero visti. I soliti, noiosissimi impegni di lavoro. Lei non ci rimase particolarmente male. Doveva essersi trovato un qualche rimpiazzo, la zoccolella. Stalin si ripromise di fare un controllo. Ma dopo, con calma.

Al momento aveva una questione piú urgente da sbrigare.

Patrizia.

3.

Al telefono, da Portofino, i domestici le avevano detto che Maya era dovuta tornare di corsa a Milano. La situazione di Ilio stava precipitando. Patrizia l'aveva rintracciata sul portatile, qualche minuto prima della mezzanotte. Per un lungo, prezioso momento, Maya era riuscita a mettere da parte la propria disperazione per concentrarsi su quella dell'amica.

– Non chiedere a me che cosa devi fare, Patrizia. Lo sai da te qual è la cosa giusta.

– Ho paura, Maya. Paura di perderlo.

– Ti ama troppo per lasciarti andare.

Sí, Maya aveva ragione. Mille volte ragione. C'era una sola cosa da fare. Avrebbe dovuto farla prima, molto prima. Abbandonare Scialoja al lago era stato l'ennesimo errore. Quando lui aveva cercato di trattenerla, lei si era ribellata. L'aveva graffiato. L'aveva ferito. Un errore. L'ultimo errore. Ora era tornato tutto sereno. Ora, finalmente, il futuro aveva un senso. Patrizia impiegò un tempo esagerato per truccarsi. Intanto, si sforzava di elaborare un discorso convincente. Non è facile rendersi conto di colpo che c'è qualcuno per cui la tua vita ha veramente un senso. Non quando da sempre sei convinta di non valere niente. Chiamala una rivelazione. Chiamala qualcosa che già mi portavo dentro, chiamala... Ma ogni frase suonava irrimediabilmente banale. A decidere tutto sarebbe stato il sentimento. Purché lui capisse! Scelse un abito da sera moderatamente scollato, nero, di seta. Indossò due gocce del profumo che lui amava tanto. Se lui avesse deciso di mandarla via... l'ultima immagine doveva essere sfavillante, perfetta.

Doveva essere una sorpresa per Scialoja. Tipicamente femminile, avrebbe commentato lui, dopo. Dopo che l'avrebbe perdonata.

Stava infilando le chiavi nella borsetta quando Stalin e il Guercio si materializzarono alle sue spalle.

– Ciao, mogliettina!

– Come mai questa improvvisata?

Stalin valutò freddamente il suo trasalire. Le guance rosse, il tremore sospetto... Quell'abito da sera... il profumo vago... il silenzio degli ultimi giorni... la questione dei soldi... La situazione era definitivamente compromessa. Patrizia, Patrizia!

– Non mi offri da bere?

Lei si affrettò a servirgli un whisky. Le mani le tremavano leggermente. Patrizia, Patrizia!

– Be', che dire... da un po' di tempo è diventato cosí difficile vedersi... Quando ho saputo che hai prelevato tutti quei contanti mi sono chiesto: non è che la mia adorabile compagna mi sta preparando qualche brutta sorpresa?

– Ho deciso di comperare una casa, lo sai.

– Aah, una casa... magari una villetta sul lago, eh?

– Mi hai fatto seguire!

Stalin rigirò il bicchiere, e si strinse nelle spalle.

– Fa parte delle regole del gioco, dovresti saperlo. Bel vestito. Esci?

– Devo vedere un'amica.

– Allora capitiamo a proposito. Guercio, prepara la Mercedes. Diamo un passaggio alla signora Patrizia...

– Grazie, Stalin, ma ho già chiamato un taxi...

– Vai da lui.

Non ci fu tempo per la risposta. Il telefono prese a squillare. Stalin, con un gesto deciso, le fece capire che non era il caso di muoversi. La segreteria scattò al terzo squillo. Era Scialoja. La sua voce ferma, carica di passione. Mentre ascoltava il messaggio, un sorriso dispiaciuto serrava le labbra sottili di Stalin.

Non dire piú che non vali niente... Patrizia, tu sei tutto per me...

– Oh, Signore, siamo in pieno melodramma! Patrizia, Patrizia!

– Non ti tradirò, – disse lei, fissandolo negli occhi.

Stalin rise. Come vorrei crederti, colomba! Ma è il tuo sguardo a tradire te! È l'odore che spandi che ti tradisce. Odore di paura. Odore di fuga. Odore di addio. Cosí, alla fine, la forza del sentimento aveva debellato il *fattore umano*. Come si sarebbe divertito, il Vecchio, davanti a un simile spettacolo! Stalin chiuse gli occhi e si abbandonò all'onda dei ricordi. Patrizia che si prepara un drink. Patrizia che mette su un disco con qualche struggente canzone d'amore, di quelle un po' pacchiane, da night d'altri tempi. Patrizia che si leva le scarpe, si stende sul divano di pelle bianca, ripiega le lunghe gambe all'altezza delle cosce. Patrizia che improvvisa per lui uno strip. Che spreco, questo finale!

Stalin avanzò di un passo verso di lei. Patrizia fu piú veloce. Con uno scatto improvviso si lanciò verso la porta, incuneandosi agilmente fra lui e il Guercio.

– Prendila, Guercio!

Il Guercio era lento. Il Guercio era pesante. Il Guercio provava simpatia per quella donna. Ma il Guercio era un soldato addestrato. Afferrò Patrizia al volo, per la vita, e la scaraventò sul pavimento. Come se avesse fretta di sbarazzarsi del suo corpo. Lei cadde con un tonfo secco. Stalin si chinò su di lei e le sfiorò i capelli.

Patrizia gli sputò in faccia.

Stalin si pulí con calma, poi la colpí al volto. Una, due, tre volte. Il Guercio urlò.

– Basta, capo!

– Sta' zitto!

Patrizia continuava a fissarlo. Si sforzava di dominare il dolore. Ricacciava indietro le lacrime. I suoi occhi erano colmi di odio. Stalin sospirò.

– Perché? Perché, Patrizia? Avresti potuto avere tutto... perché?

– Perché lui è migliore di te, Stalin!

Stalin la colpí ancora. Patrizia perse i sensi. Il Guercio si fece avanti.

– Capo, mi occupo io della ragazza. Me la porto a casa e la tengo con me. Ti garantisco che non la perderò di vista un solo istante! Sarà piú al sicuro che in una galera! E poi, quando tutto sarà finito, non ci sarà piú bisogno di...

Stalin fissò il Guercio con un mezzo sorriso. Anche lui era caduto preda del fascino della puttana! Il Guercio, intanto, lo scrutava, cercando di afferrare con la sua mente primitiva il senso di quel mezzo sorriso.

– Cosí vuoi occuparti tu di lei, Guercio?

– Fidati di me, Stalin. Andrà tutto bene.

– D'accordo. Se vuoi occuparti di lei… buttala di sotto!

– No.

Non avrebbe ucciso la donna. Stalin era fuori di testa. Stalin aveva perso il controllo. Stalin non era un autorevole, illuminato comandante. Stalin era uno psicopatico. Non avrebbe ucciso la donna. Gli era successo una sola volta, anni prima. Ma era stato un incidente. Quell'altra donna era da considerarsi l'effetto collaterale di un'operazione di bonifica in territorio ostile. Qui le cose erano diverse. Ci sono cose che non vanno fatte. A nessun costo. Ci sono limiti che non si possono superare. Ci sono cose che prima o poi si pagano. E il Guercio non voleva pagare.

Stalin sollevò l'indice della sinistra e lo ficcò nell'occhio sano del Guercio. Il Guercio fece partire un lamento animalesco.

– Quando hai finito di frignare, pulisci le tracce.

Stalin si buttò in spalla il corpo di Patrizia e si avviò deciso verso il terrazzo.

Qualche ora dopo, Camporesi, terreo in volto, irruppe senza bussare nell'ufficio di Scialoja, sventolando un foglietto scritto a mano.

Scialoja era al telefono con Carú. Stava cercando il tono giusto per comunicargli che l'offerta era stata accettata. Con un cenno imperioso fece capire a Camporesi che non desiderava essere interrotto. Il tenente gli tolse delicatamente la cornetta dalle mani e lo costrinse a leggere.

Camporesi si portò le mani alle orecchie: nell'urlo di Scialoja c'era qualcosa di disumano che non riusciva a sostenere.

4.

IL PIANO DI RINASCITA DEMOCRATICA

Questo documento è stato ritrovato e sequestrato nel 1982 alla figlia di Licio Gelli, gran maestro della loggia P2, assieme al memorandum sulla situazione politica in Italia.

Pubblicato in: Commissione parlamentare d'inchiesta sulla loggia massonica P2, IX Legislatura.

PREMESSA

L'aggettivo democratico sta a significare che sono esclusi dal presente piano ogni movente o intenzione anche occulta di rovesciamento del sistema. Il piano tende invece a rivitalizzare il sistema attraverso la sollecitazione di tutti gli istituti che la Costituzione prevede e disciplina, dagli organi dello Stato ai partiti politici, alla stampa, ai sindacati, ai cittadini elettori.

Il piano si articola in una sommaria indicazione di obiettivi, nella elaborazione di procedimenti – anche alternativi – di attuazione e infine nell'elencazione di programmi a breve, medio e lungo termine.

Va anche rilevato, per chiarezza, che i programmi a medio e lungo termine prevedono alcuni ritocchi alla Costituzione – successivi al restauro delle istituzioni fondamentali – che, senza intaccarne l'armonico disegno originario, le consentano di funzionare per garantire alla nazione e ai suoi cittadini libertà e progresso civile in un contesto internazionale ormai molto diverso da quello del 1946...

Quando gli aveva consegnato il testo del Piano di rinascita democratica attribuito a Licio Gelli, il giornalista dell'«Espresso» aveva inalberato un educato sorrisetto. Come dire: ancora? Ancora, ancora e sempre, aveva ribattuto Argenti. Il che gli aveva guadagnato la sicura iscrizione nell'elenco dei dietrologi-complottisti a oltranza. Poco male. Al punto in cui erano le cose, l'urlo e il silenzio avevano lo stesso valore. Zero.

La voce della «discesa in campo» di Berlusconi a capo di un blocco moderato era ormai di dominio pubblico. Non piú voce, ma certezza. Argenti era stato il primo a saperlo, almeno fra quelli del partito. Era accaduto al termine di un nuovo scontro televisivo con Carú, due settimane prima. Piú che un dibattito, un monologo nel corso del quale Carú, l'ex compagno Carú, si era abbandonato al consueto livoroso sfogo contro i chierici della sua antica chiesa. Argenti si era difeso come meglio aveva potuto, ma la sapienza mediatica di Carú era inarrivabile. Lo aveva fatto a pezzi. L'incontro di ritorno, dunque, era stato, per lui, una *débâcle*. Chiunque avesse assistito a quella rappresentazione se ne sarebbe tornato a casa con un chiaro convincimento: Carú rappresentava il Futuro, la Novità, la Speranza. Argenti il passato che sapeva di muffa, la vecchia politica. Il Brillante contro il Burocrate. Era, in piccolo, un'anticipazione dello scontro che, di lí a poco, si sarebbe replicato alle elezioni generali. Perché non c'era dubbio che le elezioni ci sarebbero state. Un Parlamento pieno zeppo di inquisiti non poteva durare. Non senza la guida politica dei partiti. I quali partiti si erano dissolti sotto l'onda d'urto delle inchieste giudiziarie.

Come se i giudici, sotto sotto, avessero lavorato al soldo del re di Prussia!

Elezioni, dunque, e sconfitta.

Quanto a Berlusconi, Carú gliel'aveva fatto capire quando si erano stretti la mano nel camerino.

– Ma credevate davvero che vi avremmo lasciati da soli a combattere contro i fascisti? Voi da una parte, loro dall'altra e al centro niente? Credevate davvero che quell'enorme spazio politico che si è aperto con la crisi della Democrazia cristiana sarebbe rimasto vuoto? Illusi!

– Illusi voi, – aveva ribattuto Argenti, molto piú per

spirito di bandiera che per intima convinzione, – e chi dovrebbe occuparlo, questo famoso spazio politico?

– C'è chi ci sta pensando, senatore!

Il resto era stata un'abile attività di corridoio. E, naturalmente, quando aveva informato i vertici, le sue paure
erano state accolte da un coro di risate. Berlusconi? Ma è
impresentabile!

E dunque li avrebbe sbaragliati.

Niente e nessuno poteva sradicare dalla coscienza di Argenti il profondo convincimento che l'*ubi consistam* del futuro potere italiano stava tutto lí, in quel piano di Gelli.

Certo, rilette a undici anni di distanza dal rinvenimen-
to, quelle carte denunciavano l'usura del tempo. Quel mondo di contrapposizioni frontali non esisteva piú. Lo spet-
tro del vecchio Marx con il suo amaro fardello di illusioni
perdute e gli antichi avversari giacevano fianco a fianco sotto le macerie del Muro di Berlino.

Alcune intuizioni del Piano erano già diventate realtà:
la caduta del monopolio Rai, per esempio.

Oltre tutti i misteri e le dicerie – c'era qualcuno dietro
Gelli? Chi? Il ritrovamento era stato casuale o voluto? Esisteva davvero un secondo, piú ampio elenco di piduisti pieno di nomi insospettabili e altisonanti? – il nucleo del progetto impressionava per la concretezza delle sue idee.

Un piano di trasformazione dell'Italia.

Meno vincoli e piú spazio all'impresa.

Il rientro nei ranghi della magistratura.

La sostituzione del lassismo imperante con un nuovo ordine.

La mano libera ai poliziotti.

I controlli sulla stampa.

Il ridimensionamento dei sindacati.

Idee semplici, un'ottima base di partenza per quella Destra che Berlusconi avrebbe portato alla vittoria.

E che importava se non era un politico di mestiere?

La gente non li sopportava piú, i politici di mestiere!

Era diventato popolare con lo spettacolo? E allora?

Ronald Reagan non era stato forse un grande presidente?

Ma ciò che piú inquietava era la forza delle idee.

Idee semplici. Idee che molta gente sentiva di condividere. E molti altri, in futuro, si sarebbero uniti al gregge. La Sinistra non avrebbe mai avuto una simile capacità di sintesi. Era il suo Dna confusionario e assembleare che glielo vietava. La Sinistra spaccava il capello in quattro. Quelli andavano diritti alla meta.

Un Paese sicuro, un Paese ordinato, un Paese *law & order* dove pochi eletti decidevano per tutti e la massa nuotava tranquilla in fondali recintati, guardata a vista da un esercito di sbirri e giudici pronti a reprimere il piú piccolo crimine.

E a chiudere gli occhi davanti a tutto il resto.

Nel Piano non si parlava di mafia.

La mafia non era un problema, per chi l'aveva scritto?

Ma non era ciò che tutti desideravano, in fondo?

Che qualcuno s'incaricasse di risolvere tutti i problemi?

E se i problemi erano insolubili, aveva ammonito una volta un saggio politico della vecchia guardia, non era meglio ignorarli, e passare al successivo argomento all'ordine del giorno?

C'erano momenti in cui la consapevolezza di sapere e di non potere gli toglieva il respiro. Io non permetterò che tutto questo accada, aveva giurato. Ma, a quanto pareva, la Storia non voleva saperne di lasciarsi imbrigliare dalla sua tenacia. La Storia avrebbe consegnato l'Italia nelle mani giuste.

Quando Beatrice entrò nella stanza, lui non le prestò attenzione. Fu quando sentí le lacrime che si decise a sollevare gli occhi dal piano di Gelli. Beatrice aveva gli occhi rossi. Tirava su col naso.

– Ma che c'è? Che è successo?

– Ti ricordi la donna di Scialoja?

– La... sí, certo... Patrizia, no?

– È morta!

– L'ha ammazzata lui? – s'informò Argenti, con una punta di sarcasmo.

Ma si accorse subito di aver commesso un errore. E si precipitò a consolare Beatrice.

5.

Ilio Donatoni aveva ricevuto il collegio di difesa nel pomeriggio. Per ragioni di sicurezza, l'incontro si era svolto nella sua dimora privata. Da giorni la sede dell'impresa era oggetto dell'inquietante andirivieni di personale della Guardia di finanza.

Gli avvocati si dicevano certi che il mandato di cattura, o come diavolo si chiamava adesso, era già sul tavolo del procuratore della Repubblica.

Era questione di giorni, se non di ore.

I giornalisti telefonavano senza sosta ai recapiti di Ilio. Segretarie angosciate rispondevano invariabilmente che lui era in riunione. Quando avevano cominciato a tempestare anche il numero di casa, Maya era insorta, con tale violenza che, c'era da giurarlo, sarebbe finita sulle prime pagine il giorno dell'arresto.

Già. Il giorno dell'arresto.

Magari domani. Dove aveva letto che li prendono all'alba per non dargli tempo di pensare? Per sconvolgerli con il terrore delle manette?

Mentre gli avvocati sciorinavano, a turno, strategie che uno o piú colleghi, a turno, s'incaricavano con alacre solerzia di impallinare, Ilio si era voltato piú volte a fissare il quadro che campeggiava sulla parete alle spalle della scrivania.

Il Fondatore, i capelli bianchi mossi dal vento, posava una mano sulla spalla di Ilio, che lo gratificava di uno sguardo pieno di adorazione e di gratitudine. Sullo sfondo di un cielo azzurro solcato da possenti nubi da realismo socialista, lo sguardo limpido del Fondatore si perdeva in un orizzonte popolato da una massa di operai intenti all'edificazione della Città Perfetta. La città ispirata ai criteri del Fondatore – sobrietà, agio, compensazione dei conflitti – che era destinata a diventare, a tutti gli effetti, la Città di Ilio.

Anche se non si poteva certo dire che avesse contribuito a guadagnare all'artista fama e gloria eterne (fra l'altro, non ne ricordava neppure il nome), quella crosta gli era costata un bel mucchio di quattrini.

La scena raffigurava la cerimonia del passaggio di consegne. Quando Ilio aveva conquistato la maggioranza azionaria e il Fondatore aveva passato la mano.

Una scena commissionata per ispirare «sobrietà, agio, compensazione dei conflitti». Il padre che si fa da parte per lasciare campo libero al figliolo. Il tutto all'insegna della continuità nella rassicurante tradizione...

Che bugia! Che colossale menzogna!

L'uscita di scena del Fondatore era stata lenta, lunga, dolorosa, e costellata di colpi bassi. Soltanto quando Maya si era finalmente schierata dalla sua parte Ilio aveva capito di aver vinto.

Tutti pensavano che l'avesse fatto perché insofferente della tutela del Fondatore.

Ma non era cosí.

Lei l'aveva fatto per amore.

Maya lo aveva amato di un amore totale, incondizionato.

Un amore folle, sí, folle. Perché solo la follia poteva averla indotta a vedere in lui le qualità che non aveva mai posseduto, la grandezza che non gli era mai appartenuta.

Maya aveva creduto ciecamente in lui.

E lui l'aveva ripagata con la rovina.

Ricordava le ultime parole del Fondatore. Quella mattina fredda e grigia (altro che cielo terso, altro che limpide nubi!) in cui aveva realizzato la piú amara delle sconfitte.

«Purché tutto questo, un giorno, non diventi cenere!»

Gli avvocati avevano finalmente trovato un accordo. A quanto pareva c'era una possibilità, sia pure vaga. La chiamavano «costituzione concordata». In un paio di occasioni aveva funzionato. Perché non tentare? Si trattava di presentarsi spontaneamente dal pubblico ministero per essere sottoposti a interrogatorio. E sí, be', vuotare il sacco. Confermare tutto quello che loro già sapevano – l'ispezione della Finanza, sotto questo aspetto, era stata devastante – e… fare dei nomi. Eticamente riprovevole? Forse, ma dato che la maggior parte di quei nomi era già nota agli inquirenti… e poi, al punto in cui si trovavano…

– Ci penserò, – aveva tagliato corto, liquidando i legali con un cenno stanco.

Li aveva visti allontanarsi in branco, delusi, rassegnati.

Increduli. Perché rifiutare un'occasione cosí unica e irripetibile?

Avrebbe funzionato. Doveva funzionare.

Sí, forse. In circostanze ordinarie. In un diverso contesto. Magari ai tempi del Fondatore.

Ilio rigirava fra le mani il bigliettino di Giulio Gioioso.

«Noi abbiamo fiducia in te».

Un bigliettino! I telefoni ormai non si usavano piú, perché erano tutti sotto controllo. Di una visita nemmeno a parlarne. Lo evitavano tutti, ormai, come un appestato.

«Noi abbiamo fiducia in te».

Eh, già, cari avvocati. Qua non è questione di tangenti a qualche politico, di ruberie da quattro soldi, dell'andazzo del *sistema*. È quel *noi* che fa la differenza. Noi. Noi che sabotiamo i freni delle automobili. Noi che facciamo saltare in aria i cantieri. Noi che decidiamo chi merita di vivere e chi no. Noi che, con le lacrime agli occhi di Giulio Gioioso, non ci metteremmo un secondo a massacrare la tua bella mogliettina e la tua vispa bimbetta.

Il pensiero di Maya era straziante.

Lei gli era stata vicina come non mai. Lei aspettava la sua decisione. L'avrebbe seguito sino alla fine.

Aspettava solo un segnale da lui.

La figlia del Fondatore avrebbe combattuto con tutta l'energia che a lui era sempre mancata.

E l'avrebbero fatta a pezzi.

Ilio Donatoni chiuse a chiave la porta dello studio e andò alla cassaforte.

Digitò la combinazione e il grosso portello si aprí con uno scatto secco.

Fissò la Luger che il Fondatore aveva preso a un soldato tedesco caduto sull'Appennino Emiliano nel '44.

Un impiegato aveva l'incarico di tenerla perfettamente efficiente.

Ilio afferrò l'arma e la soppesò.

Controllò che fosse ben oliata.

Inserí il caricatore. Scarrellò finché il colpo non fu in canna.

Appoggiò la canna alla tempia e con l'indice fermo sondò

il grilletto. Opponeva troppa resistenza. Si era dimenticato
la sicura.

Poggiò nuovamente la canna alla tempia.

Chissà se Maya avrebbe capito che lo faceva per lei.

Poi, senza darsi il tempo per cambiare idea, sparò.

6.

Quando Scialoja infine si decise ad aprirle, Maya Donatoni provò una stretta al cuore. Che ne era stato del gelido,
affascinante gentleman di Portofino? Del suo sorriso educato e distaccato? Barba lunga, occhi infossati, camicia mac-
chiata, piedi nudi, capelli arruffati, cosparso di un tanfo di
latte cagliato che dava il voltastomaco… davvero il dolore
ci trasforma. Quel suo giovane assistente, Camporesi, le aveva detto la verità.

«Non è piú lui».

Non era piú Scialoja. Era un uomo impazzito che aveva
fatto a pezzi un ufficio dello Stato. Minacciato, in piena crisi alcolica, di scaraventare giú dalla finestra un colonnello
dei Carabinieri. Fatto irruzione nell'ufficio del procuratore della Repubblica urlando che era un incapace, o peggio,
un corrotto. Perché solo un incapace o un corrotto poteva
credere al suicidio.

«Insomma, ha perso la testa. Ci ha fatto controllare e
ricontrollare diecimila volte i tabulati telefonici, ha ordinato retate, interrogato personalmente testimoni che non
ne sapevano un bel niente, intimidendoli e… be', questo
è meglio che non glielo dica».

Che durante un interrogatorio un poveraccio aveva avuto la sfortunata idea di rispondere con tono provocatorio
all'ennesima domanda allucinata, e allora Scialoja lo aveva

afferrato per la gola e aveva preso a sbattergli la testa contro la parete, e se non fosse intervenuto proprio lui, Camporesi, quel disgraziato ci avrebbe rimesso la pelle... e ora era anche sotto denuncia! Un pezzo grosso dello Stato come lui ridursi cosí!

«La verità è che non riesce a farsene una ragione, ma sbaglia. È stato un suicidio. Lui stesso ha messo a verbale che, durante l'ultimo incontro, al lago, lei era disperata... non riesce a perdonarsi di non averla seguita, di non essere rimasto con lei... forse, se non l'avesse lasciata andare, lei ora sarebbe ancora qui... Ma quello che non riesco proprio a capire, signora, è che cosa diavolo ci vedeva Scialoja in quella donna! Sa che quella Vallesi Cinzia, un tempo...»

«Lo so e non me ne frega un accidente!» aveva tagliato corto, dura.

«Era una bella donna», aveva sussurrato Camporesi, poi, arrossendo, le aveva consegnato un bigliettino con indirizzo e recapiti telefonici.

– Posso entrare?

Scialoja si fece da parte e, sgarbatamente, aggiunse: – Ha detto che aveva un messaggio da parte di lei. Si sbrighi a darmelo e se ne vada!

Lei entrò. Bottiglie vuote sparse sul pavimento. Due lampade rovesciate. Segni rossi alle pareti. Il televisore acceso. Si voltò a guardarlo, improvvisamente presa da un moto di vergogna per il suo tailleur di fresco di lana, i capelli in perfetto ordine, la spilla futurista appuntata all'altezza del seno. Vergogna per aver deciso di rifiutare il ruolo di vedova inconsolabile, per aver bandito dal proprio aspetto i simboli tetri del lutto.

Vergogna per aver cercato di sbattere la porta in faccia al dolore.

Ma fu solo un istante. Un brevissimo istante di cedimento. Tutto quello che la figlia del Fondatore poteva concedersi.

– Prima voglio che dia un'occhiata a queste carte, – disse, tendendo a Scialoja la carpetta con la perizia Mariani.
– Spiegano perché Ilio si è tolto la vita.

Aveva deciso dopo un lungo tormento. Ai magistrati aveva detto: non so niente, Ilio mi teneva all'oscuro dei suoi affari. E non era stato il sorriso ipocrita di Giulio Gioioso che l'aveva indotta a... a tradire la volontà di Ilio. Ne era certa, lui si era sparato perché l'amava. Amava lei e Raffaella e aveva creduto... sperato che con la sua morte non ci sarebbero stati piú pericoli. No. Aveva deciso quando in televisione era apparso Ramino Rampoldi: io, amico di quello lí? Guardi che le dò querela, caro signore! Persone come *il* Donatoni disonorano la classe imprenditoriale italiana! Persone come *il* Donatoni sono un'onta per il nostro operoso Nord! Io con quella feccia non ci ho mai avuto niente a che fare! E sa che le dico? Pace ai morti, certo, ma... ha avuto quello che si meritava! E non erano state nemmeno le parole (che altro ci si sarebbe potuti attendere da uno cosí?) Era stato il gesto. Quelle tre dita portate vicino alla tempia, a simulare beffardamente il colpo che le aveva portato via il suo amore...

Aveva spedito Raffaella e la tata in Argentina, dove c'era l'ultima casa che non le sarebbe stata portata via.

Avrebbe lottato.

E aveva deciso di coinvolgere il poliziotto.

Scialoja la fissava come se venisse da un altro pianeta. Afferrò le carte, le soppesò con un sogghigno freddo, scosse il capo, lanciò la carpetta su un divano.

– Non m'interessano. E poi che cosa vuole che mi dicano, quelle carte? Che Giulio Gioioso è un uomo della mafia e suo marito ci faceva affari? C'ero già arrivato da solo! Patrizia mi aveva chiesto di aiutare lei e suo marito…

– Lo avrebbe fatto?

– Se ne avessi avuto il tempo, sí. Ma ormai… che senso può avere tutto questo, per me?

– Ho delle prove, qui dentro, dottor Scialoja!

– Non me ne frega un cazzo delle sue prove! Mi dia questo benedetto messaggio e si levi dai piedi!

– Non è il solo ad aver perso una persona cara, – sibilò lei, gelida, – non ha il monopolio del dolore. La smetta di compiangersi e torni a combattere.

– Se ne vada!

– Patrizia si sbagliava sul suo conto. Lei è un uomo da niente!

Lo vide contorcersi, come fosse sul punto di spiccare un balzo e mettere a tacere quella sua voce offensiva, tagliente. Poi lo vide afflosciarsi di colpo, portare le mani alla gola. D'istinto gli posò una mano sulla spalla. Tutta la rabbia e il furore erano svaniti.

Era solo un piccolo uomo disperato. Non aveva diritto di infierire su di lui. Nemmeno lei possedeva il monopolio del dolore.

Scialoja si riscosse, annuí, e lasciò la stanza.

L'attesa durò mezz'ora. Lui tornò con vestiti freschi, capelli ancora umidi di shampoo, la barba rimessa in sesto. Maya gli sorrise.

– Mi perdoni. Non avevo il diritto…

– Guarderò le sue carte. E se potrò, l'aiuterò.

Maya gli porse una busta.

– Tenga.

Scialoja la prese delicatamente. Come una reliquia. Esitò, prima di rigare con l'unghia la rima dell'incollatura. Quando vide la foto, ebbe voglia di piangere. Si dominò.

Patrizia! L'aveva mai vista cosí luminosa, cosí felice, quando era con lui?

L'aveva mai resa felice?

E quell'uomo... come lo guardava! Con che orgogliosa intensità! Il mio uomo, sembravano dire quegli occhi... Sul retro c'era una frase. «Bula... Patrizia... un'altra vita...» Ma che senso aveva tutto questo? Chi era quell'uomo? Passò la foto a Maya, rivolgendole una muta domanda.

– Si chiama Stalin Rossetti, – disse Maya. – Ora le dirò tutto. Tutto quello che lei non ha fatto in tempo a dirle.

7.

Al principio, Stalin non era stato che uno fra i tanti. Forse appena piú gentile. Cinzia se lo ricordava al seguito dei due spioni, Zeta e Pigreco, che avevano trasformato il suo bordello in una specie di panottico dove vizi e segreti dei frequentatori piú influenti erano costantemente tenuti sotto controllo da sofisticati apparecchi di ripresa. Veniva, guardava, raccattava materiali, scambiava qualche battuta scherzosa con le ragazze, ma mai andarci a letto. Mai. Il Ranocchia, l'architetto frocio, il suo delicato confidente, l'aveva messa in guardia: quello non è della parrocchia, quello è un figlio di puttana. Il Ranocchia ci aveva provato e gli aveva detto male. Niente violenza, beninteso, ma un sarcasmo da scorticarti vivo. Stalin Rossetti era un uomo pericoloso, aveva concluso il Ranocchia. Ma il Ranocchia si era preso una cotta per Scialoja, era evidentissimo. Il Ranocchia non era obiettivo! Poi Stalin era scomparso. E lei l'aveva rapidamente dimenticato. Che motivo avrebbe avuto di ricordare uno qualunque, uno fra i tanti? In quegli anni lei si era ritirata dal mestiere per diventare la donna di un bandito spac-

cone e ambizioso che si faceva chiamare il Dandi. Il Dandi
era rimasto a lungo latitante. Si faceva vivo con improvvi-
sate a base di costosi regali rischiando ogni volta la cattura.
L'altro, Scialoja, andava e veniva, roso dal tarlo della carriera: aiutami a prendere questo, dimmi di quello. Ciò che le
chiedeva, in fondo, non era molto diverso dal gioco che le
avrebbe proposto Stalin Rossetti.

Ma Stalin aveva un vantaggio indiscutibile: Stalin poi l'a-
veva presa.

Era ricomparso nell'estate del '91. I primi approcci l'a-
vevano lasciata fredda.

Era uscita con lui per curiosità, perché era un gentiluomo, perché conosceva posti magnifici e ci si muoveva a suo
agio. Avevano ballato stretti. L'aveva sommersa di omaggi floreali. A un'esposizione di animali di peluche le aveva fatto dono del pezzo piú costoso, un coccodrillo sorridente dagli occhi ambigui.

La prima volta che erano saliti su da lei non le era saltato
addosso. Si era comportato da corteggiatore discreto e *charmant*. Un po' alla volta, il gioco aveva cominciato a prenderla. Gli uomini, di solito, non sprecavano il loro tempo prezioso a corteggiarla. Gli uomini, di solito, si infilavano fra le
sue gambe.

«Che cosa posso fare per averti?» le aveva chiesto, quella sera.

«Non lavoro piú», aveva ribattuto, irrigidita, delusa.

«Non parlo di quello. Ho detto averti, non scopare».

«Sposami», aveva lasciato cadere lei, per metterlo alla
prova.

Una settimana dopo erano su un aereo. Business class.
Direzione Nadi, isole Fiji, con scalo a Los Angeles. Da lí, in
idrovolante, avevano raggiunto la loro destinazione finale:
l'isola di Taveuni.

Lí un prete fijano in calzoncini corti li aveva sposati.

Conoscete una ragazza che non abbia mai sognato un matrimonio polinesiano?

In volo, lei si era accorta di quanto Stalin somigliasse a suo padre. Il Maresciallo. L'inflessibile custode della legge marinaresca. Stesso piglio militare, stessa decisione, stessi occhi di ghiaccio che sapevano d'improvviso farsi languidi, carezzevoli. Ma il Maresciallo se n'era andato troppo presto. Come una specie di eroe, avevano detto a sua madre, per consolarla. Sulla tolda della nave mentre intorno i naufraghi si aggrappavano alle cime che lui virilmente tendeva loro. Finché un'onda carogna non se l'era portato via. Ma non c'era stata consolazione. Nessuno dovrebbe crescere con un padre che se ne va troppo presto e con una madre *morta*.

Stalin Rossetti se l'era presa quando le aveva dato un nome.

Conoscete una ragazza che non abbia mai sognato un matrimonio polinesiano?

Li avevano addobbati con corone di fiori colorati e spinti su un baldacchino con un tappeto di foglie odorose coperto da stuoie dipinte a mano.

Gli indigeni intorno gridavano: «Bula!»

Gli indigeni intorno ridevano e cantavano.

Erano pagati per farlo.

Erano pagati, ma a lei non importava.

Il prete aveva letto le formule di rito con il suo buffo accento inglese.

Lei aveva detto sí. Stalin aveva detto sí.

Li avevano imbarcati cantando su una canoa finché non erano stati inghiottiti dal grande disco rosso del sole al tramonto.

Conoscete una ragazza che non abbia mai sognato un matrimonio polinesiano?

Be', io l'ho avuto.

Tutta quella gente cantava e rideva per me. Per la piccola Cinzia. E la piccola Cinzia, per una volta nella sua vita, aveva *davvero* voglia di piangere.

Che Dio ti benedica per quello che mi hai donato, Stalin Rossetti.

E che Dio ti maledica per quello che mi hai fatto fare.

Erano tornati a notte fonda.

Avevano bevuto la kava e avevano fatto l'amore.

La luna di miele era durata due settimane.

Avevano nuotato nella barriera corallina fra legioni di pesci pappagallo.

Avevano bevuto la kava con gli isolani.

Stalin aveva giocato a rugby con gli isolani.

Avevano fatto l'amore.

Un indigeno li aveva fotografati di nascosto da Stalin. Era quella la foto che un giorno avrebbe mandato a Scialoja.

Alla partenza, gli isolani cantavano *Isa Lei*, la canzone dell'addio.

Erano pagati per questo. Ed era meraviglioso che lo facessero per lei.

A Roma si erano separati baciandosi un «bula!» sulle labbra.

«Scomparirò spesso. Dovrai abituarti. Ma tornerò sempre da te».

Non gli aveva creduto, ovvio. Sapeva qual era il suo lavoro, agente segreto o qualcosa di simile, cosí come lui sapeva tutto del suo passato. E cosí come a lui non era importato, cosí non doveva farsene un cruccio lei. Era durato poco, ma era stato bello.

E invece Stalin era stato di parola. Era tornato. Ogni volta era tornato.

Un giorno, finalmente, si era rivelato.

«Voglio che tu riprenda i contatti con un vecchio amico».

«No, – gli aveva risposto, d'istinto, – no. Non voglio piú essere usata».

«Lui l'ha fatto con te. Continuerebbe a farlo, se ne avesse l'occasione. E… come dire, a fondo perduto…»

«No».

«Peccato!»

Stalin aveva suonato la loro canzone. L'aveva presa fra le braccia. Avevano ballato, stretti. Peccato, lui continuava a sussurrare, tu e io, insieme, siamo una forza della natura. Il futuro ci appartiene… che c'importa di quel bastardo che in te ha cercato solo un corpo disponibile… o peggio ancora: un'informatrice? Non dirmi di no, Cinzia, non farlo. O, se vuoi, fallo. Non cambierà niente fra noi. Ma… che peccato! Che peccato! *My wonderful lady…*

Oh, sí, aveva ceduto, infine. Era lei, dopo tutto, la sofisticata signora che sceglieva con cura l'abito da indossare e lo sfoggiava al party, mentre lui si compiaceva degli sguardi degli altri uomini, e il suo sorriso diceva, vedete? Vedete questa meravigliosa creatura? È la mia donna! E lei che lo accarezzava dopo, quando lui aveva quel terribile mal di testa, e gli chiedeva, è stato bello, amore, e lui, improvvisamente sanato dal contatto di quelle morbide labbra profumate, lui tornava a sorriderle e le sussurrava *Oh, my darling, you were wonderful tonight*, sí, tesoro, eri bellissima stasera…

E ora, di tutto questo, di colpo, non le restava che un pugno di rancore. Rancore e miseria.

– Patrizia aveva compreso, infine, di non essere stata altro che una schiava. È stato il suo amore, dottor Scialoja, che l'ha liberata dal potere di quell'uomo. Cosí, quando lei mi parlò delle isole Fiji... e io reagii come... come quella che sono... o che ero... una ragazza ricca di buona famiglia... le isole Fiji! Mio Dio, com'è tutto cosí scontato! Com'è tutto cosí... falso... Quella risata squarciò l'illusione...

Ma Scialoja non l'ascoltava già piú. Scialoja ripensava al suo primo incontro con Patrizia. Quando si era introdotto nella sua casa e aveva frugato nell'intimità di una giovane puttana. Quando era stato per la prima volta posseduto da un desiderio che il tempo avrebbe trasformato in amore. Fra le carte e i peluche c'era un volantino pubblicitario. Il dépliant di un viaggio da sogno nei mari del Sud. Non era mai stato cosí vicino al cuore di lei, alla sua anima, come in quel momento.

E non aveva capito. Non aveva mai capito niente.

La fine è nota

Eccitazione. Nervosismo.

Angelino Lo Mastro non comprendeva il motivo di tutta quell'eccitazione, di tutto quel nervosismo.

D'accordo, mancavano due giorni al *colpetto*.

Non è che ce l'ha comandata il medico, 'sta cosa.

Importante è che il colpetto ci sia, e che finalmente le acque si smuovano. Oggi o domani, o a fine mese, ma che differenza fa?

Stalin Rossetti non si era nemmeno sognato di spiegarglielo.

Angelino pensava al colpetto, e lui invece al gran finale.

E perché fosse grande, e soprattutto finale, bisognava fare presto. Presto. Presto.

Prima che Scialoja assorbisse la botta di Patrizia.

Era stato un brutto affare anche per il Guercio. Era distrutto. Stalin lo aveva sorpreso all'uscita da una chiesa. Il Guercio pregava! Il Guercio invocava pietà per la sua anima immonda! Il Guercio non serviva piú. Fra gli schiavi serpeggiava aria di rivolta. Stalin aveva deciso di tenerlo fuori dalla faccenda.

Anche Yanez era all'oscuro di tutto. L'uomo era infido. L'uomo perdeva somme ingenti al gioco e con Scialoja sul piede di guerra poteva rappresentare un pericolo. Non fosse stato cosí bravo nel suo campo, Stalin lo avrebbe liquidato senza esitare. Ma per certi lavoretti, in futuro, poteva averne ancora bisogno.

L'avrebbe sopportato finché non fosse spuntato qualcuno migliore di lui. Magari uno dei ragazzi della sorveglianza di Scialoja. Quando la sorveglianza di Scialoja fosse passata, armi e bagagli, dalla sua parte.

In definitiva, aveva dovuto fare tutto da solo. Procurare gli automezzi, preparare l'imbottitura, tarare il telecomando, individuare il luogo, la data, il bersaglio.

Be', tutto da solo non era proprio esatto. Angelino aveva dato una mano.

Poi c'era Pino, naturalmente.

O quel che ne restava.

La perdita della tossica l'aveva prosciugato. Eseguiva gli ordini come un automa. Aveva perso forse dieci chili, e sí che non era un colosso. Non dipingeva piú.

Purché reggesse ancora per due giorni! Due altri miseri giorni!

Lui era essenziale per la riuscita del progetto.

Poi... poi se ne sarebbe liberato.

Buono per un'ultima missione suicida, magari.

Visto che ci teneva cosí poco a vivere!

Ma intanto, due giorni. E poi... il trionfo!

Era cosí immerso nei suoi sogni di gloria che quasi non fece caso al portatile. Si decise a rispondere solo al quinto squillo. La voce di Yanez era concitata.

– Capo, siamo fottuti. Stanno venendo a prendermi!

– Chi?

– Scialoja. Sono già qui...

Un'ondata di panico rischiò di sommergerlo. Scialoja! Cosí presto! E Yanez... la prima cosa che quella carogna avrebbe fatto sarebbe stato vuotare il sacco... non sapeva tutto, certo, ma quanto bastava a rendergli la vita impossibile...

– Capo! Che devo fare?

Ma un momento. Forse non tutto era perduto. Dipendeva dalla velocità di reazione. Scialoja non aveva i superpoteri. Un margine c'era. Esiguo, certo, ma c'era.

– Capo!

– Dammi solo sei ore, Yanez. Sei ore. E ti coprirò d'oro. Sei ore. Poi fa' come ti pare...

– Ci proverò.

L'avidità avrebbe funzionato? In ogni caso, non c'era un minuto da perdere!

Chiamò il Guercio e gli ordinò di cambiare nascondiglio. Avrebbe provveduto lui a cercarlo.

Pino si incaricò di spostare le macchine in un luogo piú sicuro.

Lui in persona ripulí, per quanto era possibile, l'ufficio.

Poco dopo la mezzanotte, con le sue chiavi, entrò nell'appartamento di Michelle.

Il drudo di turno, un fregnone alto e biondo con orecchino e tatuaggi tribali, si sollevò dall'amplesso con fare beffardo, invitandolo a tornarsene all'ospizio.

Stalin gli spaccò il naso con una testata, e allentò la stretta alle palle solo quando quello si mise a invocare, piagnucolando, la mamma.

– Prendi i tuoi stracci e vaffanculo!

Michelle aveva osservato la scena in un composto silenzio.

Stalin, ammirando lo stile, posò sulle lenzuola la ventiquattr'ore che si era portato dall'ufficio. Fece scattare la serratura e mostrò alla ragazza le mazzette da centomila.

– Uao!

– Sono per te!

– Devo ammazzare qualcuno?

– Mi serve la tua casa. Puoi tornare fra una settimana.

– Ci rivedremo?

– Perché no?

Rimasto solo, compulsò il Rolex. L'una. Dalla telefonata di Yanez erano passate meno di tre ore.

Una prova di efficienza sbalorditiva.

Mancavano *meno* di due giorni, ormai.

Ce l'avrebbe fatta.

2.

Un gruppo di terroristi dell'Ira rapisce un soldato inglese di colore e decide di ucciderlo. Durante la prigionia, il soldato fa amicizia con un terrorista e chiede che sia proprio lui a eseguire la condanna. Il terrorista, che in fondo è un brav'uomo, se lo porta nel bosco, dove il soldato cerca di tirarla per le lunghe raccontandogli del suo grande amore. Giunge persino a mostrargli la fotografia della sua fidanzata. Il terrorista, lacerato fra il dovere verso la causa rivoluzionaria e la pietà umana che quel poveraccio gli ispira, si distrae, permettendo all'ostaggio di fuggire. Ma il soldato, evidentemente destinatario di una razione supplementare di malasorte, finisce stritolato sotto un camion. In preda ai rimorsi, il terrorista si sposta a Londra e cerca di mettersi in contatto con la vedova.

Il senatore Argenti si agitava sulla sedia. Il film non gli piaceva, e non era uomo da farne mistero. Piú volte Beatrice aveva dovuto riprenderlo. Per lei quel film era uno dei capolavori degli ultimi anni. Sarà stata la quarta, quinta volta che lo rivedeva. Aveva insistito tanto perché anche lui partecipasse a un simile godimento, e lui aveva sapientemente glissato – il film era vecchio di qualche mese; Beatrice prima o poi si sarebbe arresa – finché i gestori della saletta parrocchiale al Flaminio – oltretutto di una scomodità inaudita – non avevano inopinatamente deciso di riprogrammarlo. E Argenti aveva dovuto cedere.

Capiva Beatrice. Lei cercava di scuoterlo. Di vincere quell'aria di cupa rassegnazione che si era impadronita di lui negli ultimi tempi.

– La smetti di agitarti?

Beatrice faceva del suo meglio. E lui era sempre piú in debito verso le sue premure e il suo spirito di sopportazione! In debito e in colpa, ovviamente.

Ma che poteva farci se l'insulso romanticume di quella pellicola lo irritava?

E conosceva anche il finale, oltretutto! Ne avevano parlato tutti i giornali. Lei non era lei, ma lui. Un transessuale. Era grazie a questa trovatina che i furbi autori avevano sbancato il botteghino.

Lo squillo del cellulare gli apparve come la cometa nella notte magica.

– Sei uno stronzo, – sibilò Beatrice, mentre si allontanava per rispondere con tutta calma all'ignoto salvatore.

Fuori dalla sala, incurante della fitta pioggerellina che scivolava sul suo impermeabile blu, Scialoja aspettava il senatore Argenti. Un'improvvisa fitta alla bocca dello stomaco lo fece vacillare. I contorni di via Guido Reni si fecero incerti. La vista prese a tremolare. Da quant'è che non metteva niente nello stomaco? Estrasse dalla tasca un flacone e inghiottí due compresse. Lo stordimento svaní immediatamente, rimpiazzato da una lucidità malsana. Era come se i sensi si fossero di colpo rivitalizzati. Percepiva anche i piú

insignificanti rumori, il fruscio degli pneumatici sull'asfal-
to bagnato, il ronzio dei lampioni, poteva trattenere nella
retina la scia luminosa dei fari... Amfetamine. Da due giorni andava avanti ad amfetamine.

Tutto si era svolto con una rapidità impressionante.

Scialoja era andato a fare una visitina a Ciccio uno e a
Ciccio due.

Non c'era nessuno Stalin Rossetti, là dentro.

Scialoja aveva mostrato la foto di Stalin Rossetti a Rocco Lepore. Il guardiano delle carte aveva scosso la testa.

Che scherzo gli aveva giocato il Vecchio?

Scialoja aveva ordinato a Camporesi di sentire gli austra-
liani. Devo sapere se e quando questo Rossetti e Patrizia sono stati alle isole Fiji. Quando, *quando*, non *se*, il fatto è accertato. Voglio la data del volo, il nome dell'albergo, voglio
sapere se durante il loro soggiorno è accaduto qualcosa. Voglio sapere tutto. Non m'importa quanto tempo ci metterà.
Sarà sempre troppo. Voglio sapere tutto. E voglio saperlo
prima di subito.

I ragazzi della squadretta dei telefoni avevano lavorato come dannati sui numeri di Patrizia. Erano spuntati due
o tre possibili riferimenti. I ragazzi continuavano ad acce-
carsi su tabulati e software.

Camporesi aveva ottenuto rapidi riscontri grazie al suo
ottimo inglese. Stalin Rossetti e Patrizia, anzi, Vallesi Cinzia, avevano visitato le isole Fiji nell'agosto 1991. Dal registro della parrocchia di Nonsodove era saltata fuori un'an-
notazione di matrimonio.

Era tutto vero. Tutto orribilmente vero.

Stalin e Patrizia erano marito e moglie. Se non davanti
alla legge (nessuna trascrizione qui da noi, ho controllato allo stato civile, aveva puntualizzato Camporesi), davanti a
Dio.

Marito e moglie.

Lui. Stalin Rossetti.

Camporesi era accorso con un bicchiere di whisky. Scialoja aveva recuperato il contegno.

Lui. Lui gliel'aveva mandata. Era stata tutta una recita. L'aveva mandata a spiarlo. Mentre facevano l'amore, mentre piano piano in lui si riaccendeva la passione... lei... era fedele a quell'altro...

Poi era arrivato l'amore.

E lei era stata uccisa.

Lui l'aveva uccisa.

Stalin Rossetti.

Un uomo del Vecchio.

I ragazzi della squadretta dei telefoni si erano affacciati, l'aria imbarazzata. Abbiamo un numero. Ci sono frequenti contatti con la signorina. Abbiamo il numero. Perché quell'aria da funerale, allora? È un non-assegnato. Ufficialmente questo numero non esiste. Non corrisponde a nessuna identità fisica.

– Lo so benissimo cosa vuol dire, – urlò Scialoja. Poi aggiunse, sottovoce: – Siamo stati noi, allora? Sono stato io?

Sono io che ti ho condannata a morte, Patrizia?

Noi no, avevano protestato i ragazzi. Noi siamo con lei, capo. E poi, si fa presto a controllare! Controllare cosa? Se non voi, chi? Non siete i migliori? Anzi, gli unici? Non vi ho presi tutti con me proprio per questo?

Be', proprio tutti no. Qualcuno potrebbe esserci in giro, qualche professionista straniero, per esempio. C'è quella storia del black-out al centralino di Palazzo Chigi la notte delle bombe... quella non è sicuramente opera nostra, eppure l'hanno fatto... Non possiamo pretendere l'esclusiva sulle tecnologie...

E poi c'è Yanez, aveva detto il piú anziano.

Yanez? Chi è questo Yanez?

Mah, uno bravo. Ma completamente matto. Per questo non ha fatto carriera. Matto? Che vuol dire matto? Vuol dire... che ne so, capo, dicevamo cosí ai tempi della Gladio... matto, Yanez è matto. Per questo lo hanno mandato via.

Fatemi capire. C'era un tecnico di primissimo piano che era stato reclutato dalla Gladio e che poi a un certo punto è stato allontanato...

Proprio cosí. E dov'è adesso? E chi lo sa! Ma se era vero quello che si diceva di lui, basterà farsi un giro per le bische e Yanez salterà fuori.

Perché lui, proprio, dal tavolo verde non ci sa stare lontano!

Scialoja aveva rivoltato il sottobosco degli informatori.

Yanez era stato scovato.

L'avevano preso e lui si era lasciato ammanettare con un sorrisetto beffardo.

Aveva resistito sei ore nella stanzetta insonorizzata. Camporesi aveva dovuto minacciare di sporgere denuncia se Scialoja non l'avesse piantata con la violenza.

All'alba, Yanez si era fatto dare una sigaretta e aveva chiesto di restare da solo con Scialoja.

– Che mi dài se parlo?

Scialoja gli aveva promesso la libertà. Camporesi era insorto: non ha l'autorità per farlo! Scialoja si era limitato a fissarlo. Camporesi aveva chinato il capo.

Yanez aveva parlato.

La pioggia continuava a cadere. Il senatore ancora non si vedeva. Scialoja si calò un'altra anfa.

Era cominciato tutto ai tempi della Gladio. Organizzazione di «protezione» interna prevista dai patti segreti fra Italia e Stati Uniti. Avrebbe dovuto operare in caso di colpo di Stato comunista. O di vittoria elettorale delle Sinistre, secondo molti. Il Vecchio era stato uno dei controllori. A un certo punto aveva deciso che la Gladio non bastava piú.

E aveva inventato la Catena.

Funzionava cosí. Durante i periodici addestramenti, all'interno delle reclute della Gladio venivano selezionati alcuni elementi. Con un pretesto, li si mandava via. Successivamente recuperati, da quel momento non erano piú Gladio, ma Catena.

Catena. Un'accolita di bastardi e assassini. Catena. Le SS del Vecchio. La feccia del Vecchio.

Stalin Rossetti era stato l'ultimo comandante operativo della Catena.

Il Vecchio aveva sciolto l'organismo dopo la caduta del Muro.

Tutti erano tornati a casa.

Tutti meno Stalin Rossetti, Yanez e un altro, un gorilla chiamato «il Guercio».

Stalin aveva stretto un accordo con la mafia.

E con Patrizia.

E il Vecchio non gli aveva mai parlato di lui!

Il Vecchio anche da morto aveva giocato.

Divide et impera.

Il senatore Argenti fece capolino sulla soglia del pidocchietto, lottando contro un piccolo ombrello color ciclamino che non voleva saperne di aprirsi. Nell'impaccio dei suoi movimenti c'era qualcosa di onesto e di antico che faceva bene al cuore.

Scialoja gli andò incontro, consapevole di aver fatto la scelta giusta.

3.

Pino Marino parcheggiò l'autobomba fra una vecchia
Uno e il furgone di un panettiere.

Dal vicino stadio Olimpico esplodevano, a tratti, gli
scoppi d'ira o di entusiasmo dei tifosi.

Angelino, dal sedile di guida della sua Saab, vide che il
picciotto armeggiava nel vano motore.

Starà controllando il contatto, si disse.

Erano nei pressi del cancello G-8. La partita era appena iniziata.

Fra un'ora e mezzo o poco piú, i tifosi avrebbero preso a defluire, invadendo le strade circostanti.

L'autobomba era stata piazzata proprio lungo una di queste strade.

Appostati in una piazzola a cento metri, Pino e Angelino avrebbero dato il via alle danze al passaggio della colonna di automezzi dei Carabineri che smontavano dal servizio di ordine pubblico.

Doveva essere una carnecifina.

Duecento, cinquecento, forse mille fra militi e tifosi.

Il *colpetto*.

Questo pensava Angelino Lo Mastro.

E pensava: quel picciotto mi piace. Con tutto quello che
gli ha combinato il suo boss, ha ancora la forza di tirare avanti. Il picciotto è uno di quelli che non hanno paura di guardare in faccia la morte. Il picciotto, se non fosse nato nel
posto sbagliato, poteva essere uno di noi.

Ma perché ci metteva tanto a controllare il congegno?

C'era forse qualcosa che non andava?

Tastò il sedile accanto, in cerca del contatto rassicurante con il telecomando.

Niente telecomando.

Ispezionò il sedile posteriore. Niente.

L'ha preso il picciotto! Ma perché?

Che sta succedendo?

Angelino uscí dalla Saab e si avviò verso il picciotto.

– Ma quanto ci metti?

– Un momento solo.

Angelino sbirciò sopra le spalle del picciotto. Ma non era possibile! Tutti i fili scollegati… la scatola aperta… ma questo era… era sabotaggio! Il picciotto s'aviva futtutu 'a testa! Angelino cercò di estrarre il revolver. Il picciotto fu piú veloce di lui. Con la canna della semiautomatica puntata fra gli occhi, Angelino fece un passo indietro.

– Ma che minchia sta succedendo?

– Si cambia piano. Torniamo a casa.

– Tu sei pazzo!

– Non sono io che dò gli ordini. Andiamo.

Il mafioso sputò per terra. Pino Marino si chiese come avrebbe dovuto interpretare gli ordini di Stalin. Portalo indietro, gli aveva detto, se ti riesce. Ma se oppone resistenza, piantagli una palla in fronte e poi fa' sparire il corpo. Quello sputo era «resistenza»? E d'altronde, la cosa non gli interessava. Niente piú gli interessava. Lasciò scorrere il dito sul grilletto. Il mafioso impallidí.

– Aspetta, aspetta, ragioniamo. È stato lui a dirtelo, no?, quel grandissimo curnutazzu! Be', amico mio, aspetta ca ti cuntu 'na storia…

Stalin era quindici metri dietro di loro, protetto dalla Thema blindata. Aveva deciso all'ultimo momento. Voleva esserci. Era il preludio al trionfo, dopo tutto. E poi… meglio non fidarsi! Pino era un gran combattente, d'accordo, ma Angelino non andava sottovalutato. Se qualcosa fos-

se andato storto... se la bomba fosse esplosa... non ci sarebbe stata una seconda occasione... fin qui, sembrava che
tutto procedesse secondo i piani. Pino armato, il mafioso
che arretrava. Ma perché ora Pino si era fermato? Perché
lo ascoltava con tanta concentrazione? Che diavolo stava
succedendo?

Stalin si mosse. Stava correndo verso i due quando
esplose il colpo. D'istinto si lasciò cadere, rotolò per qualche metro, quando si rialzò impugnava la sua piccola calibro 22.

Il mafioso si teneva una gamba e urlava di dolore. Il rischio che arrivasse qualcuno era altissimo! Altissimo! E
Pino? Dov'era finito Pino?

Un'auto passò a tutta velocità, sfiorandolo. Era la Saab
del mafioso. Al volante c'era Pino, l'aria stravolta.

Stalin si precipitò da Angelino.

4.

Pino Marino guidava a duecento, e le lacrime gli rigava-
no le guance.

Lacrime di speranza. Lacrime di rabbia.

All'altezza di Roncobilaccio fece rifornimento e si im-
bottí di caffè. Andò in bagno. Piú avanti ruppe il telecomando e ne gettò i pezzi dal finestrino.

Aveva risparmiato il mafioso perché, in un certo senso, gli aveva ridato la vita.

E aveva risparmiato Stalin Rossetti perché non aveva
tempo di occuparsi di lui.

Doveva correre da Valeria.

Valeria a Milano.

L'avrebbe trovata. Sarebbero andati via insieme. Per sempre.

Non doveva niente a Stalin Rossetti.

Non avrebbe piú ucciso per lui.

Lui doveva avere Valeria.

Ma Stalin gliel'aveva portata via.

Avrebbe dovuto ucciderlo.

Ma non avrebbe piú ucciso.

Valeria. Valeria lo aspettava, da qualche parte, a Milano.

5.

Quando sei Stalin Rossetti devi adattarti a saper fare un po' di tutto.

Rappezzare d'urgenza la rotula spappolata di un mafioso. Ignorare la litania di insulti e di minacce. Sei un uomo morto qua, topo di fogna là... Parole... Ricordargli che se lo lasci in vita non è certo per ragioni umanitarie, ma solo perché c'è convenienza. Imbottirlo di sonniferi assicurandogli che tutto andrà per il meglio.

E lasciami lavorare, minchione! Con la tua bombetta del cazzo non saremmo andati da nessuna parte. Se si fa a modo mio, abbiamo già vinto.

E il picciotto, il picciotto... lassamulu perdiri, 'u picciottu! Che ce ne fotte del picciotto!

Qua stiamo per prenderci l'Italia!

Il Guercio arrivò al Pratone sull'Ostiense mezz'ora dopo la telefonata. Arrivò su un motorino scassato. Era sporco come un barbone e puzzava come un barbone. Stalin lo aspettava sulla soglia della baracca. Manteneva discoste le quattro assi inchiodate che fungevano da porta d'ingresso e lo invitava a entrare.

Quando il Guercio gli voltò le spalle, Stalin gli appoggiò la calibro 22 alla tempia e fece fuoco. Con l'ultimo barlume di coscienza, il Guercio pensò che, in fondo, era giusto. Lo sapeva che avrebbe pagato.

Stalin trascinò il corpo all'interno e strinse le dita della destra del Guercio intorno all'impugnatura dell'arma. Poi chiamò Scialoja.

Improvvisamente, non era piú questione di tempo.

6.

Aveva fatto della ricerca di Stalin Rossetti la sua ossessione.

Non si sarebbe mai aspettato che fosse lui a cercarlo.

– Dobbiamo parlare, – gli aveva detto, – tu e io. Da soli.

E cosí quello era l'uomo. Quello il bastardo. Il marito di Patrizia. Scialoja aveva ingiunto a Camporesi di non seguirlo. Camporesi aveva insistito perché almeno montasse un qualunque dispositivo di identificazione, anche un cellulare sarebbe andato bene. Ma Scialoja aveva detto di no a tutte le proposte ragionevoli.

Era una partita a due. Lui e Stalin Rossetti.

E cosí quello era l'assassino di Patrizia.

– Prima che tu me lo chieda: è stato lui. Avrei voluto consegnartelo vivo, ma è stato piú veloce di me.

Scialoja si chinò sul cadavere del Guercio. Nessuna smorfia di dolore, nessuna contrazione nell'estremo istante. Solo un'assurda serenità.

– Questo poveraccio non c'entra niente. Sei stato tu.

– Ma che dici! Che dici! Tu non immagini nemmeno quanto eravamo legati, Patrizia e io! Sí, è vero, l'ho usata per spiarti. Ma non l'avrei fatto se il Vecchio non mi avesse costretto.

– Che c'entra il Vecchio, adesso?

– Non doveva scegliere te. Non era giusto. Non doveva gettarmi via come una scarpa vecchia! La colpa di tutto questo è solo sua. Tu non sai un cazzo!

Sembrava sincero. Fingeva sinceramente. Scialoja non era piú in grado di giudicare. Aveva atteso per giorni questo momento. E adesso si sentiva privo di energie, svuotato, sull'orlo di una crisi di pianto. Patrizia aveva davvero amato quest'uomo?

– Ora, quello che vorrei proporti...

– Tu non sei in grado di proporre niente. So quanto basta per cancellarti dalla faccia della Terra.

– E chi lo nega? Anzi, devo farti i miei complimenti! Sei stato bravissimo a individuarmi, hai scoperto tutto della Catena... ma, vedi, tu puoi fare di me quello che vuoi. A patto che accetti di portarti sulla coscienza mille vittime innocenti!

– Che vuoi dire?

Con un sospiro, Stalin Rossetti gli disse della bomba. Scialoja si prese la testa fra le mani. Mille morti. Mille morti. Perché il Vecchio aveva scaricato tutto questo sulle sue spalle? Per «guastarlo»? Per torturarlo? Perché? Voglio fuggire, pensò Scialoja. Voglio andare via da qui. Questa non è la mia vita. Non posso scegliere. Non io. Non adesso.

– Possiamo fermare questo massacro. Tu e io. Ovviamente, bisognerà fare qualche concessione. Qualcosina per tenere buoni quelli di giú ed evitare che simili spiacevoli episodi si ripetano in futuro... Roba di poco conto, al punto in cui siamo si accontentano di qualche trasferimento dagli *speciali*... magari potremmo far chiudere l'Asinara, i padiglioni piú tosti... alleggerire un po' il regime di detenzione... insomma, un segnale. Tanto per fargli capire che il vento è cambiato... poi...

– Poi?

– Poi c'è una piccola questione privata...

Scialoja gli fece cenno di proseguire. Stalin Rossetti giunse le mani, come in preghiera.

– Voglio il tuo posto, Scialoja.

Scialoja fu preda di un riso nevrotico, incontrollabile.

– Tu vuoi il mio posto? Tu vuoi il mio posto?

Stalin Rossetti si fece livido.

– Che cazzo hai da ridere, eh? Te li faccio saltare in aria quei mille stronzi, giuro che lo faccio! C'è una persona che aspetta una mia telefonata, se entro un'ora io non...

– Tu non sai come te l'avrei ceduto volentieri, il mio posto, – mormorò Scialoja, di colpo serio. – Il Vecchio ha sbagliato a scegliere me. Non ero io la persona giusta, eri tu!

Aah, aah! Che dolci parole. Stalin Rossetti se lo sarebbe abbracciato, quel deficiente. Certo che non era lui la persona giusta. Solo che era veramente cosí deficiente da non aver capito che il Vecchio non aveva affatto sbagliato. Ora, va' a capire se il Vecchio era cambiato... se si era messo in testa di diventare... buono... si sa, la prospettiva della morte rammollisce... aveva visto atei conclamati trasformarsi in beghine tremanti al primo accenno di incontinenza... o se voleva solo divertirsi un po' alla sua maniera... l'inimitabile maniera del Vecchio... be', ma in ogni caso, la faccenda si stava trascinando un po' per le lunghe...

– Ho fatto una proposta. Aspetto una risposta.

– Lasciami fare qualche telefonata, – sospirò Scialoja.

Epilogo
Dicembre 1993

Scialoja non si era piú fatto vivo. Scialoja non aveva mantenuto la sua promessa. Patrizia si era sbagliata sul suo conto. Lui non era diverso. Lui era come tutti gli altri. Un miserabile. Maya Donatoni spiegò per l'ennesima volta all'avvocato che ormai aveva deciso. Avrebbe fatto di testa sua. Delle conseguenze non le importava. Lei era la figlia del Fondatore! Un mese prima Giulio Gioioso le aveva fatto capire che in futuro... se le cose fossero andate come dovevano... si poteva tornare a sperare per le proprietà... le perdite non erano poi cosí rilevanti... ora i giudici erano incarogniti, ma poi la tempesta sarebbe passata... le tempeste passano sempre in Italia... basta non perdere la bussola nel momento difficile... è proprio quando sembra che tutto sia perduto che invece, dietro la notte cupa, si sta preparando il sorgere di un'alba radiosa... Fingendosi presa dai suoi toni sdolcinati, Maya l'aveva incoraggiato. Giulio Gioioso si era dipinto come un amico sincero, devoto, straziato dalla perdita di Ilio. Oggi. Domani, forse, col tempo... L'aveva incoraggiato, sí, perché aspettava un segnale da Scialoja. Perché credeva ancora in lui.

Ma Scialoja era come tutti gli altri.

Un miserabile.

Alle undici in punto di un lunedí, Maya chiese al procuratore della Repubblica di essere presa a verbale.

Scialoja non era tornato. E, a questo punto, non sarebbe tornato piú.

Il cavalier Silvio Berlusconi aveva pubblicamente annunciato il suo ingresso in politica. L'ora difficile che il Paese strava attraversando lo costringeva a «scendere in campo». Al partito avevano brindato: ma chi se lo sarebbe mai sognato un avversario cosí?

Argenti, coi suoi mugugni, era stato retrocesso nel girone delle cassandre, il piú esecrato. Di peggio c'era solo il girone gatti neri, quello dei compagni portasfiga. Ma loro, almeno, erano temuti. Il suo nome, invece, era scomparso da tutti gli organigrammi del futuro governo di centrosinistra.

Poco male, visto che non ci sarebbe stato nessun governo di centrosinistra.

Quando Scialoja gli aveva detto che gli avrebbe consegnato gli archivi segreti del Vecchio, il suo primo moto era stato di curiosità.

«Perché proprio a me?»

«Perché lei è una persona onesta».

«In certi ambienti "persona onesta" suona male. Sembra quasi un sinonimo di imbecille…»

«Magari lo fossi stato io, senatore!»

«Onesto o imbecille?»

«Tutte e due le cose. Ma è tardi, ormai. Le porterò quelle carte. Sappia farne buon uso!»

Il secondo moto era stato d'indignazione.

«Lei sta cercando di rendermi suo complice in un'attività di dossieraggio non solo antidemocratica, persino illegale! Lei vuol farmi commettere un reato!»

«Uno solo? Là dentro c'è roba da far impallidire il piú scatenato scrittore di gialli, caro senatore!»

«Il suo dovere è di consegnare quelle carte alla magistratura!»

«Ma non mi faccia ridere! Se ne occupi lei, quando verrà il momento. Ma accetti un consiglio: prima di farlo, dia un'occhiata a quelle carte. Si chieda se non sarebbe meglio usarle per rivoltare questo Paese come un calzino. Per cambiare la Storia di questo Paese! Mi farò vivo, senatore, è stato un piacere».

Altro che, se ci aveva pensato! Giorno e notte ci aveva pensato. Tanto, visto l'inesorabile processo di emarginazione in atto nei suoi confronti nel partito, di tempo ne aveva sin troppo. Ci aveva pensato, e aveva deciso che se davvero Scialoja avesse mantenuto la parola, avrebbe immediatamente convocato una conferenza stampa e girato il tutto ai giudici.

O no? Poteva davvero dire di essere cosí certo della sua decisione?

Non sarebbe stato meglio ritornare sulla questione, rivalutare i pro e i contro, riesaminare la vicenda nel suo complesso ai fini di una piú compiuta decisione, come si dice, *melius re perpensa*?

Beatrice entrò nello studio e si accorse subito della sua espressione rapita, quasi estatica.

– Oh, miracolo! Il senatore non lavora!

– Stavo inseguendo un sogno a occhi aperti.

– Devo provare un'acuta fitta di gelosia?

– Per carità! Sognavo... sai, roba del genere «cambiamo l'Italia»... «raddrizziamo questo Paese»... «facciamo luce sul marcio della Prima Repubblica»... «costruiamo per i nostri figli un futuro migliore»... la presa del Palazzo d'Inverno in edizione riveduta e corretta...

– Gratta gratta il democratico e spunta fuori lo stalinista.

– Ecco, appunto, te l'ho detto, sognavo. Ti va se andiamo a teatro?

– Doppio miracolo! La cultura che scaccia la politica! Dove?

– *Argentina*. C'è Carmelo Bene con *Un Amleto di meno*.

– Corro a prepararmi.

Scialoja non aveva mantenuto la parola. Meglio. La tentazione era troppo forte. La tentazione della scorciatoia. Ma non è cosí che funzionano le cose. Le cose vanno avanti a piccoli passi. Con pazienza e ironia. Cerchiamo di arrivare alla meta tutti insieme, se possibile. E sennò, almeno tendiamo una mano a quelli che sono rimasti indietro. E poi... oggi si perde, e sta bene.

Domani, qualcosa c'inventeremo.

Tutto era andato secondo i piani.

I piani di Stalin Rossetti.

L'Asinara si era svuotata.

L'Ucciardone si era riempito.

Molti 41 bis erano stati annullati.

Qualche testa era saltata, ma il segnale era stato dato.

I mafiosi avevano avuto un *cadeau* e, almeno per il momento, si erano dati una bella calmata.

Angelino era ripartito per l'isola dopo un freddo commiato.

Restava inteso che si sarebbe attribuito il merito dell'operazione.

Ma a Stalin non gliene importava un fico secco.

Lui aveva le carte.

E si era tolto per sempre dai piedi Scialoja.

I mafiosi avevano fatto sparire l'autobomba. La convenienza? Recuperare il parmigiano. Poteva sempre tornare utile in qualche altra occasione.

L'attentato virtuale era riuscito laddove il tritolo e il Semtex avevano fallito.

Mille vite umane erano state risparmiate.

Chi non l'avrebbe considerato un benefattore?

Certi vecchi amici che sembravano scomparsi nel nulla avevano recuperato la memoria e si erano fatti vivi con congratulazioni e postulazioni.

Lui aveva le carte. Lui era l'erede del Vecchio.

Le cose tornavano al loro posto.

Stalin Rossetti si voltò. Il guardiano era ancora sulla soglia, con il suo stupido fucile e il cane ringhiante.

– Ancora qua, tu? Via, via!

Per prima cosa, si sarebbe liberato di quel vecchio e della sua bestia puzzolente. Avrebbe poi immediatamente trasferito l'archivio in un luogo sicuro, sotto il suo diretto controllo.

E poi... poi si sarebbe rimesso al lavoro. Come sempre. C'era un bel po' di tempo da recuperare!

Ma non avrebbe accettato incarichi ufficiali, oh, no, grazie, non c'è padrone peggiore dello Stato, e poi abbiamo già dato.

Si sarebbe messo in proprio.

Avrebbe raccolto informazioni e si sarebbe fatto pagare per metterle sul mercato. O per non metterle sul mercato. Non faceva nessuna differenza. Era quello il business del futuro.

Ormai, poteva fare tutto quello che voleva. Tutto.

Aveva appena mosso un passo verso i camion quando il primo colpo lo raggiunse alla spalla.

Mentre si voltava, incredulo, si domandava: ma dove ho sbagliato? Era tutto cosí perfettamente organizzato...

Ecco. Eccolo qui l'errore. Sottovalutazione del nemico.

Era finita. Lo capí mentre Camporesi prendeva la mira. E Rocco Lepore, accanto a lui, imbracciava la doppietta.

Fu l'ultima cosa che vide.

Camporesi mise via l'arma e si impose di non guardare ciò che restava del volto di Stalin Rossetti. Poi indirizzò un cenno di ringraziamento al vecchio. Non aveva mai ucciso un uomo. Non sapeva nemmeno se sarebbe stato capace di esploderlo, il colpo di grazia. Il guardiano rispose portando una mano alla fronte.

– Avete ordini?

– Sto pensando, Rocco.

– Pensare è una buona cosa. Se non dura troppo.

Sí, bisognava prendere una decisione, e prenderla subito.

L'onesto, il fedele, entro una certa misura, Camporesi! L'ordine che gli era stato impartito, quando tutto era cominciato, era di scovare le carte. Era stato scelto perché era il migliore, ovvio. Il miglior finto tonto che avessero a disposizione.

Non ci aveva messo molto a scoprire l'archivio. Scialoja non era il Vecchio. Questo lo sapevano tutti. Ma, a suo modo, l'aveva rispettato. E, alla fine, aveva deciso di seguire il suo gioco. Un'altra simulazione, certo, ma ora…

Erano stati i morti di Firenze a cambiarlo. La sua città ferita.

Tutto questo non doveva mai piú accadere.

Sí, ma ora?

Obbedire agli ordini?

Tenere per sé le carte?

Che immensa fonte di potere, nelle mani giuste.

Ma esistevano mani giuste?

Il cane ringhiò. Camporesi sospirò. Rocco si accese un mozzicone di sigaro.

– Torna?

– Chi?

– Il dottore.

– Non credo... No, Rocco, non torna.

– Allora tutta chista è roba vostra!

– Sí, direi di sí...

– E che ci dobbiamo fare, tenente?

– Non lo so ancora.

– Come volete, tenente. Siete voi a comandare, adesso.

Titoli di coda

Camporesi dette le dimissioni due mesi dopo la morte di Stalin Rossetti. Nella sua ultima relazione riservata, riferí ai superiori che i dossier originali erano andati distrutti nel corso dell'incendio che, effettivamente, risultò aver devastato il capannone.

Dopo aver ritrovato Valeria, Pino Marino si trasferí in una piccola isola dell'Egeo. Attualmente dirige un'avviata azienda agricola biodinamica. Non ha mai smesso di dipingere. Cura personalmente le copertine dei dischi di jazz che Valeria incide a ritmo regolare.

Il cantante B.G. è stato eletto due volte in Parlamento in liste di destra. Attualmente conduce furiose campagne contro la diffusione degli stupefacenti.

Giulio Gioioso è stato condannato a sette anni di reclusione per concorso esterno in associazione mafiosa. Pende appello.

Maya Donatoni è stata la principale testimone d'accusa contro Giulio Gioioso. Ha fondato una rivista di opinione, e collabora attivamente con svariati centri antimafia in tutta la penisola.

Raffaella Donatoni frequenta una scuola di cinema a Los Angeles. Il suo sogno è diventare regista.

Nel 1994 Ramino Rampoldi fu nominato amministratore delegato di un'importante azienda a capitale misto pubblico/privato. Dimessosi dall'incarico nel 1997, tornò a occuparlo fra il 2001 e il 2006. Attualmente è presidente di una società finanziaria. È fedele a sua moglie Sonila.

Sonila Landinisi in Rampoldi fa la produttrice televisiva. I suoi collaboratori la detestano. Tradisce spesso il marito, che in privato ama definire «quel mandrillo spompato».

Yanez si occupa della sicurezza per la filiale europea di un'importante multinazionale.

Il dottor Emanuele Carú dirige l'agenzia di stampa «Vivacemente-News» e conduce *Senza peli sulla lingua*, fortunato talk-show televisivo. Si diverte sempre a mettere alla berlina gli avversari ed è unanimemente ritenuto l'uomo piú intelligente, ma anche il piú bizzoso e imprevedibile, della Destra.

Mario Argenti continua a sedere in Parlamento e a combattere la sua battaglia politica, con alterne fortune, ora dai banchi della maggioranza, ora da quelli dell'opposizione.

Beatrice ha scritto un romanzo di successo e collabora all'inserto domenicale di «la Repubblica».

Dopo la cattura di Bernardo Provenzano, Angelino Lo Mastro viene indicato da piú fonti come il Numero uno di Cosa nostra. I pentiti affermano che, contrariamente allo stile e alla consuetudine dell'organizzazione, Angelino ama viaggiare, si reca spesso in continente e all'estero, possiede molte autovetture di grossa cilindrata e si circonda di avvenenti fanciulle. A onta del disprezzo che manifesta per le piú elementari regole di prudenza – e dell'inserimento nell'elenco dei trenta piú pericolosi ricercati – è tuttora latitante. Sempre secondo i pentiti, si è sottoposto a un intervento chirurgico di plastica facciale. Tutto ciò di certo che si conosce, quanto al suo aspetto fisico, è che zoppica vistosamente dalla gamba destra.

Nessuno sa che fine abbia fatto, dopo le dimissioni da tutti gli incarichi, Nicola Scialoja.

Successivamente ai fatti narrati in questa storia, in una sola altra occasione (marzo 1994) Cosa nostra ha fatto ricorso all'esplosivo, cercando invano di eliminare il superpentito Totuccio Contorno.

Indice

p. 3 Prologo
Campagna casertana, estate 1982

Dieci anni dopo. Autunno 1992

11 Cose di Cosa nostra
19 Gli orfani del Vecchio
35 Contatti & contratti
54 Maya e gli altri
63 Alta politica
73 La figlia del Fondatore
86 La Catena
102 La Morte e la Fanciulla
116 Pino Marino e Valeria
122 La Bella e la Bestia
128 Mani pulite
133 L'amico americano
151 Disvelamenti
158 Statisti
165 Lady Ero comes back
176 Bianco Natal...
186 Il crepuscolo degli dèi
190 L'illuminazione di Carú
196 Gli inesorabili
207 Resurrezione
211 Quando il gioco si fa duro...

p. 219   Effetti collaterali

226   La sincerità

239   Family life

248   Il poema delle bombe

257   La perdizione

267   I left my heart in Portofino

281   La forza del sentimento

310   La fine è nota

327   Epilogo
         Dicembre 1993

335   *Titoli di coda*

Stampato per conto della Casa editrice Einaudi
Presso Mondadori Printing S.p.a., Stabilimento N.S.M., Cles (Trento)

C.L. 18539

Edizione   Anno

5   6   7   8   9   10   2007   2008   2009   2010